1

Der erste Schritt

Meine Reise in die Gefilde der Reinkarnation begann im Dezember 1976, als ein unerklärlicher innerer Drang mich auf einen Hügel namens Kopan in der Mitte des Kathmandu-Tales führte. Dort nahm ich an einem einmonatigen Meditationskurs teil, der von zwei tibetischen Lamas geleitet wurde. Bis zum heutigen Tag weiß ich eigentlich nicht genau, was mich zu diesem Schritt bewog – zumal ich damals weder etwas über Meditation noch über Buddhismus wußte.

Eines Tages – ich saß gerade inmitten des allgemeinen Chaos meines Arbeitsplatzes bei der *Daily Mail,* wo ich als Reporterin angestellt war, an der Schreibmaschine – rief mich eine Freundin an und erzählte mir, sie wolle ‚mit den Lamas meditieren' gehen. Mit einem Mal erschien mir nichts verlockender, als sie auf ihrer Reise zu begleiten. Selten kommt es in unserem Leben vor, daß wir die innere Stimme der Intuition nicht nur hören, sondern ihr auch folgen. Dies war ein solch seltener Augenblick, und ich traf eine Entscheidung, die ich nie bereuen sollte.

Volle achtundzwanzig Tage lang tauchte ich in eine völlig andere Welt ein. Nachts schlief ich in meinen Schlafsack gehüllt auf dem Fußboden eines unbehaglichen kleinen Raumes, durch dessen unverglaste Fenster der eisige Winterwind blies. Tagsüber versenkte ich mich in die unvergleichliche Schönheit des Kopan-Hügels mit seinen bunt gefiederten Vögeln, seinen exotischen, lieblich duftenden Blumen, in die Aussicht auf die mächtigen Gebirgszüge des Himalaya und die althergebrachten Lehren des Buddha. Die Lehren wurden von zwei der außergewöhnlichsten Menschen vermittelt, die mir je begegnet sind. Lama Thubten Yeshe war der Extrovertiertere der beiden: rundlich, warm, lustig, manchmal recht dreist, zu anderen Zeiten ungemein rührend und immer sehr entgegenkommend – er nutzte jede nur denkbare Methode, um uns seine Botschaft näherzubringen. Lama Zopa, sein „Herzensschüler", war jünger, introvertiert, asketisch, ernst; niemand konnte die reine Ausstrahlung übersehen, die von ihm ausging. Zusammen verkörperten die beiden alles, was ich mir jemals von einem spirituellen Wesen erhofft hatte. Sie besaßen grenzenlose Weisheit, die nicht auf Bücherweisheit oder dogmatischem Glauben basierte, sondern aus einer tiefen Quelle innerer Erfahrung floß. Dazu strömten sie Mitgefühl aus, aufrichtige Demut und besaßen einen ausgeprägten Sinn für Humor – was wohl ihre anziehendste Eigenschaft war. Ich konnte ihnen vielleicht nicht *alles* abkaufen, was sie mir erzählten, da ich aufgrund meines Wesens und meiner Ausbildung nicht gerade leichtgläubig bin, aber *sie* konnte ich mit Sicherheit annehmen. Und wenn ihre Religion sie auf diesen hohen Stand menschlicher Entwicklung gebracht hatte, dachte ich, war es sicherlich lohnenswert, dazubleiben und zu hören, was sie zu sagen hatten.

Ich saß unter dem Blechdach der Meditationshalle, auf dem die Krähen umherhüpften. Die Hunde bellten unten im Tal, und ich lernte viele Dinge, unter anderem die Antworten des tibetischen Buddhismus auf die bedeutendsten aller Fragen: Wer bin ich? Warum bin ich hier? Woher komme ich? Wohin werde ich gehen?

Als ich später gebeten wurde, dieses Buch über Reinkarnation zu schreiben, erinnerte ich mich an die Dinge, die die Lamas gesagt hatten. Obgleich wir derzeit von Material über vergangene Leben überflutet werden und uns dieses Thema fasziniert, fand ich keine Erklärung, die so gründlich ausgearbeitet und systematisch überprüft worden war wie die des tibetischen Buddhismus. Die Lamas hatten all das Mysteriöse, das sich hinter dem Thema Reinkarnation verbarg, zu einer präzisen Wissenschaft entwickelt. Ihre Weisheit hatte unschätzbaren Wert. Was hat man letztlich von der Entdeckung, daß man in einem vergangenen Leben Toulouse-Lautrec oder eine arme Magd war? Wer nicht nur ihres Unterhaltungswerts wegen an solchen Überlegungen interessiert ist, muß sich schließlich fragen: „Welchen Sinn soll das Ganze haben?" Die Lamas hatten Antworten. Diese waren komplex, überzeugend und stellten hohe Ansprüche an den Intellekt.

Den Lamas zufolge war dieses Leben nicht der Anfang unserer Existenz; wir hatten vielmehr schon viele Leben vor diesem besessen, und der Prozeß, in dem ein Leben auf das andere folgte, reichte bis in ‚anfangslose Zeit' zurück. Diese Idee strapazierte die Vorstellungskraft bereits gewaltig. Die Lamas sagten auch, daß noch viele, viele Leben vor uns lägen und daß wir von unserem ‚Karma' – jenem unfehlbaren Gesetz von Ursache und Wirkung, das uns ernten läßt, was wir säen – auf dem sich ständig drehenden Rad von Geburt, Altern, Krankheit und Tod umhergeschleudert würden. So gehen wir von einem Leben zum anderen, lernen unsere individuellen spirituellen Lektionen, zahlen karmische Schuld ab, ernten die Früchte aller unserer vergangenen Taten und schaffen die ganze Zeit über die Umstände für unsere künftigen Wiedergeburten.

Sie erklärten weiterhin, all dies hinge mit dem Geist zusammen, unserem Bewußtsein, das weder Anfang noch Ende habe, sondern vielmehr ein unablässiger, sich in jedem Augenblick verändernder Gewahrseinsstrom sei. Sie sprachen auch davon, daß der Geist nicht mit dem Gehirn gleichgesetzt werden dürfe. Das hoben sie besonders hervor. Bewußtsein habe keine körperlichen Eigenschaften, sagten sie, es bestehe nicht aus Materie und könne daher gar nicht das gleiche sein wie dieses fleischige, mit einer grauen Substanz gefüllte Organ, das sich in unserem Schädel befindet. Natürlich bestehe da eine Verbindung, sagten sie, sogar eine recht enge. Man könnte sie mit der Verbindung zwischen Elektrizität und Glühbirne vergleichen. Ganz gewiß seien aber Bewußtsein und Gehirn nicht das gleiche. Der Sitz unseres Geistes liege, sagten sie – während sie sich auf die Brust klopften und ihr warmes, weises Lächeln verströmten – in unserem Herzen.

Fasziniert hörte ich zu. Später erfuhr ich, daß im tibetischen Buddhismus der Geist so tief und gründlich erforscht wird, daß es im Lexikon etwa sechzig verschiedene Wörter für die unterschiedlichen Bedeutungen dieses Begriffes gibt – wie bei den Eskimos, die so viele Worte für *Schnee* haben. Wollte man diese Dinge verstehen, mußte man mindestens dreißig Jahre lang studieren, um ein *Geshe* (ein Titel, der etwa einem Doktor der Theologie entspricht) zu werden, und Jahre in der Meditation verbringen, um die Bedeutung des Bewußtseins durch und durch für sich selbst zu ergründen. Es war also kein Wunder, daß die Lamas ihre Erklärungen mit solcher Genauigkeit und Sicherheit vortrugen. Ihre Worte bestachen durch die ungeheure Kraft ihrer Authentizität.

Entscheidend für den Prozeß der Reinkarnation war den Lamas zufolge, was zum Zeitpunkt des Todes geschah. „Wenn wir sterben", sagten sie, „trennt sich unser Geist von unserem Körper und bewegt sich auf sein nächstes Dasein zu, wo er in eine andere Form und ein anderes Leben eingeht." Logisch waren ihre Schlußfolgerungen schon, das mußte man zugeben.

In jüngeren Jahren hatte ich jahrelang regelmäßig die Kirche besucht – dies aber war die klarste Definition von Seele, die mir je zu Ohren gekommen war. Diese Erklärung war nicht so verschwommen wie die Standardantwort der Priester auf die Frage, was denn genau eine Seele sei. Die Lamas hatten es fertiggebracht, dieses am schwersten erfaßbare aller Dinge zu definieren und hatten offensichtlich gelernt, damit zu arbeiten. Sich der Verfeinerung und Weiterentwicklung des eigenen Geistes zu widmen, war ihnen zufolge das Lohnenswerteste, das ein Mensch in seinem Leben tun konnte, denn letztlich war unser Geist das einzige, was fortbestand.

Mochte sich die Theorie auch intellektuell angehört haben, was sich daraus ergab, war es ganz und gar nicht. Hier ging es um uns und unsere Leben – um das, welches wir jetzt besaßen, das, welches wir in der Vergangenheit besessen hatten und um das, welches wir in der Zukunft haben würden. Die Worte der Lamas fesselten uns alle. Die Daseinsform, in der wir uns befanden, so sagten sie, war ganz und gar unser eigenes Produkt.

Im Grunde war das buddhistische Gesetz einfach. Positive Taten führten zu positiven Resultaten, negative Taten zu negativen. Gutes, nützliches Handeln mit Körper, Sprache und Geist, wie zum Beispiel Güte, Liebe, Duldsamkeit und Großzügigkeit brachte Glück hervor, während schädliches Handeln, wie zum Beispiel Ärger, Haß, üble Nachrede, Eifersucht und Gemeinheit so auf uns zurückfiel, daß es uns unglücklich machte.

Lange Debatten wurden nun geführt und viele Fragen gestellt. Die Karma-Lehre mochte so alt wie die Menschheitsgeschichte selbst sein, aber für die westlichen Menschen des späten zwanzigsten Jahrhunderts, die hier auf dem Kopan-Hügel versammelt waren, war sie wirklich revolutionär. Denn was die Lamas uns da erzählten, war effektiv ein Schlag ins Gesicht der modernen Psychologie. Dem Buddhismus zufolge sind es nicht unsere Mutter oder unser Vater, unsere Erziehung, die Regierung, das Gesellschaftssystem oder unsere Ausbildung, die uns zu dem machen, was wir sind, und unsere Lebenssituation hervorbringen, sondern wir selbst. Wir selbst schreiben das Drehbuch unseres Lebens in Vergangenheit, Gegenwart und Zukunft. „Wie steht es mit der Vererbungslehre; was ist mit jenen Eigenschaften, Neigungen und Krankheiten, die der Wissenschaft zufolge eindeutig von unseren Eltern stammen?" fragte ich. „Karma", antworteten sie, „all das ist Karma. Aufgrund der Kraft des Karma kommt man zu bestimmten Eltern. Die Vererbung unterliegt, wie alles andere auch, dem Gesetz von Ursache und Wirkung." Sie hatten eine Antwort auf alles.

Aber welchen Sinn sollte das Ganze haben – diese ununterbrochene Wanderschaft von einem Leben zum anderen mit all ihren guten und schlechten Erfahrungen? Warum sollte man immer wieder geboren werden, nur um zu sterben? Ich fand es ungemein anstrengend, mir die Anzahl der Leben auszumalen, die ich seit 'anfangsloser Zeit' gehabt haben könnte. Genau zu diesem Zeitpunkt begannen die Lamas darüber zu sprechen, daß unsere Wanderschaft irgendwann ein Ende habe. Sie sagten, es sei unser aller Schicksal, dem Rad von Leben und Tod irgendwann zu entkommen und an einen Ort immerwährender Ruhe und stetigen Friedens zu gelangen, denn jeder einzelne von uns trage den Samen der Buddhanatur in sich. Unsere Buddhanatur, erklärten sie, sei unser bis zu seinem höchsten Zustand weiterentwickeltes Bewußtsein. Sie sei der völlig erwachte Geist, der alle Dinge kenne und in einen Zustand immerwährenden Friedens eingegangen sei. Das hörte sich gut an.

Um solch einen Zustand zu erreichen, bräuchten wir nur unser Karma beseitigen, sagten sie, und um *das* zu erreichen, bräuchten wir nur unsere Verblendungen überwinden. Unsere Verblendungen seien wie Wolken, die unseren erleuchteten Zustand verdeckten. Und weiterhin erklärten sie, daß es eine Vielzahl von Verblendungen – falsche Denk-und Verhaltensweisen – gebe. Die größte Verblendung von allen, diejenige, die alle unsere Schwierigkeiten letztlich hervorbrachte, sei jedoch unsere grundlegende Unwissenheit. Sie verhindere, daß wir die Dinge so sehen, wie sie wirklich sind. „Überwinde Unwissenheit", sagten sie, „und du überwindest alles."

All das gab uns einiges zu denken. Mehr Fragen und Debatten kamen auf. Die Lamas mochten das sehr. Während ihrer gesamten Ausbildungszeit hatten sie debattiert, und sie waren überzeugt, daß dies *die* Lernmethode sei. Außerdem hatte der Buddha selbst verfügt, niemand solle seine Lehren aus blindem Glauben heraus annehmen. Man müsse seine Worte, so sagte er, persönlich überprüfen, um die Wahrheit für sich selbst herauszufinden. „Wägt alles selbst ab, seid kritisch!" ermunterte uns der unbezähmbare Lama Yeshe.

Die Lamas hatten ‚selbst nachgeprüft' und hatten außerdem Beweise für den Wahrheitsgehalt ihrer Aussagen. Sie erzählten uns, ihnen seien unzählige spirituelle Meister in Tibet bekannt, die im Laufe der Jahrhunderte ihre Meisterschaft über den Geist, den Tod und schließlich auch über ihre Wiedergeburt demonstriert hatten. Und das genau sei letztlich das Ziel der Meditation. Wir spitzten unsere Ohren. Was uns die Lamas gleich erzählen würden, waren die großen Geheimnisse Tibets.

Stellen Sie sich vor: Der Tod einer Person, die in ihrem Leben intensiv meditiert hat, steht bevor. Statt sich passiv hinzulegen und zu warten, bis sie von einer Flut verschiedenster Empfindungen und Emotionen überschwemmt wird, wie es die meisten von uns tun würden, setzt sie sich ruhig und aufrecht hin, begibt sich in einen Zustand tiefster Versenkung und behält, während sie die verschiedenen Stadien des Todes durchläuft, tatsächlich die Kontrolle über ihr Bewußtsein, das nun den Körper verläßt. Weiterhin bei vollem Bewußtsein, tritt die meditierende Person dann in das letzte Stadium ein, den äußerst glückseligen Zustand des 'Klaren Lichts'. Nun kommt die subtilste Bewußtseinsebene zum Vorschein. Damit bietet sich der Person eine einmalige Gelegenheit. In diesem glänzenden, lichtvollen, ekstatischen Zustand kann sie die absolute Natur der Wirklichkeit erfassen und die Ketten des Karma sprengen. Endlich ist sie frei. Das Ziel der Befreiung ist erreicht. Die Person, die dies gemeistert hat, muß nicht mehr länger gezwungenermaßen und ohne jede Kontrolle endlose Leben durchwandern, denn nun hat sie den Zustand beständigen Friedens und Glücks erreicht. Das ist nichts Geringeres als Nirwana.

Die Lamas versicherten uns, dies sei nicht bloß ein phantastisches Märchen aus dem Himalaya. Diese Dinge geschahen immer wieder, und in der Geschichte Tibets gab es unzählige Berichte über solche meisterlichen Leistungen. Die größten dieser Meditierenden brachten dann das höchste Opfer: Getrieben von überwältigendem Mitgefühl, das den Anblick der Leiden der Menschheit nicht ertragen konnte, verzichteten sie freiwillig auf den Zustand des Nirwana und entschlossen sich, auf diese Erde zurückzukehren, um anderen den Weg aus ihrem leidvollen Dasein zu zeigen. In Tibet nannte man diese Menschen *tulkus* oder *rinpoches* (die Kostbaren), nicht nur weil sie unschätzbare Weisheit besaßen, sondern auch weil es als die edelste und tapferste aller Taten galt, nochmals aus freien Stücken einen menschlichen Körper mit all seinen Beschränkungen und Leiden anzunehmen.

Als ich, zu Füßen der Lamas sitzend, von all diesen außergewöhnlichen Dingen erfuhr, mußte ich über den seltsamen Streich des Schicksals oder des Karmas nachdenken, der diese Lehrer zu uns gebracht hatte. Tibet hätte seine Geheimnisse für immer behalten, und niemand von uns hätte jemals etwas von ihnen erfahren, wenn die Chinesen nicht in das Land eingefallen wären und den Dalai Lama sowie Tausende Mönche und Nonnen zur Flucht nach draußen, in die Welt, gezwungen hätten. Diese brachten dann ihre besondere Art von Weisheit mit, und so wurde Tibets tragischer Verlust zu einem Geschenk für uns. Damals, 1976, als ich erstmals die Unterweisungen der Lamas hörte, war deren Botschaft aufregend neu.

Gespannt lauschten wir den Geschichten, die für Lama Yeshe und Lama Zopa etwas ganz Alltägliches waren. Wir hörten, wie indische Beamte voller Erstaunen eine etwa drei Wochen alte tibetische 'Leiche' begutachtet hatten, bei der sich kein Pulsschlag und kein Atemzug feststellen ließ, die aber immer noch aufrecht saß und von deren Körper trotz hochsommerlicher Hitze ein lieblicher Duft ausströmte. Wir hörten, wie die Roten Garden beim Zerstören der heiligen Klöster und Kunstgegenstände Tibets in ihrem Wüten gebremst wurden: Beim Aufbrechen heiliger Sarkophage fanden sie die Körper längst verstorbener Meister ganz und gar unversehrt mit immer noch wachsenden Haaren und Nägeln. In Gefängnissen, wo so viele Mönche und Nonnen eingesperrt und brutal gefoltert wurden (eine kriminelle Handlung, die auch heute noch immer wieder vorkommt) konnten sie ähnliche erstaunliche Dinge beobachten: Lamas setzten sich ruhig in eine Ecke ihrer Zelle, nahmen die Meditationshaltung ein und verließen ohne viel Aufhebens ihren Körper. Sie waren weder krank noch ,starben' sie, – sie praktizierten *powa*, eine Technik zur ,Bewußtseinsübertragung', mit der sie ihr Bewußtsein in eine andere Daseinsform sandten. Offenbar haben in jenen Schreckenszeiten Hunderte von Meditierenden diese Technik angewandt. Auf dem Lande gingen manche Meister sogar noch weiter: Sie ,starben' und nahmen dabei ihren Körper mit. Sie hatten den sogenannten ,Regenbogenkörper' erlangt.

Und es gab noch mehr zu hören. Wir lernten die andere erstaunliche tibetische ‚Spezialität' kennen: das Auffinden reinkarnierter Meister, die erneut in ihre alte Position eingesetzt wurden, so daß sie weiterhin lehren konnten. Die Geschichten ihrer Wiedergeburt waren genauso faszinierend wie die Vorgänge bei ihrem Tod. Wir erfuhren, daß sie zum Zeitpunkt ihres Todes und bei ihrer Verbrennung gewisse Zeichen zu hinterlassen pflegten, zum Beispiel kleine Fußabdrücke in der Asche, die in eine bestimmte Richtung zeigten, oder Buchstaben und Symbole in den Rauchwolken ihres Bestattungsfeuers. Diese Hinweise gaben an, in welcher Richtung die Suchtrupps nach der nächsten Reinkarnation des Lamas auf dieser Erde forschen sollten. Wir erfuhren, welch umfassenden Prüfungen die einmal aufgefundenen Kandidaten unterzogen wurden. So wurde zum Beispiel ein kleines Kind aufgefordert, Dinge zu identifizieren, die zu seinem früheren Besitz gehört hatten und nun zwischen ähnlichen oder sogar gleichen Objekten versteckt lagen. Man erzählte uns auch von der seltsamen, frühzeitig entwickelten Weisheit, der spirituellen Reife, die bei den jungen Tulkus beobachtet werden konnte, nachdem ihre Identität zweifelsfrei erkannt worden war und sie erneut den in ihrem vorherigen Leben zurückgelassenen Umhang überstreiften.

Ich hörte mir das alles an, und als der Kurs zu Ende war, kehrte ich zu meinem Londoner Journalistinnen-Leben mit seinem geschäftigen gesellschaftlichen Treiben zurück. Doch die Worte der Lamas und die Stunden der Meditation auf jenem abgelegenen Hügel ließen mich nicht mehr los. In den folgenden Jahren nahm ich mir immer wieder einmal Zeit, um der Botschaft der Lamas zuzuhören und mehr über ihre althergebrachten Weisheiten zu erfahren. Ich dachte viel über die Bedeutung des Buddhismus im allgemeinen und das Thema Reinkarnation im besonderen nach. Ich wog die buddhistischen Aussagen kritisch ab, so wie es uns Lama Yeshe immer wieder geraten hatte. Allmählich kam ich zu dem Schluß, daß sie, zumindest was die Logik betraf, vernünftig und sinnvoll waren.

Dann kam der Wendepunkt. Kurz vor Sonnenaufgang am Tag des tibetischen Neujahrsfestes, am 3. März 1984, verschied Lama Thubten Yeshe. Er war nur neunundvierzig Jahre alt geworden, und ich trauerte, gemeinsam mit Tausenden Menschen aus dem Westen, die mit ihm in Berührung gekommen waren. Durch seinen Tod gehörte das Thema

Reinkarnation nicht mehr länger nur dem Bereich der Spekulation an, sondern wurde zu einer lebendigen Wirklichkeit.

An einem Oktobermorgen des Jahres 1987 stand ich einem kleinen spanischen Kind gegenüber, und man gab mir recht bestimmt zu verstehen, daß er die Reinkarnation von Lama Thubten Yeshe sei. Sowohl Lama Zopa Rinpoche als auch Seine Heiligkeit der Dalai Lama hatten es bestätigt. Ich stutzte. Reinkarnation auf intellektueller Ebene zu akzeptieren war eine Sache, aber sie als physische Realität anzunehmen, war eine andere! Für uns alle, die Lama Yeshe gekannt und geliebt hatten, erforderte es einen Quantensprung, Lama Ösel als eine Fortführung unseres tibetischen Lehrers zu sehen. Uns wurde aber nicht nur ein greifbarer Beweis für Reinkarnation geliefert, es wurde uns auch ein Rinpoche, ein Kostbarer, geschenkt. Konnte das tatsächlich wahr sein?

Da war eine Herausforderung, die meinen professionellen Instinkt und meine persönliche Neugierde anfachte. Daraus entstand das Buch ‚Die Wiedergeburt. Ein tibetischer Lama kehrt zurück‘. Als es Ende 1988 erschien, dachte ich, Lama Ösel sei der einzige im Westen geborene Rinpoche. In den folgenden Jahren hörte ich von ein, zwei weiteren. Sie lebten irgendwo in der Welt verstreut. Sie waren vielleicht weit weniger bekannt als Lama Ösel, aber sie waren da, jeder mit seiner persönlichen Aufgabe, mit irgendeiner Mission, die es zu erfüllen galt.

Meine journalistische Nase witterte hier etwas Interessantes. Was machten sie hier? Warum waren sie jetzt in den Westen gekommen? Schließlich hörte man zum ersten Mal in der Geschichte davon, daß tibetische Tulkus als westliche Menschen geboren und als reinkarnierte Lamas anerkannt wurden. Hier gab es eine Geschichte über Wiedergeburt zu erzählen.

Als ich die Sache näher betrachtete, beschlich mich der Verdacht, daß es sich bei dem, was da im Stillen vor sich ging, um ein großangelegtes kosmisches Experiment handelte. Die neuen Tulkus im Westen konnten nur aus einem Grund hierherkommen: Um die tiefsten Mysterien, die sie einstmals in Tibet erfahren hatten, in unsere Sprache zu bringen. Hatte der Buddha nicht gesagt, er werde sich in jeder Gestalt manifestieren, die nötig sei, um zum Wohle der fühlenden Wesen zu wirken? Und hatte sich der Buddhismus nicht ganz organisch in verschiedenen Ländern ausgebreitet und dabei stets eine dem jeweiligen Land entsprechende Form angenommen? Anscheinend war nun der Westen an der Reihe. In den letzten

Jahren war mir aufgefallen, daß der Buddhismus – und zwar insbesondere dessen tibetische Ausprägung mit ihren tiefen Mysterien und ihren lachenden Lamas – im Westen tatsächlich stetig an Popularität gewonnen hatte.

Es war ein kühnes, aufregendes Unterfangen, aber auch eines, das viele Schwierigkeiten mit sich bringen würde. Der große Weisheitsschatz des tibetischen Buddhismus lag in den Schichten einer Kultur vergraben, die sich radikal von der unseren unterschied. Die Essenz aus der Struktur herauszulösen, durch die sie gestützt wurde, würde ein gewaltiges und ungeheuer mühevolles Unterfangen werden. Und konnte diese, wenn es gelungen war, erfolgreich in unsere peinlich genauen, aber doch ungeschliffenen westlichen Seelen verpflanzt werden?

Während ich weiter beobachtete und überlegte, sah ich, wie sich, gleichzeitig mit der Ansiedlung der östlichen Yogis im Westen, noch eine andere Entwicklung abzeichnete. Nicht nur das allgemeine Interesse an Reinkarnation wuchs, es gab nun auch einige ernsthafte Forschungsprojekte zu diesem Thema. Glaubwürdige Experten wie Psychologen, Universitätsprofessoren, Berater und Repräsentanten westlicher Glaubensrichtungen untersuchten nun, ob es vielleicht möglich sei, daß wir mehr als nur dieses eine Leben haben. In Holland und in den Vereinigten Staaten zum Beispiel wurden eigens Institute zur Erforschung des Themas Reinkarnation gegründet.

Diese ganze neue Bewegung stand im Zeichen der großen Debatte über den Geist oder das Bewußtsein, die nun im Bereich der Wissenschaften geführt wurde. War der Geist dasselbe wie das Gehirn, oder war er etwas anderes? Welchen Ursprung hatte unser Bewußtsein? Entstand es bei unserer Empfängnis, bei unserer Geburt, beim Urknall oder irgendwo anders? Wieder witterte ich etwas Interessantes. Die Wissenschaftler stellten nun die gleichen Fragen wie die Buddhisten.

Daß hier zwei Bewegungen, eine aus dem Osten, eine aus dem Westen, zum selben Zeitpunkt zusammentrafen, war wirklich außergewöhnlich. Das konnte man nicht einfach ignorieren. Würde diese neue westliche Forschungswelle bestätigen, was die Lamas gelehrt hatten, oder zu anderen Ergebnissen kommen? Würde sie den alten Lehren des Ostens eine neue Perspektive geben, eine neue Dimension hinzufügen? Konnten die östliche Erfahrung und die westliche Sicht der Dinge nebeneinander bestehen oder würden sich die alten östlichen Anschauungen verändern müssen, um sich den neuen westlichen Erkenntnissen anzunähern?

So viele Fragen warteten auf eine Antwort. Also entschloß ich mich, auf meine persönliche Forschungsreise zu gehen. Ich wollte die neuen westlichen Tulkus aufsuchen, ausfindig machen, wer diese Menschen waren und was sie taten, und für mich selbst die jüngsten Erkenntnisse des Westens nachvollziehen. Diese Aufgabe schien mir wirklich lohnenswert.

2

Tenzin Sherab

Meine Suche nach den neuen westlichen Tulkus führte mich zunächst zu Tenzin Sherab, einem einundzwanzigjährigen Kanadier, der in Montreal lebt. Ich hatte schon etwa neun Jahren zuvor von einem jungen kanadischen Rinpoche gehört, der an Lama Yeshes Bestattungsfeierlichkeiten in Boulder Creek, Kalifornien, teilgenommen hatte, seitdem war mir aber nichts mehr zu Ohren gekommen. Bei meinem ersten Anruf, in dem ich ihm von meinem Vorhaben erzählte und ihn um ein Treffen bat, klang seine Stimme recht angenehm – und doch wußte ich nicht, was ich von einem jungen Mann erwarten sollte, der offiziell als die Wiedergeburt von Geshe Jatse, eines vor über dreißig Jahren in seiner Höhle in Tibet verstorbenen großen tibetischen Weisen und Meditierenden, anerkannt worden war.

Ich muß sagen, daß Tenzin Sherab auf den ersten Blick wenig Ähnlichkeit mit einem orientalischen Yogi hatte. Der junge Mann mit der hohen, schlanken Gestalt, der mich in meinem Hotel abholte, besaß das anständige gute Aussehen eines typischen Nordamerikaners. Er trug auch nicht die dunkelrot-goldenen Roben, die ich aufgrund meiner bisherigen Erfahrungen mit den Rinpoches assoziierte, sondern kurze Hosen und ein T-Shirt. Und anstelle des glänzenden, kahlen Schädels hatte er einen Kopf voller feiner hellbrauner Haare. Bei näherem Hinsehen bemerkte ich den angenehmen und offenen Ausdruck seines Gesichts, sein starkes Kinn und seinen breiten Mund – was mir aber besonders auffiel, waren seine Augen. Sie lagen so tief, daß sie förmlich unter der vorstehenden Stirn verschwanden. Wenn man versuchte, in ihre unergründliche Tiefe zu schauen, schien es, als erzählten sie die Geschichte jahrelanger oder auch mehrere Leben andauernder intensiver Innenschau. Er hatte auch eine ungewöhnliche Erhebung in der Mitte seiner vorstehenden Stirn, so daß ich zuerst dachte, er sei gegen eine Tür gerannt. Später malte ich mir aus, sie sei vielleicht das Resultat vieler Niederwerfungen, jener rituellen Übung der Tibeter, bei der man sich mit dem ganzen Körper auf dem Boden ausstreckt und dabei immer wieder mit der Stirn aufkommt.

Auf der Fahrt zu seiner Wohnung, in der er zusammen mit seinem Vater Isaac lebte, stellte sich jedoch schnell heraus, daß Tenzin Sherab keinesfalls ein ,ganz gewöhnlicher nordamerikanischer Junge' war. Er war von einer beeindruckenden ,Präsenz' – eine ruhige, aber gefestigte Autorität und Würde ging von ihm aus. Er besaß auch jene anziehende Mischung aus Feinheit, Empfindsamkeit und Leichtigkeit, die ich bereits bei anderen tibetischen Rinpoches beobachtet hatte – zart und zugleich kraftvoll. Wie Lama Ösel, der kleine spanische Junge, der als die Wiedergeburt von Lama Yeshe anerkannt worden war, ging er außerordentlich achtsam mit anderen um, erkannte rasch, was andere empfanden, und war darauf bedacht, ihren Bedürfnissen entgegenzukommen, soweit er konnte.

Nachdem ich es mir in seinem Wohnzimmer bequem gemacht hatte, entschloß ich mich, ihm ohne Umschweife die brennendste aller meiner Fragen zu stellen: für wen er sich hielt. Das war sehr dreist, aber ich konnte nicht anders. Er war schließlich der erste erwachsene Rinpoche, dem ich begegnete, und mit seinen einundzwanzig Jahren war er alt genug, um anhand seiner eigenen Erfahrungen beurteilen zu können, ob die Theorie über Reinkarnation wahr war oder nicht.

„Haben Sie das Gefühl, Sie seien Geshe Jatses Wiedergeburt?" fragte ich.

„Ich *weiß*, daß ich es bin." Die Antwort kam unverzüglich und mit Nachdruck.

„Sie *wissen*, daß Sie es sind?" fragte ich, überrascht von der Unmittelbarkeit seiner Reaktion.

„O ja", wiederholte er.

Er stand auf und holte eine Fotografie von Geshe Jatse, um mir zu zeigen, wie er in seinem früheren Leben ausgesehen hatte.

„Das bin ich. Sie können meine Augen nicht sehen – ich war nicht gerade fotogen", sagte er und zeigte mir ein verblaßtes Foto eines in Mönchsroben gekleideten dünnen Tibeters mit einem langen Gesicht und Augen, die in seinem Kopf verschwanden – und denen Tenzin Sherabs ungeheuer ähnlich waren. Es faszinierte mich, wie der junge Mann ganz automatisch die Fürwörter ,ich' und ,mein' gebrauchte, als ob er sich ganz und gar mit der Person auf der Fotografie identifizierte. Also fragte ich ihn, ob ihm bewußt sei, was er da sagte.

„Ich sage oft ganz spontan ,ich', wenn ich von ihm spreche. Es erscheint mir einfach so, als sei er ich. Manchmal sage ich aber auch ‚er‘, wenn ich über Geshe Jatse rede. Es kommt ganz darauf an. Oft können andere eher einen Bezug herstellen, wenn ich von ‚ihm‘ spreche statt von ‚mir‘. Dieses Foto hat die Angewohnheit, sich einfach in Luft aufzulösen und wieder aufzutauchen, wenn man es am wenigsten erwartet", fügte er sachlich hinzu.

Ich ließ nicht locker und fragte nochmals, wie er denn so sicher sein könne, daß er und dieser Mann der gleiche seien.

„Wir gleichen uns in vielen Dingen – insbesondere im Aussehen von der Nase an aufwärts. Außerdem in unserer Denkweise sowie in der Art zu fühlen und die Dinge in emotionaler und körperlicher Hinsicht wahrzunehmen. Das alles ist ziemlich gleich geblieben, obgleich es sich auch teilweise weiterentwickelt oder verändert haben mag", antwortete er. Sein Selbstvertrauen, seine absolute Gewißheit war weit mehr ich erwartet hatte.

Ich versuchte, etwas mehr über Geshe Jatse herauszufinden, denn ich wollte verstehen können, warum er sich in diesen hochgewachsenen Kanadier verwandelt hatte, der hier vor mir saß.

Tenzin wußte nicht viel über seinen ‚Vorgänger‘, nur, daß dieser Anfang des zwanzigsten Jahrhunderts in Tibet geboren worden war und wie viele andere Männer seines Landes beschlossen hatte, Mönch zu werden. Er war zum *gegu* – dem Vizeabt und Hauptverantwortlichen für die Disziplin der Mönche – des Klosters Sera in Lhasa aufgestiegen, und man hatte ihn als großen Meditierenden und Gelehrten verehrt. „Er war eine ruhige, zurückgezogen lebende Person, der mehr an der Meditation als an Klosterpolitik und Tratsch lag. Er hatte auch den Ruf, ein recht seltsamer Kauz zu sein, der sich ab und zu äußerst exzentrisch verhielt", sagte er.

Offenbar war er auch ein mit außergewöhnlichen spirituellen Kräften begabter Mann gewesen. „Ich hatte eine Statue, der Zähne wuchsen und eine andere, die Nektar spendete. Ihretwegen kam es jedoch zu Streitigkeiten, und so schenkte ich sie dem Kloster", gab mir Tenzin eher beiläufig zu verstehen.

Geshe Jatse hatte Sera vorzeitig verlassen, um sich ganz der Meditation in einer Höhle widmen zu können. Man nimmt an, daß er dort nach der chinesischen Invasion starb. Man hörte nichts mehr von ihm, bis Tenzin Sherab in Kanada entdeckt wurde.

Aber warum hatte sich Geshe Jatse entschlossen, im Westen wiedergeboren zu werden – fernab von seinem eigenen Land und seiner eigenen Kultur? Niemand wird diese Frage jemals mit absoluter Sicherheit beantworten können. Eines steht jedoch fest: Geshe Jatse hatte sich in seinen Klosterjahren einer gründlichen Schulung in den Prinzipien des Mahayana-Buddhismus unterzogen, nach denen man auf Nirwana (oder westlich ausgedrückt: einen beständigen Platz im ‚Himmel') verzichtet, um immer wieder zurückzukommen und allen fühlenden Wesen zu helfen, indem man ihnen den gleichen Weg zur Befreiung weist. Warum er sich ein Land ausgesucht hatte, das er noch nie gesehen und erst recht nicht besucht hatte, kann man nur vermuten.

Ich fragte Tenzin Sherab nach seiner Meinung.

„Bevor Geshe Jatse starb, sagte er, er werde an einem Ort wiedergeboren werden, den man nur mit einem ‚Himmelsboot' erreichen könne. Damit muß er die westliche Hemisphäre gemeint haben", sagte er.

„Und eines möchte ich Ihnen noch erzählen: Dieser Mann war völlig unberechenbar – fast völlig. Man konnte nie voraussehen, *was* er tun würde, und *wann* er etwas tun würde. Er tat es einfach, und zwar ohne viel Aufhebens. Das ist etwas, was ich mehr aus meinem Gefühl heraus weiß, als daß ich davon gehört habe. In Tibet gibt es zudem eine sehr bekannte Prophezeiung, die besagt: ‚Wenn Boote fliegen und Eisenpferde auf Rädern laufen, wird das Buddhadharma sich in der ganzen Welt verbreiten.' " Geshe Jatse mußte sie gekannt haben.

„Ich hatte wahrscheinlich den gleichen Wunsch wie heute, nämlich, den Menschen so viel wie möglich zu helfen", sagte er, wobei er wieder von sich als Geshe Jatse sprach. „Um einer Gesellschaft zu helfen, muß man Teil dieser Gesellschaft sein. In diesem Leben muß ich ein westlicher Mensch mit diesem tibetischen Wissen sein", sagte er.

Mittlerweile war eines ziemlich deutlich geworden: Tenzin Sherab hatte keinerlei Zweifel über seine Identität und darüber, wozu er dieses Mal auf die Erde gekommen war.

Die Kanadier nennen ihr eigenes Land scherzhaft ‚das Land der Farblosen', die bemerkenswerte Geschichte von Tenzin Sherabs ‚Entdeckung' ist jedoch ganz und gar nicht banal. Er wurde als Elijah Ary am 17. Juni 1972 geboren. Sein Geburtstag fiel auf Sakadawa, den glückverheißendsten Tag im tibetischen Kalender, an dem gleichzeitig Buddhas Geburt, Tod und Erleuchtung gefeiert werden. Da Elijah ein großes Baby war, kam er durch Kaiserschnitt zur Welt. Obgleich der Chirurg den Eltern versicherte, alles sei in Ordnung, waren diese doch recht besorgt, als man ihnen mitteilte, ihr Sohn müsse an den Füßen operiert werden, damit er laufen lernen könne: Im Bauch seiner Mutter hatte er monatelang seine Beine gekreuzt gehalten, so daß seine Sohlen nach oben schauten – er hatte die Zeit in der Lotushaltung verbracht.

Carol und Isaac Ary waren sich in jungen Jahren begegnet und hatten bald geheiratet. Als ihr Sohn auf die Welt kam, hatten sie bereits eine Tochter. Carol war Krankenschwester, und Isaac besaß ein Farbengeschäft. Wie Paco und Maria, die Eltern von Lama Ösel, hatten sie kurz zuvor den tibetischen Buddhismus ,entdeckt' und hatten in Vancouver, ihrem Wohnort, ein kleines Zentrum errichtet. Sie war protestantisch erzogen worden, er als ,kritischer' Jude; beide aber waren auf der spirituellen Suche und fühlten sich zu den esoterischen Lehren des Buddha und zu den Lamas hingezogen, die damals gerade aus Tibet herüberkamen. Es war eine ideale Wahl für einen tibetischen Meditierenden, der im Westen wiedergeboren werden wollte.

Carol, eine kleine, lebendige Frau, die mittlerweile von Ary geschieden ist, erzählt weiter:

„Am Tag seiner Geburt wollte ihn unser ansässiger Lama *Tashi Lumpo* nennen – das ist recht seltsam, denn eigentlich ist das der Name eines Klosters in Tibet. Er erzählte uns auch, unser Kind sei etwas ganz Besonderes und sei in seinem früheren Leben Mönch gewesen. Außerdem ermahnte er uns, gut auf ihn aufzupassen und versicherte, daß wir später alles verstehen würden. Damals maß ich dem keine besondere Bedeutung bei. Wir dachten, er wolle einfach nur nett zu uns sein und ihm einen hübschen Namen geben. Wenn ich nun zurückschaue, ist mir klar, daß Tenzin damals zum ersten Mal erkannt wurde", sagte sie.

Seinen Eltern zufolge war Tenzin ein außergewöhnlich heiteres Kind. „Wirklich wie ein kleiner Engel", beschreibt ihn seine Mutter. „Er war ein bemerkenswertes Baby. Als wir ihn nach Hause brachten, war er vom ersten Tag an ungewöhnlich friedlich. Jede Nacht schlief er durch. Es gab keinerlei Schwierigkeiten. Es war sehr leicht, ihn zu versorgen, und er war immer sehr fröhlich", erinnert sie sich.

„Es gab Dinge, in denen er sich von anderen unterschied. Er war stets aufmerksam und ruhig. Gleichzeitig war er extrovertiert und suchte die Nähe zu den Leuten. Ich bemerkte, daß er sich oft der Verlierer, derer, die ausgeschlossen waren, annahm. Er fühlte sich zu ihnen hingezogen und umsorgte sie.

Er war auch von Anfang an ausgesprochen friedliebend, was ihm in der Schule nicht gerade zugute kam, weil die anderen Kinder ihn zu hänseln begannen. Er beteiligte sich nie an Streitereien, sondern bemühte sich stets um die Beilegung der Konflikte. Später, nachdem er offiziell anerkannt worden war, fanden die Kinder heraus, daß er zu Hause Tibetisch lernte. Sie machten sich über ihn lustig und grenzten ihn aus. Das hat mir das Herz gebrochen", sagte sie.

Das Leben im Haus der Arys ging seinen gewohnten Gang. Eine zweite Tochter wurde geboren. Sie zogen von Vancouver nach Quebec und gründeten auf Anraten ihres Lehrers, des mittlerweile verstorbenen Kalu Rinpoche, ein weiteres Zentrum für tibetischen Buddhismus. Kalu Rinpoche war ein Lama der Kagyü-Tradition, einer der vier Traditionen des tibetischen Buddhismus. Nach der Eroberung Tibets durch die Chinesen war er in den Westen gekommen und hatte sich in Frankreich niedergelassen. Dieser Lama mit seiner sanften Weisheit und seinem vorzüglichen Benehmen hatte bald eine große Anhängerschaft um sich geschart.

Isaac und Carol wurden angewiesen, nach ihrer Ankunft in Montreal Kontakt mit einem Lama namens Geshe Tenrub aufzunehmen. Diese Empfehlung sollte sich als sehr wichtig herausstellen. Geshe Tenrub war ein Lehrer der Gelugpa-Tradition, der auch Geshe Jatse angehört hatte. Er sollte eine wichtige Rolle bei den späteren Nachforschungen spielen.

In den ersten Jahren kamen viele Lamas zu Besuch nach Montreal und hielten auf Einladung der Arys Vorträge in deren Zentrum. Eines Tages, als Elijah Tenzin drei Jahre alt war, kam Tenzin Pema Jeltsen, der Abt des in Indien neu errichteten Klosters Drepung, um einen Vortrag zu halten. Das sollte der Wendepunkt in Elijahs Leben werden.

Carol erzählt: „In unserem Haus fanden viele Versammlungen statt, aber wir zwangen die Kinder nie dabeizusein und mitzumachen. Wenn sie wollten, konnten sie kommen und bleiben, solange sie ruhig waren. An jenem speziellen Abend kam Tenzin immer wieder herein. Er setzte sich ganz still hin und starrte den Vortragenden unverwandt an. Ganz offensichtlich beschäftigte ihn der Mann. Gegen Ende der Unterweisung packte ich ihn und brachte ihn zu Bett, da er müde wurde.

Beim Zudecken erzählte ich ihm, welch besonderes Ereignis heute stattgefunden hatte. Geshe Tenrub war in Tibet ein Schüler Tenzin Pema Jeltsens gewesen, und es war wunderbar, daß die beiden nun wieder zusammensein konnten. Plötzlich brach etwas aus Tenzin heraus. Er sagte: ‚Ich habe auch einen Geshe.' Ich sagte: ‚Ach ja?', und er sagte: ‚Ja, er heißt Geshe Kunawa und lebt ganz oben in den Bergen. Er hat einen guten Freund, der Mahakala Nabul heißt.' Mir kam das alles ziemlich seltsam vor. Aber er fuhr fort: ‚Mahakala Nabul hat einen Bruder namens Om Ah Hung, und Mahakala Nabul hat ein Messer mit einem Totenkopf am Griff. Er stieß es in seinen Bauch und viele, viele Lichter flogen heraus, sie sprudelten aus seinem Bauch.' Dann erzählte er von einem Pferd mit Flügeln und von vielen anderen Leuten mit tibetischen Namen. Er hatte das noch nie zuvor getan. Offensichtlich hatte Tenzin Pema Jeltsen all das in ihm ausgelöst. Es war wirklich merkwürdig. Kinder reden ununterbrochen und malen sich alles Mögliche aus, aber hier geschah etwas völlig anderes", sagte sie.

„Am Morgen nach der Unterweisung erzählte ich Isaac, was geschehen war. ‚Irgendetwas ist gestern abend passiert, es war, als sähe Tenzin eine andere Welt. Er war wach, aber er benahm sich, als würde er träumen, als habe er eine Vision', sagte ich.

Also riefen wir Geshe Tenrub und Tenzin Pema Jeltsen an und erzählten ihnen die Geschichte. Tenzin Pema Jeltsen wurde ganz aufgeregt und sagte: ‚Ich möchte ihn *sofort* sehen!' Also brachten wir unseren Sohn zu ihm. Tenzin Pema Jeltsen sah ihn an, stieß immer wieder seine Stirn an die des Jungen, so wie es die Tibeter zur Begrüßung tun, und übergab ihm einen jener langen rituellen weißen Schals, eine Geste, durch die man traditionell seine Verehrung bezeugt. Tenzin Pema Jeltsen erzählte uns dann, daß er nicht nur wisse, über *wen* Tenzin sprach, sondern auch, *wovon* er erzählte. Er versicherte uns, er werde nach seiner Rückkehr nach Indien weitere Nachforschungen in dieser Angelegenheit anstellen und uns auf dem laufenden halten. Nochmals sagte man uns, Tenzin sei ein besonderes Kind, und legte uns ans Herz, gut auf ihn aufzupassen. Wir sagten: ‚In Ordnung', aber weil wir damals nicht mehr tun konnten, ließen wir die ganze Sache allmählich auf sich beruhen."

Während die Arys eher locker mit den Ereignissen umgingen, hatte Tenzin Pema Jeltsen allen Grund aufgeregt zu sein. Was sich am kleinen Elijah oder Tenzin Sherab zeigte, war ein selbst unter tibetischen Buddhisten äußerst seltenes Phänomen. Im Grunde erkannte er sich selbst. Ohne daß jemand nachhelfen mußte, ohne daß er von den üblichen Regalien umgeben war und ohne daß ihm die Aufmerksamkeit zuteil wurde, die gewöhnlich auf eine offizielle Anerkennung folgt, erwähnte Tenzin Sherab ganz von selbst Namen, Orte, Einzelheiten und Ereignisse einer früheren Existenz. Wer sich im Bereich der Reinkarnation auskannte, räumte Tenzin aufgrund dieser Fähigkeit einen hohen Rang auf der Leiter spiritueller Entwicklung ein.

In Carols und Isaacs Bewußtsein trat zwar die ganze Begebenheit bald wieder in den Hintergrund, in ihrem Sohn aber hatte sie etwas entzündet, das nun mit wachsender Intensität in ihm brannte. Von dem Augenblick an, in dem er Tenzin Pema Jeltsen getroffen hatte, reiste er vier Jahre lang Nacht für Nacht im Geiste an einen Platz, den er seinen ‚Planeten‘ nannte. Dort sah er seltsame, fremdartige Dinge: weite Gebirgszüge, die wesentlich höher waren als die, die ihn in Kanada umgaben, staubige Straßen, ungewöhnliche Häuser, Tiere, unbekannte Baumarten. Er hatte Lehrer und Freunde dort, deren Namen er kannte, und er hatte auch einen Beschützer, ein schönes und wundersames Pferd mit Flügeln. All das beschrieb er seiner Familie ganz lebendig und mit allen Einzelheiten – immer wieder aufs neue.

Er war derart überzeugt von der realen Existenz seines Planeten und seiner allnächtlichen Besuche dort, daß er eines Abends seine neugierigen doch zugleich ein wenig ängstlichen Schwestern überredete, mit ihm zu reisen. Alle Vorbereitungen waren getroffen. Sie hatten Brote belegt, warme Kleider angezogen (denn Elijah zufolge war es dort kalt) und sich zu dritt reisefertig in Elijahs Bett begeben. Am nächsten Morgen sahen sich die Mädchen an und erklärten verächtlich, so etwas wie ‚Elijahs Planet‘ existiere nicht. Traurig ließ Elijah den Kopf hängen. „Habt ihr ihn etwa nicht gesehen? Ich war dort", sagte er.

Heute, mit einundzwanzig Jahren, ist Elijah/Tenzin immer noch überzeugt davon, daß er sich damals ‚erinnerte‘. „Ich möchte diese Erfahrungen nicht als Träume bezeichnen, denn für mich waren sie Wirklichkeit. Es stimmt zwar, daß sie in Form von Träumen kamen, aber ich habe nicht den geringsten Zweifel an ihrem Wahrheitsgehalt – es waren Erinnerungen. Als man mir später ein Bild von Tibet zeigte, erkannte ich darauf sofort ‚meinen Planeten' wieder", sagte er.

In der Zwischenzeit hatte Tenzin Pema Jeltsen einige Nachforschungen bezüglich der Identität des Schülers von Geshe Kunawa angestellt; aber noch bevor er deren Ergebnisse veröffentlicht hatte, kam der Dalai Lama nach Montreal, und Elijah hatte eine Audienz bei ihm. Als der Junge ins Zimmer kam, sah der Dalai Lama auf, zeigte mit dem Finger auf den Siebenjährigen vor sich und platzte zur Überraschung aller Anwesenden heraus: „Ich weiß, wer du bist! Du bist die Reinkarnation von Geshe Jatse!"

Durch einen erstaunlichen Zufall drückte jemand genau in diesem Moment auf den Auslöser seiner Kamera, und so wurde diese spontane Geste des Erkennens von seiten des Dalai Lama für die Nachwelt festgehalten. Das Foto ist nun in Tenzin Sherabs Besitz – ein konkreteres Beweismittel kann in diesem letztlich nichtstofflichen Bereich der Reinkarnation wohl kaum gefunden werden. Es zeigt den Dalai Lama in einem Andachtsraum in Montreal vor einer Buddha-Statue. Vor ihm steht der kleine Elijah Ary, in Jeans und Pullover gekleidet, der von einem tibetischen Mönch hereingeführt wurde. Der Dalai Lama zeigt mit seinem Finger direkt auf den Jungen – Überraschung und Freude stehen ihm ins Gesicht geschrieben.

Kurz darauf gab der Dalai Lama Elijah Ary den Namen Tenzin Sherab. Das war der eigentliche Beginn seines zweigleisigen Lebens als tibetische Wiedergeburt im Westen.

Damals konnte der achtjährige Tenzin noch nicht recht verstehen, was es bedeutete, daß man ihn plötzlich als ‚Reinkarnation' eines spirituellen Meisters aus Tibet bezeichnete. In Wahrheit hatte er keine Ahnung, worüber der Dalai Lama gesprochen hatte.

„Ich dachte, er spräche über eine Blume; er sagte irgendetwas über eine Nelke (engl. *carnation*)", erinnert er sich lachend. „Ich versuchte mir einen Reim darauf zu machen, was die Leute da sagten. Ich glaube, auf einer Ebene wußte ich, worum es ging – ich merkte, daß ich irgendwie anders war als andere. Aber auf einer anderen Ebene war ich mir nicht bewußt, was Reinkarnation überhaupt bedeutete."

Und doch zeigte Tenzin Sherab in den folgenden Jahren seines Heran-
wachsens immer wieder, daß er tatsächlich anders war und über ein ganz
besonderes, anderen Kindern nicht zugängliches Wissen verfügte. Das
trat in unterschiedlichster Weise zutage.

Einmal zum Beispiel wollte Isaac Tenzin die Bedeutung jener sieben
Opferschalen erklären, die man zu Füßen des Buddha auf den Altar stellt.
Isaac erklärte mir, er habe das nicht tun wollen, um Tenzin ein buddhisti-
sches Ritual in allen Einzelheiten einzuflößen. Ganz im Gegenteil. Er
wollte erklären, was jede Schale bedeutete, um zu verhindern, daß sein
Sohn gedankenlos irgendeinen Kult nachahmte.

Er rief seinen kleinen Sohn zu sich und beschrieb ihm genau, für welche
Opfergabe jede einzelne Schale stand. „In dieser Schale bringt man
symbolisch Wasser zum Waschen der Füße dar und in dieser Wasser zum
Trinken. Das Wasser in dieser Schale steht für Blumen, dieses für Duft-
rauch, dieses für Licht, dieses für Parfüm, dieses für Nahrung und das
letzte für Musik", sagte er und beobachtete Tenzin, um zu sehen, ob er
alles verstanden hatte.

„Das ist richtig", bestätigte Tenzin und ging aus dem Zimmer.

Bei einer anderen Gelegenheit ging die Familie im Wald spazieren, und
Tenzins Vater schwang ihn in den Armen. Plötzlich sah er seinen Vater an
und sagte: „Ich habe das auch getan, als ich dein Vater war und du ein
kleines Kind."

Erstaunt fragte Isaac: „Und wo haben wir gelebt, als du mein Vater warst?"

„In den Bergen", sagte Tenzin und beschrieb ihm den Ort. Wen
wunderte es, daß es Tibet war?

Diese Entdeckung war besonders faszinierend, denn sie schien etwas zu
belegen, was die tibetischen Lamas uns schon oft gesagt hatten, nämlich
daß wir oft im Kreise der Menschen wiedergeboren werden, die wir
bereits aus der Vergangenheit kennen und mit denen wir von daher eine
karmische Verbindung haben.

Tenzin zeigte nirgendwo deutlicher, wie nahe er seinem vergangenen
Leben war, als in der Begegnung mit den Lamas, die weiterhin Carols und
Isaacs Zentrum besuchten. Er wollte die ganze Zeit bei ihnen verbringen
und weinte noch tagelang nach ihrer Abreise heftig. Seinen Eltern zufolge
geriet er so aus der Fassung, daß sie ihn oft erst nach zwei Wochen wieder
beruhigen konnten.

Daher war man auch nicht allzusehr überrascht, als Tenzin Sherab bereits vor seiner offiziellen Anerkennung verkündete, er wolle Mönch werden. Mit acht Jahren traf er den Karmapa, das Oberhaupt der Kagyü-Tradition, der selbst ein herausragender Rinpoche war.

„Ich sagte zu Karmapa: ,Ich möchte Mönch werden, so wie Sie es sind.' Er antwortete: ,Aber du wirst deine Eltern vermissen.'

Und ich sagte: ,Ja, aber das macht nichts.' Wichtig ist, daß man weiß, was auf einen zukommt. Ich wußte es, aber es machte mir nichts aus."

Im Kloster Sera in Indien hatten die Lamas mittlerweile unabhängig davon ihre eigenen Nachforschungen angestellt. Unter anderem hatten sie das Staatsorakel befragt – einen Mönch, der in Trance Botschaften von den jenseitigen Kräften übermittelt, die sich dem Schutz Tibets verschrieben haben. Einmal davon überzeugt, daß Tenzin tatsächlich die Wiedergeburt von Geshe Jatse war, sandten sie ihm Mönchsroben nach Kanada und baten dringlich, daß er zu ihnen geschickt werden möge. Aber damals waren die Arys noch nicht bereit, ihren kleinen Sohn in ein tibetisches Kloster in Indien gehen zu lassen, das sie sich noch nicht angesehen hatten. Auch Tenzin selbst wollte es damals nicht. Die Eltern befragten den Dalai Lama und Kalu Rinpoche, und beide bestätigten ihnen, daß die rechte Zeit für diesen Schritt noch nicht gekommen war.

Tenzin Sherab war dennoch auf dem Weg, wenn auch innerhalb der westlichen Kultur. Im Alter von neun Jahren legte er in Kanada die vorbereitenden Gelübde ab, und 1980 nahm er mit Seiner Heiligkeit dem Dalai Lama Zuflucht. Damit war er in das monastische System aufgenommen. Bei entsprechenden Gelegenheiten trug er stolz die Roben, die er von den Mönchen aus Sera erhalten hatte, den Kopf schor er sich jedoch nicht (außer einmal, als er Kalu Rinpoche in Frankreich besuchte).

Carol erinnert sich, daß es ungefähr zur gleichen Zeit noch einen anderen Meilenstein in Tenzin Sherabs ungewöhnlichem Leben gab.

„Der Dalai Lama gab die Kalachakra-Einweihung in Montreal, und wir wollten eigentlich nicht hingehen. Dann spürte ich diese unbeschreibliche, drängende Gewißheit, daß wir doch teilnehmen sollten – als würde mich eine Hand am Rücken vorwärtsschieben. Also gingen wir hin, und Tenzin war sehr froh darüber. Bei der Einweihung trafen wir einen Mönch, der ein Schüler von Geshe Jatse gewesen war. Er wollte Tenzin unbedingt kennenlernen und hatte alle möglichen Fragen an ihn.

Tenzin war sehr streng zu diesem Mann, der mittlerweile selbst ein Geshe war. Mein Sohn benahm sich plötzlich wie ein alter Mann. Er saß mit über Kreuz geschlagenen Beinen auf einem Stuhl und starrte diesen Mann einfach nur an – unverwandt und mit einem Blick, der durch Mark und Bein ging. Ich hatte ihn noch niemanden so anblicken sehen. In diesem Augenblick war er wirklich kein Neunjähriger. Er erwies dem Mann weder seine Verehrung noch zeigte er sich ‚unterwürfig‘, wie es sich eigentlich für ein Kind geziemt, wenn es einer älteren Person begegnet. Es war so, als sei Tenzin der Ranghöhere.

Dieser Mönch berichtete, daß Geshe Kunawa, von dem Tenzin im Zusammenhang mit ‚seinem Planeten‘ gesprochen hatte, tatsächlich Geshe Jatses Lehrer in Tibet gewesen war. Er erzählte uns auch von dem ‚Pferd mit Flügeln‘, dem Tenzin auf seinem ‚Planeten‘ immer wieder begegnet war. Offenbar hatte Geshe Jatse eine starke Verbindung zu einer Schutzgottheit namens Hayagriva gehabt – eine pferdeköpfige tantrische Gottheit mit Flügeln. Geshe Jatse hatte in vielen Klausuren über Hayagriva meditiert und viele Übungen im Zusammenhang mit dieser Gestalt gemacht. Und wir hatten gedacht, er habe über Pegasus gesprochen! Plötzlich ergaben viele Dinge, die Tenzin immer wieder erwähnte, einen Sinn.“

Bei seinen vielen Begegnungen mit bedeutenden Männern, die so charakteristisch für seine frühen Jahre waren, traf Tenzin auch zufällig auf Lama Yeshe, den Mann, der sich – was damals allerdings noch niemand wußte – auf seine eigene Wiedergeburt im Westen vorbereitete. Ob diese Begegnung wohl wirklich rein zufälliger Natur war? Schließlich waren beide, Tenzin Sherab und Lama Ösel, Vorreiter dieser in der spirituellen Geschichte der Welt einzigartigen Bewegung, der Übermittlung der alten Weisheiten des Buddhismus von Ost nach West. Beide, Lama Yeshe und Geshe Jatse, waren in Tibet im Kloster Sera gewesen.

Natürlich erkannte Lama Yeshe Tenzin Sherab sofort, ganz so, wie es der Dalai Lama getan hatte. Sie begegneten sich, als Tenzin in Vajrapani, einem von Lama Yeshes Zentren mitten im Redwood Forest in der Nähe von Boulder Creek, Kalifornien, zu Besuch war. Tenzin Sherab, damals noch ein kleiner Junge, wurde in den Raum geführt, in dem Lama Yeshe gerade in seinem unverwechselbaren Stil das Buddhadharma lehrte, und setzte sich ruhig zwischen den anderen Leuten nieder. Ohne seinen

Vortrag zu unterbrechen oder Tenzin Sherab anzuschauen, sagte Lama Yeshe plötzlich: „Wir haben einen jungen Tulku in unserer Mitte", und deutete auf den Jungen in Bluejeans und kurzärmeligem blauem Hemd. Lama Yeshes hellsichtige Fähigkeiten mußten hier am Werk gewesen sein, denn Tenzin Sherab war damals noch nicht offiziell anerkannt worden.

Obgleich Tenzin Sherab Lama Yeshe nur einmal sah, hatten die beiden doch eine starke Verbindung. „Wir verstanden uns wirklich prächtig. Das erste, was mir an ihm auffiel, war die breite Lücke zwischen seinen Schneidezähnen. Er erzählte mir von Geshe Jatse, den er zwar nicht persönlich getroffen hatte, aber natürlich aus Erzählungen kannte. Er sagte, der Geshe sei ein wunderbarer Lehrer und ein sehr befähigter Meditierender gewesen. Er sprach darüber, wie Geshe Jatse tagelang meditiert hatte und dabei nichts von dem Essen anzurühren pflegte, das ihm die Leute brachten.

Als ich Lama Yeshe zum letzten Mal sah, spielten ich, meine Schwester und ein Freund gerade mit ein paar Binsenrohren. Er tauchte plötzlich auf und begann, mit mir über meine Zukunft zu sprechen. Leider erinnere ich mich nicht mehr an seine genauen Worte – jedenfalls gab er mir Ratschläge für mein späteres Leben. Ich bin ziemlich sicher, daß ich mich jetzt nur deshalb nicht daran erinnere, weil ich mich nicht erinnern soll. Die Zeit ist noch nicht gekommen. Ich weiß nur noch, daß er sagte: ‚Gib dir Mühe beim Studium!' Das waren seine letzten Worte an mich.

Einige Monate später erhielten wir einen Anruf vom Vajrapani-Zentrum. Meine Mutter nahm den Telefonhörer ab, und ich sah sie an und sagte: ‚Lama Yeshe ist gestorben, nicht wahr?'

Sie sagte: ‚Woher hast du das gewußt?'

‚Ich habe es gespürt', sagte ich. Ich fühlte mich ihm so nahe, obgleich ich ihn kaum gekannt hatte."

Eine Woche nach Lama Yeshes Tod machte Tenzin Sherab sich auf die lange Reise nach Kalifornien, um der Feuerbestattung auf dem Hügel des Vajrapani-Zentrums beizuwohnen. Dort sollte er seine besonderen Kräfte nochmals unter Beweis stellen. In der tibetischen Tradition des Buddhismus hinterläßt ein hoher Lama bei seiner Bestattung bestimmte Zeichen, die einerseits als Beweis seiner spirituellen Fähigkeiten gelten, andererseits aber auch Anweisungen und Hinweise zum Auffinden seiner nächsten Inkarnation darstellen. Die Schüler des Vajrapani-Zentrums hatten pflichtgemäß ihre erste Stupa – einen reich verzierten Bau, dessen Form den Erleuchtungsgeist repräsentiert – errichtet und Lama Yeshes Körper respektvoll in aufrechter Haltung hineingesetzt, um ihn dann dem Feuer zu übergeben. Nach dem Verlöschen der Flammen öffnete man die Stupa; die Untersuchung der Reliquien und die Suche nach Zeichen begann. Tenzin erzählt weiter:

„Ich erinnere mich, daß ich zu diesem Zeitpunkt mit meiner Uhr spielte und sah, wie sich die Wolken darin spiegelten. Ohne bestimmten Grund entschloß ich mich, nach oben zu schauen und sah all diese tibetischen Bilder und Buchstaben vorüberziehen. Ich sah ein *Sa* und ein *Ma* und erzählte Lama Zopa davon. Er dankte mir für meinen Hinweis. Später stellte sich heraus, daß *Sa* für Spanien, das Land in dem Lama Ösel geboren werden sollte, stand und *Ma* für Maria, die Frau, die seine Mutter werden würde."

Später, als Tenzin im Kloster Sera lebte, kreuzten sich seine Wege nochmals mit denen Lama Yeshes, allerdings hatte dieser bereits seine neue Form als Lama Ösel angenommen. Trotz des Altersunterschieds fühlten sie sich sofort zueinander hingezogen. „Er ist mit Sicherheit die Wiedergeburt von Lama Yeshe. Wir kamen so gut miteinander aus. Er zog mich immer wieder in sein Zimmer, um mit mir zu spielen und Comics zu lesen. Er behandelt mich nun fast wie einen älteren Bruder", sagte er.

Im Vajrapani-Zentrum traf Tenzin auch mit Seiner Heiligkeit Tsong Rinpoche zusammen, der herbeigerufen worden war, um die Bestattungsrituale durchzuführen. Als alles vorüber war, lud er Tenzin und Isaac Ary in sein Zimmer ein. Das war sicherlich eine große Ehre, aber hatte auch etwas Einschüchterndes an sich, denn Tsong Rinpoche war nicht nur ein eminent hoher Lama, sondern auch eine imposante Persönlichkeit, der nichts daran lag, ein gefälliges Wesen an den Tag zu legen, so wie Lama Yeshe es getan hatte. Auf dem Weg zu Tsong Rinpoches Zimmer verschwand dessen Übersetzer, so daß Tenzin und sein Vater mit dem Meister allein waren – ohne eine Möglichkeit der Kommunikation.

Sie saßen schweigend da – eine ganze Weile, wie es schien. Dann stand Tenzin, zu Isaacs Entsetzen, plötzlich auf, ohne etwas zu sagen, warf sich vor Tsong Rinpoche nieder und verließ den Raum. Das war ein gewaltiger Verstoß gegen alle Regeln guten Benehmens und die rituellen Umgangsformen. Tsong Rinpoche jedoch zuckte nicht mit der Wimper. Isaac erzählt, was als nächstes geschah:

„Der Diener und Begleiter des Lama kam schließlich zurück, und Tsong Rinpoche begann sofort, etwas auf Tibetisch zu erzählen. Der Diener übersetzte: ‚Rinpoche sagt, Ihr Sohn sei in seinem vergangenen Leben Rinpoches Vetter gewesen.‘ Davon hatte ich nichts gewußt. ‚Rinpoche sagt, daß ihre letzte Begegnung in seinem Haus stattgefunden habe. Ihr Sohn sei damals hereingekommen, habe sich hingesetzt und etwa eine halbe Stunde lang kein Wort gesagt. Dann sei er aufgestanden, habe sich niedergeworfen und sei davongegangen. Rinpoche sagt, Ihr Sohn habe sich nicht sehr verändert!"

Als Isaac diese Begebenheit erzählte, brach Tenzin in schallendes Gelächter aus. „Einige Dinge ändern sich nie", wiederholte er, während ihm Tränen über die Wangen kullerten.

Neben den Momenten voller Fröhlichkeit und Geborgenheit gab es für Tenzin auch Augenblicke der Trauer in seinem frühen Familienleben. Irgendwie wußte er, daß ihm sein vorbestimmtes Schicksal viel abverlangen würde.

„Als er ungefähr neun Jahre alt war, sah ich ihn weinen", erinnert sich Carol. „Er zeigte mir einen Brief, den er an einen Lama in Sera geschrieben hatte. Darin war zu lesen: ‚Lieber Karma Thinley, ich kann meinem Karma nicht widerstehen. Ich liebe Dich, Tenzin.‘

Ich fragte ihn: ‚Was soll das bedeuten? Warum weinst du?‘

Er antwortete: ‚Ich weine, weil ich meinem Karma nicht widerstehen kann.‘

Ich fragte ihn nochmals, was er denn damit meine, und er sagte: ‚Eines Tages werde ich dich und die Familie verlassen und ins Kloster zurückkehren müssen.‘ "

Damals gab ihm Carol nachdrücklich zu verstehen, daß er nichts tun müsse, was er nicht tun wolle, und auch nirgends hingehen müsse, wohin er nicht gehen wolle.

„Nein", sagte er ruhig, „ich werde gehen. Eines Tages werde ich gehen müssen." Und damit sollte er recht behalten.

Als Wiedergeburt eines tibetischen Lamas im Westen auf die Welt zu kommen ist ein seltsames Schicksal. Und doch eines, das Geshe Jatse und wohl auch seine neue Persönlichkeit Elijah Ary alias Tenzin Sherab aus freien Stücken auf sich nahm, um im Plan der Dinge bestimmten Zielen zu dienen.

Wie er es als kleiner Junge vorausgesehen hatte, kam der Tag, an dem Tenzin Sherab in sein Kloster zurückkehrte, das mittlerweile in Südindien wiederaufgebaut worden war. Einige Jahre hatten die Arys den Bitten der Mönche aus Sera widerstanden, ihnen „ihren Lama" zu schicken. Aber als Tenzin vierzehn Jahre alt war, kam eine Nachricht des Dalai Lama, daß es nun Zeit für ihn sei wegzugehen. Kalu Rinpoche gab unabhängig davon den gleichen Rat. Die Arys vertrauten den Worten dieser großen und weisen Männer, und nachdem sie sich davon überzeugt hatten, daß Tenzin willens war, erlaubten sie ihrem Sohn, völlig in das Leben in einem tibetischen Kloster einzutauchen. Eines Tages im Jahr 1986 machte sich Tenzin in eine andere Welt auf und begann damit ein weiteres wichtiges Kapitel seines außergewöhnlichen Lebens.

Sera mit seinen 2500 Mönchen, die in einer richtigen kleinen Stadt in einem gerodeteten Stück Dschungel in Südindien leben, ist das größte Kloster der Welt. Dort war Tenzin, wie er es selbst ausdrückte, nichts weiter als ‚ein Sandkorn am Strande'. Als er Sera schließlich verließ, gab es insgesamt nur zehn Menschen aus dem Westen in diesem Ozean tibetischer Kultur, und einer davon war Lama Ösel Rinpoche.

Für alle Betroffenen war dies ein riesiger Schritt – einer, an dem das Dilemma und die Schwierigkeiten deutlich wurden, die bei diesem neuen Phänomen der nach Westen strebenden östlichen Tulkus auftreten.

„Wir waren in der westlichen Tradition aufgewachsen, und obgleich wir Anhänger des tibetischen Buddhismus waren, hatten wir doch eine recht kritische Einstellung. Wir wußten, daß das Kloster in finanzieller Hinsicht profitierte, wenn ein Tulku einzog – solche Dinge kamen mir zum Beispiel in den Sinn. Ich machte mir auch Sorgen wegen der mangelnden Hygiene und der harten Lebensbedingungen in Indien", sagte Carol.

Isaac, der immer schon ein kritischer Mensch gewesen war, hatte seine eigenen Zweifel. „Es fällt schwer, den eigenen Sohn in ein Kloster zu schicken, in dem man noch nie gewesen ist und wo man niemanden kennt. Außerdem bin ich immer schon vorsichtig gewesen, wenn es um geistlose Rituale ging. Jede Religion hat ihre ‚Haken' – ich möchte niemandem zu nahe treten, aber ich habe Menschen aus dem Westen beobachtet, die sich erniedrigen und vor Ehrfurcht zerfließen, sobald sie mit östlichen Religionen in Berührung kommen. Ich wollte nicht, daß es Tenzin genauso erginge."

Ihre Bedenken waren unbegründet. Tenzin paßte in das tibetische Klosterleben, als sei er dafür geboren worden! Er fühlte sich sofort heimisch. Man wertete das als weitere Bestätigung dafür, daß er in der Tat die Wiedergeburt Geshe Jatses, des früheren Gegu von Sera, war.

Bereits nach wenigen Wochen beherrschte Tenzin die tibetische Sprache, die ausgesprochen schwer zu erlernen ist, und nach drei Monaten sprach er sie so gut, daß er selbst schwierige Themen der buddhistischen Philosophie mit anderen Mönchen in der Debatte erörtern konnte. Nach einem Jahr war seine Aussprache völlig akzentfrei. Man sagte von ihm, niemand könne von hinten erkennen, daß er kein Tibeter war.

Tibetische Gebete und Schriften lernte er mit der gleichen bemerkenswerten Geschwindigkeit auswendig. „Die Lamas sagten, das gelinge mir deshalb, weil ich diese Dinge bereits in einem vergangenen Leben studiert habe", sagte Tenzin bescheiden. „Es gab einige, an die ich mich einfach so erinnern konnte. Ich hörte sie ein- oder zweimal und konnte sie zusammen mit den anderen rezitieren."

Vom ersten Augenblick an, in dem er Sera betrat, gab es neue Beweise für seine Identität und zwar unterschiedlichsten Ursprungs. Den älteren Mönchen, die Geshe Jatse gekannt hatten, fiel sofort auf, wie ähnlich Tenzin Sherab ihrem früheren Meister sah. „Sie sagten, ich sähe von der Mitte meiner Nase an aufwärts genauso aus wie er", kommentierte Tenzin und spielte damit wohl auf seine charakteristische vorspringende Stirn und seine außergewöhnlich tiefliegenden Augen an.

„Die Tibeter sahen mich als einen Tibeter und nicht als einen Menschen aus dem Westen. Das war sehr angenehm. Dadurch fühlte ich mich akzeptiert", fuhr er fort. Es war kein Wunder, daß man ihn akzeptierte, denn er war der Klassenbeste. Innerhalb der hierarchischen Ordnung des Buddhismus war das die Feuerprobe für die Authentizität einer Wiedergeburt.

Um ihre Bedenken auszuräumen, unternahm seine Familie eine Reise nach Indien und kam ihn besuchen. Carol sagte: „Erst als ich ins Kloster kam, wurde mir klar, daß die Mönche dort nicht wegen irgendwelcher materieller Vorteile hinter Tenzin her waren. Tenzin paßte hervorragend in diese Umgebung. Er war wie ein Fisch im Wasser. Die Lebensbedingungen waren ziemlich hart, ganz, wie ich es mir vorgestellt hatte, aber er wurde nie ernstlich krank und hatte nie irgendwelche nennenswerten

Probleme. Er liebte diese Art zu leben, besonders das Debattieren. Als ich ihn zum ersten Mal dorthin brachte und er noch nicht Tibetisch sprechen konnte, lehnte er sich an den Zaun und beobachtete die Mönche, wie sie argumentierten und diskutierten. Er war völlig fasziniert", sagte sie.

Sechs Jahre lang lebte Tenzin sein Leben als tibetischer Mönch, eingetaucht in den Reichtum, die Kraft und die starren Strukturen eines spirituellen Systems, das Hunderte von Jahren intakt geblieben war. Obgleich es ihm dabei gut ging, gab es natürlich auch Zeiten, in denen er sich voller Sehnsucht an sein Leben in Kanada erinnerte. Es gelang ihm jedoch, selbst diese Momente zu einem Teil seiner Übung zu machen.

„Einige Male war ich unglücklich darüber, daß ich so weit von zu Hause weg war – das waren Momente, in denen ich meine Eltern gebraucht hätte; sie waren jedoch nicht da, sondern viele hundert Meilen weit entfernt. Ich fühlte mich irgendwie verlassen. Das war wie ein emotionaler Schlag ins Gesicht, der mich aufweckte. Dann sagte ich mir: ‚Dazu bist du nicht hierhergekommen.‘ "

Diese Jahre, in denen er ganz und gar in diese allumfassende Welt eintauchte, waren Jahre spirituellen und persönlichen Wachstums. Er lernte die tiefen Wahrheiten über die Natur des Geistes und alles Existierende kennen. Er lernte etwas über sich selbst und sein großes Potential, den Geist bis zur völligen Allwissenheit und zum alles umspannenden Mitgefühl hin weiterzuentwickeln – wenn er nur für immer seine negativen Haltungen oder ‚Verblendungen‘ ausradieren konnte, die diesen reinen und glückseligen Zustand verunreinigten. Er erlernte ein außergewöhnliches Maß an Selbstdisziplin, denn die Zucht in einem tibetischen Kloster läßt jedes Armeelager lax erscheinen. Wenn es jedoch der Wahrheit entsprach, was man über Tenzin Sherab sagte, wenn er wirklich die Wiedergeburt von Geshe Jatse war, dann lernte er diese Dinge nicht wirklich neu, sondern erinnerte sich nur an sie, damit er sie im gegenwärtigen Leben wieder nutzbar machen konnte.

Sein vergangenes Leben war das eines tibetischen Heiligen gewesen, der in einer Höhle meditierend gestorben war, dieses Mal war er jedoch eindeutig ein Mensch aus dem Westen. Sein Ursprung ließ sich nicht verleugnen, und es gab auch Aspekte des Lebens in Sera, mit denen er ganz offensichtlich nicht einverstanden war. Wie sein Vater Isaac oder vielleicht auch wegen seines Vaters konnte Tenzin das klösterliche System nie ganz fraglos hinnehmen. Er ging seinen eigenen Weg.

„In Sera nannten sie mich ‚den Rebellen‘, da ich mich gegen das System auflehnte“, sagte Tenzin. „Das passierte, sobald ich dort ankam. Sie führten diese pompöse Willkommenszeremonie durch und begannen mir zu erklären, was ich zu tun hatte, und ich fragte: ‚Warum macht ihr denn dieses Ritual überhaupt? Warum muß das alles so kompliziert sein? Ich bin doch nur ich, und das ist nichts weiter als mein Eintritt ins Kloster.‘ Und sie hatten eigentlich keine Antwort darauf.

Ich stellte viele solcher Fragen, aber die Antwort war immer die gleiche: ‚Das ist Tradition.‘ Es *ist* tatsächlich Tradition, und alte Gewohnheiten sterben langsam.“ Dem jungen Mönch aus der Neuen Welt fiel es schwer, das zu akzeptieren. Von Anfang an sträubte er sich gegen viele der kulturellen Aspekte des tibetischen Buddhismus, besonders aber gegen die starke Betonung des Gehorsams. Es verdroß ihn allmählich immer mehr.

„Ich habe immer wieder gesagt: ‚Ihr müßt euch ändern, wenn ihr in der heutigen Zeit Anklang finden wollt. Ihr müßt mit der Zeit gehen.‘ Aber das wollten sie nicht annehmen. Es ist wirklich erstaunlich, wieviel Widerstand sie Veränderungen entgegensetzen. Das ist irgendwie absurd, denn schließlich besagt eine der zentralen Unterweisungen des Buddha, daß alle Dinge vergänglich sind“, sagte er.

Aus Kanada erreichten ihn auch die kulturellen Einflüsse seines Heimatlandes und gaben der westlichen Seite seines Wesens Nahrung. Seine Schwestern Leila und Bryna schickten ihm stapelweise Bücher über den Feminismus, mit dem sie sich selbst intensiv auseinandersetzten. Von anderer Seite erhielt er die aktuellsten Veröffentlichungen über Computertechnologie. Tenzin sog alles in sich auf. Als er dann eine bestimmte Reihe von Prüfungen hinter sich gebracht hatte, unternahm er eine kurze Reise nach Montreal, wo das Leben seines Heimatlandes die Einflüsse seines Geburtsorts erneut in ihm stärkte.

Unausweichlich näherten sich die beiden Ströme, die seine gegenwärtige Inkarnation durchzogen – seine Wurzeln im Westen und seine Bestimmung – einander an, und eines Tages wußte er, daß sein Pfad im Westen lag.

„Ich bin als Mensch des Westens wiedergeboren, weil ich eine Brücke zwischen den beiden Kulturen schlagen soll. Aber das ist noch nicht alles.

Es geht darum, aber auch noch um etwas anderes, nämlich um einen Heilungsprozeß, um emotionale Heilung. Ich weiß nicht, wie ich es nennen soll. Ich möchte den Menschen helfen, die Botschaft des tibetischen Buddhismus zu verstehen, und die bedeutet: Friede, Harmonie, Liebe und Mitgefühl zwischen allen Völkern auf dieser Erde.

Ich spürte, daß ich nehmen sollte, was der tibetische Buddhismus bot, um es dann in westliche Begriffe zu bringen. Es ist so, als nähme man etwas, gäbe ihm eine neue Form und bringe es dann an einen neuen Ort. Wenn man ein Stück Teig nimmt, kann man es zu einem Ball oder zu einem Würfel formen – die äußere Form ändert sich, aber das Material bleibt gleich. Vom Wesen her ändert es sich nicht."

Er war gerade achtzehn geworden, als ihm plötzlich klar wurde, welchen Sinn seine Geburt hatte. „Vor diesem Augenblick", fuhr er in seiner Erzählung fort, „wußte ich nicht, warum ich hier oder in Sera war. Nun verstand ich allmählich, was ich zu tun hatte, wenn ich mein eigentliches Ziel erreichen wollte."

Er begann zu begreifen, daß er sein zurückgezogenes Leben im Kloster Sera hinter sich lassen mußte. Sein Platz war im Westen. Das war ein radikaler und mutiger Schritt, denn eigentlich hätte er mindestens fünf weitere Jahre in Indien verbringen sollen, um seine Geshe-Studien abzuschließen. Man übte gehörigen Druck auf Tulkus aus, damit sie alle an sie gestellten Erwartungen erfüllten. Aber Tenzin hatte sich entschlossen – er brauchte nur noch die Erlaubnis des Dalai Lama. In seinem Herzen wußte er, daß er ohne den Segen dieses großen Mannes nicht fortgehen konnte.

Also machte er sich allein auf die lange Reise von der Spitze des indischen Subkontinents nach Dharamsala, das in den Vorgebirgen des Himalaya liegt. Dort war der Sitz der Exilregierung des Dalai Lama, und Tenzin wollte dem als lebenden Buddha verehrten Oberhaupt des tibetischen Buddhismus erzählen, wozu er sich entschlossen hatte. Als er ins Zimmer trat, sagte der Dalai Lama: „Was machst du hier? Ich dachte, du hättest bereits ein Studium an einer Universität im Westen begonnen!" Sein Besucher entgegnete leise, daß dies genau das Anliegen sei, über das er hatte sprechen wollen. Damit erhielt Tenzin die Bestätigung, die er gebraucht hatte. Der Dalai Lama gab ihm außerdem den Rat, westliche Psychologie zu studieren, damit er begreifen könne, was man im Westen unter Geist versteht, und damit er anderen besser helfen könne – denn was gab es für einen Mahayana-Buddhisten schließlich anderes zu tun, als alle Inkarnationen hindurch unermüdlich zum Wohl der anderen zu wirken? Die Lamas in Sera mochten schockiert und enttäuscht über Tenzins Entscheidung gewesen sein, die Haltung des Dalai Lama jedoch war eindeutig offener. Von Anfang an hatte er keine vorgefaßten Vorstellungen davon gehabt, wie Tenzin sein Leben verbringen sollte. Er wußte, daß der junge Mann selbst entscheiden würde und sollte.

Carol erinnert sich genau an den wertvollen Rat des Dalai Lama, den er ihr noch vor Tenzins Eintritt ins Kloster Sera gegeben hatte. „Er sagte: 'Man kann sie anleiten, man kann ihnen Ratschläge geben, aber man sollte niemals versuchen, sie von einem Vorhaben abzubringen, denn sie wissen besser als wir, was sie zu tun haben.' Dann sagte er noch, wenn Tenzin vorhersagen konnte, wo er in diesem Leben geboren werden würde und sich selbst erkennen konnte – was er getan hatte, als er *uns* von seinem vergangenen Leben erzählte –, dann war er sicherlich auch imstande zu wissen, wie er mit diesem Leben umzugehen hatte. Tenzin wußte, was er erfahren mußte, um das zu erreichen, was er dieses Mal zu tun hat", sagte sie. Bei der Bewältigung der zweifellos sehr schwierigen Aufgabe, einen Tulku aufzuziehen, waren ihr die Worte des Dalai Lama ein großer Trost.

Im April 1992 verließ Tenzin schließlich das tibetische Kloster und kehrte zu seinem westlichen Leben zurück. Aber selbst nachdem er das klösterliche Dasein hinter sich gelassen hatte, zweifelte er niemals daran, daß er die Wiedergeburt von Geshe Jatse war. „Das stellte ich auf gar keinen Fall in Frage. Ich kehrte auch nicht allen meinen bisherigen Erfahrungen den Rücken", betonte Tenzin.

Zwei Monate nach seiner Ankunft in Montreal gab er seine Roben zurück. Er war zwölf Jahre lang Mönch des tibetischen Buddhismus gewesen. Sein Neueinstieg ins nordamerikanische Leben sollte sich als genauso seltsam und schwierig erweisen wie es sein Eintritt ins Kloster Sera gewesen war. Aber das konnte ihn keineswegs von seinem Weg abbringen.

Tenzin wußte zwar genau, daß seine Bestimmung im Westen lag, es fiel ihm aber nicht so leicht, den richtigen Pfad zur Erfüllung seines Zieles zu finden. In der harten, kommerziell ausgerichteten westlichen Welt angekommen, sah er sich zunächst einmal mit der Notwendigkeit konfrontiert, einen Arbeitsplatz zu finden. Das war ein schwieriges Unterfangen für einen westlichen Tulku, vor dem man sich in den letzten sechs Jahren verneigt hatte, der als eine Art spiritueller Prinz verehrt worden war und den man für ein mit Macht und Autorität ausgestattetes Amt ausgebildet hatte. Als er Carol und Isaac nach seiner Audienz beim Dalai Lama von Dharamsala aus angerufen hatte, um ihnen von seiner bevorstehenden Rückkehr zu erzählen, hatten sie ihm zwar versichert, bei ihnen sei immer Platz für ihn, aber auch darauf hingwiesen, daß er die Verantwortung für seine Entscheidungen selbst übernehmen müsse. Er würde nicht zurückkommen können, um auf Kosten anderer Leute zu leben und nichts zu tun!

Aufgrund der Rezession, der hohen Arbeitslosenquote und da Tenzin keinerlei westliche Qualifikationen vorzuweisen hatte, öffneten sich die Türen für ihn nicht so bereitwillig wie in Sera. Er mochte zwar die höchsten spirituellen Qualifikationen besitzen, vom weltlichen Gesichtspunkt aus gesehen war sein Lebenslauf jedoch nicht gerade beeindruckend. Welchen Nutzen hatte ein genaues Verständnis des Buddhismus auf dem Arbeitsmarkt in Montreal? Sieben Monate lang durchstreifte er also die Straßen auf der Suche nach Arbeit – irgendeiner Arbeit, die ihm ein bißchen Geld zum Überleben einbringen würde.

„Es ist ungemein anstrengend, monatelang nach Arbeit zu suchen. Ehrlich! Dazu kam, daß ich keine Arbeitslosenversicherung hatte. Hier steht man unter gewaltigem Druck. Man muß Dinge tun, zu denen man keine Lust hat, wie zum Beispiel arbeiten", räumte Tenzin lachend ein. „Mir ist klar geworden, wie sehr man hier ums Geld kämpfen muß. Aber Geld ist notwendig, daher kann man nichts dagegen tun." Er wollte schon aufgeben, als seine Schwester eine Arbeitsstelle in einem kleinen Tabak- und Zeitschriftenladen fand und ihren Arbeitgeber fragte, ob er nicht auch ihren Bruder einstellen wolle. „Sie fragte ihn ungefähr zehn Mal. Schließlich stimmte er einem Gespräch zu und stellte mich ein, da er sich für Buddhismus und Psychologie interessierte. Bei mir passieren die Dinge oft im letzten Moment", sinnierte Tenzin.

Er weiß jetzt, wie es sich anfühlt, nach einem Tag auf den Beinen körperlich müde zu sein, Leute beim Stehlen zu erwischen und Leute hinauszuwerfen, wenn sie unverschämt werden. Der Laden befindet sich in einem unschönen Viertel Montreals, und Tenzin kommt öfters in

Berührung mit drogensüchtigen Kindern und Geistesgestörten. Für jemanden, der es gewohnt war, eine Elitestellung innerhalb eines tibetischen Klosters einzunehmen, hätte so etwas einen ziemlichen Abstieg bedeuten können, Tenzin aber meistert die Situation spielend. Sein philosophischer Kommentar: „Ach, es ist gar nicht so schlimm."

Auch wenn Tenzin nun plötzlich von dieser irdischen Welt des Geldverdienens in Anspruch genommen wird, ist sein Gespür für seine Bestimmung doch gleich stark geblieben. Den Klang der letzten Worte des Dalai Lama noch im Ohr und motiviert von seiner eigenen Vorstellung, daß er irgendwie den Menschen seiner eigenen Kultur helfen müsse, hat er sich im Fachbereich Religionswissenschaften in der Universität in Quebec eingeschrieben, um sich ein gutes Verständnis des spirituellen Gedankenguts des Westens zu erarbeiten. In dieser Studienrichtung werden auch Freud, Jung und die anderen Begründer der modernen Psychologie behandelt – und so erfüllt sich eine weitere Empfehlung des Dalai Lama. Tenzin erhielt auch eine Einladung zu einem Auftritt in einem Film über sein Leben, der – so hofft er – spirituelle Wahrheiten in die Öffentlichkeit tragen wird.

Welche Gestalt seine Bestimmung einmal annehmen wird mag zwar noch nicht klar erkennbar sein, aber sein Wunsch, sich in den Dienst der Welt zu stellen, steht unverrückbar fest. Er sorgt sich um den Frieden und um den Schmerz und das Leid in der Welt; und er möchte helfen.

„Ich würde den Menschen – ganz gleich, wer, was oder wo sie sind – gerne beistehen, mit allen möglichen Mitteln. Ich weiß noch nicht genau, wie. Wahrscheinlich wird die Hilfe eher die emotionale Ebene betreffen als nur die geistige oder körperliche." Was er da sagte, klang wirklich ernsthaft.

„Wenn ich jemandem helfen kann, sich selbst und dadurch auch andere besser zu verstehen, helfe ich dieser Person und anderen auf wirklich umfassende Weise. Die meisten Religionen begegnen sich bei dem Thema: ‚Liebe deinen Nächsten wie dich selbst.' Ich nenne das gerne ‚globale Wärme', denn hier erwärmt sich das Herz für die anderen", sagte er.

Einige Aspekte seiner klösterlichen Ausbildung werden ihm seiner Meinung nach auch in Zukunft noch nützlich sein. „Obgleich alle großen Religionen die gleiche Botschaft haben, habe ich doch den Eindruck, daß der tibetische Buddhismus etwas Besonderes zu bieten hat, denn er erlaubt den Menschen, Fragen zu stellen, Vermutungen zu äußern und somit aufgrund ihrer eigenen Überlegungen zu ihren eigenen Schlußfolgerungen zu kommen. Ich hoffe, daß ich den Menschen in dieser Beziehung ein wenig die Augen öffnen kann", sagte er.

Wie fühlt er sich als Laie, nach all diesen Jahren als Mönch? Die Roben zurückzugeben war vielleicht ein wichtiger Bestandteil seiner Reintegration im Westen, er hatte diesen Schritt aber sicherlich nicht leichten Herzens getan. Schließlich hatte er die dunkelrot-goldenen Roben zwölf Jahre lang getragen; sie waren nicht nur das äußere Zeichen seiner Berufung gewesen, sondern hatten ihm auch einen gewissen Schutz gewährt.

„Ich dachte, es würde einfach sein, aber das war weit gefehlt. Ich brauchte lange, um zu entscheiden, wann genau ich sie zurückgeben sollte und in welcher Form", gab er zu.

Vorbei sind auch die Rituale, die er in Sera so ermüdend gefunden hatte, sowie die Meditationssitzungen, das Lesen der Schriften und die anderen Verrichtungen einer formal-religiösen Lebensweise, die ihn so lange beschäftigt hatten. Äußerliches Zurschaustellen spiritueller Übungen interessiere ihn nicht mehr, sagt er.

„Ich meditiere nun nur noch selten. Ich habe nicht das Gefühl, daß ich es brauche. Wenn ich das Gefühl habe, dann meditiere ich. Ich integriere den tibetischen Buddhismus nun in mein Leben, in meine Denk- und Handlungsweise, indem ich Dinge tue oder nicht tue. Also übe ich jeden Tag, auch wenn es nicht so aussieht."

Auf mein Drängen erklärt er das näher: „Ich arbeite ständig an mir – ich räume mit meinem eigenen Mist auf! Ich betrachte gerne meine Gefühle. Ich beobachte Situationen so, als sei ich eine dritte Person, und analysiere sie – auf diese Weise untersuche ich beide Standpunkte. Das hilft mir sehr. Ich glaube, Tulkus bringen diese Gabe mit – die Fähigkeit, mit sich selbst zu arbeiten, während man gleichzeitig anderen hilft.

Eines der wichtigsten Dinge ist zum Beispiel, daß man etwas über seinen eigenen Ärger herausfindet und ihn überwindet, denn wenn man sich Frieden in der Welt und zwischen den Menschen wünscht, braucht man Duldsamkeit. Duldsamkeit ist die Abwesenheit von Ärger. Man muß sich nur einmal die Schwierigkeiten im ehemaligen Jugoslawien anschauen oder den Fall von Monica Seles, der Tennisspielerin, die durch einen Messerstich verletzt wurde. So viele Schwierigkeiten und so viel Leid entstehen aufgrund von Ärger und Haß", erklärte er.

„Ein weiterer wichtiger Schritt ist das Überwinden der eigenen Frustrationen. Ich habe herausgefunden, daß es sehr hilfreich ist, den Unterschied zwischen Ärger und Frustration zu kennen, so daß man genau weiß, worunter man gerade leidet. Der Dalai Lama hat mir in dieser Beziehung sehr geholfen, als er einmal Unterweisungen in Mungod gab. Ärger wird von mehr Gewalt begleitet. Er ist stärker und fühlt sich anders an.

Mein letzter Wutanfall richtete sich gegen meine Schwester, die etwas gesagt hatte, das mich wirklich aus der Fassung brachte. Da wurde ich zum ersten Mal seit langer Zeit zornig – ich kann mich nicht einmal erinnern, wann mir das zum letzten Mal passiert war. Ich schlug wild um mich, traf die Tür und brach mir dabei einen Finger. Für mich war das ein Denkzettel, der mir sagen sollte: ‚Nun weißt du, was Wut ist, und wie weh sie tun kann. Also korrigiere deinen Fehler' ", gab er zu. „Im allgemeinen bin ich jedoch ziemlich geduldig", fügte er hinzu.

Genau wie der großartige Lama Yeshe, der so viel von der äußeren Fassade des tibetischen Buddhismus zurückließ, um zu dessen innerstem Kern vorzudringen, ist auch Tenzin Sherab eifrig bemüht, seinen spirituellen Weg zu etwas ganz Persönlichem zu machen. An seinem Altar zeigt sich seine persönliche Note besonders deutlich, wie es auch bei Lama Yeshe gewesen war.

„Es kommt auf die Botschaft an und nicht auf die Form. Das äußere Bild ist nicht wichtig", betont er nochmals. „Man sollte Dinge auf den Altar stellen, zu denen man einen persönlichen Bezug hat. Auf meinem Altar stehen Fotografien meiner Familie, eine Pyramide aus Kristall, die ein Geschenk von Tsong Rinpoche ist, und eine Glasröhre, die mir ein Freund in Frankreich zum Geburtstag gegeben hat. Außerdem steht da ein dreidimensionales Puzzle in Form eines Diamanten. Mein Vater hat es mir zu Weihnachten geschenkt. Es ist etwas Besonderes für mich, weil dieses Weihnachtsfest das erste seit so vielen Jahren war, das ich mit meiner Familie verbrachte. Das sind meine kleinen Dinge. Sie sind etwas sehr Persönliches."

Inzwischen schlüpft Tenzin wieder zurück in seine nordamerikanische Lebensart. Er hat begonnen, Eishockey zu spielen, eine urtypische kanadische Beschäftigung, die man in diesem Land fast wie eine Religion verehrt. Es macht ihm Spaß. Er schaut sich einen Vampirfilm nach dem anderen an, verschlingt Larson-Cartoons und hat eine Freundin. Nachdem seine Teenager-Jahre ja unter dem Zeichen des Zölibats gestanden hatten, bedeutet das für ihn einen Vorstoß in gänzlich unbekannte Gefilde. Als die meisten Jungen seines Alters lernten, sich mit Mädchen zu verabreden und romantisch auf das andere Geschlecht zu reagieren, war Tenzin ganz und gar mit der Einhaltung der Klosterregeln und seinen buddhistischen Studien beschäftigt gewesen. Tenzins Bekannte sagen, als Resultat seines langen, abgeschlossenen Lebens in einem tibetischen Kloster sei er in einigen Bereichen des gesellschaftlichen Lebens ein wenig unerfahren. Er aber sagt, er genieße seine neugefundene Freiheit.

„Es ist sehr schön, neben der eigenen Familie jemanden zu haben, mit dem man sich unterhalten und seine Zeit verbringen kann", sagt er. Es mag seinem Alter oder seinen früheren Leben im Mönchsstand zuzuschreiben sein, daß ihm die Vorstellung zu heiraten und Familienvater zu werden aber nicht im geringsten verlockend erscheint.

„Ich mag diese Idee noch weit weniger als die Vorstellung, nochmals zur Universität gehen zu müssen", sagt er lachend. „Mit meinen bisherigen Studien habe ich mich eigentlich bereits in die akademischen Ränge hochgearbeitet, aber hier wird das nicht anerkannt. Also muß ich das ganze System noch einmal durchlaufen. Das gefällt mir nicht besonders – aber Familienvater zu werden, das zieht mich noch viel weniger an", sagt er.

Man sollte erwarten, daß jemand, der seit seiner Kindheit als etwas Besonderes gegolten hatte, jemand, der bereits mit neun Jahren buddhistischer Mönch geworden war und Jahre in einem tibetischen Kloster verbracht hatte, es schwierig finden würde – zumindest was den Anschein betrifft – ein normaler kanadischer Bürger zu werden. Tenzin sagt jedoch, im großen und ganzen bereite ihm das keine großen Probleme. Außergewöhnliche Anpassungsfähigkeit sei eines der besonderen Merkmale der Tulkus, behauptet er. Er erzählte von der Kunst, ganz in das einzutauchen, was man gerade tue, und doch davon getrennt zu bleiben.

„Dieses Leben – dieses kanadische Leben – ist ein Spiel. Wahrscheinlich ist es überall das gleiche. Daher spiele ich Hockey, schaue mir Filme an, habe eine Freundin, arbeite in einem Laden. Ich kann einen Film machen und doch meinen Geist beobachten. Hat man einmal gelernt, wie das Spiel läuft, kann man es einfach spielen und gleichzeitig seinem eigenen An-

liegen nachgehen. Man muß aber das Spiel verstehen, es studieren, es erlernen und sich so anpassen, daß man fähig ist, innerhalb dieses Spieles zu funktionieren ohne aufzufallen. Man darf nicht zu sehr aus dem Rahmen fallen. Das genau versuche ich."
Er war wirklich ein außergewöhnlicher junger Mann.

Bevor ich mich verabschiedete, wollte ich Tenzin Sherab und seinen Eltern noch einige Fragen über Reinkarnation stellen, die mir sehr am Herzen lagen. Am wichtigsten war mir vielleicht, in welchem Maß Tenzin wohl durch andere in seine jetzige Verfassung gebracht worden war. Schließlich war er wie alle anderen Tulkus sehr früh von zu Hause weggebracht und durch das tibetische spirituelle System geprägt worden. Wären seine Begabungen und speziellen Fähigkeiten auch zu Tage getreten, wenn man ihn ganz sich selbst überlassen hätte?
Ich fragte Tenzin, ob er glaube, daß er sein Leben anders gestaltet hätte, wenn er nicht als die Wiedergeburt von Geshe Jatse erkannt worden wäre. Nachdem er nun ein wenig Distanz zur klösterlichen Tradition gewonnen hatte, nahm ich an, er könne das sicherlich bestens beurteilen.
„Ich glaube, ich wäre genau der gleiche – ich hätte sicherlich auch den Wunsch, den Menschen zu helfen. Wissen Sie, vieles ist einfach ein Resultat meines vergangenen Lebens," gab er ohne Zögern zur Antwort. Er sagte, er bedaure nicht im geringsten, Mönch gewesen zu sein und all diese Jahre in Sera verbracht zu haben. Im Gegenteil – er habe das Gefühl, es habe ihm gutgetan. „Wahrscheinlich hätte ich die gleichen Ansichten gehabt, aber alles wäre viel später passiert, und die Veränderungen wären nicht so einschneidend gewesen. Es wäre nicht so stark gewesen. Und ich wüßte wahrscheinlich auch nicht, was ich damit anfangen sollte. Wenn ich nicht in Sera gewesen wäre, wüßte ich weniger über mich, meine Emotionen, meine Wertvorstellungen und natürlich über den Buddhismus, als ich jetzt weiß. Ich hätte viel langsamer Fortschritte gemacht. Wenn ich in Kanada geblieben wäre, wäre ich in den üblichen Konkurrenzkampf hineingezogen worden und hätte mich ziemlich abschinden müssen. Ich hätte keine Zeit gehabt herauszufinden, wie ich funktioniere. Dort habe ich gelernt, wie man das macht. Hier hätte ich auch allen möglichen Dingen verfallen können, dem Alkohol, Drogen oder der Faulheit."
Aber viele Leute, gab ich zu bedenken, würden wahrscheinlich sagen,

in all diesen Jahren als tibetischer Mönch sei er einer Gehirnwäsche unterzogen worden, sein Pfad sei von anderen vorbestimmt gewesen und sein Geist sei in eine ganz bestimmte Form gebracht worden. Er reagierte gereizt auf diese Überlegung.

„Ich wurde keiner Gehirnwäsche unterzogen! Ganz im Gegenteil! Wenn ich heute in einer bestimmten Verfassung bin, dann habe ich mich selbst da hingebracht. Wenn es das Kloster nicht gegeben hätte, wäre ich nicht der, der ich heute bin. Ich bin froh, daß ich hingegangen bin. Ich bin ein freier, unabhängiger Denker. Sogar sehr unabhängig", betonte er.

Er räumte ein, daß es, im Nachhinein betrachtet, manchmal recht schwierig gewesen war, ein Tulku zu sein. „Es gab Zeiten, in denen ich mich wirklich unter Druck gesetzt fühlte. Ich wurde zum Studium gezwungen und mußte Texte und Gebete auswendig lernen. Das war schwierig, denn ich habe stets die Neigung ‚nein' zu sagen, wenn mir jemand sagt, ich *müsse* etwas tun. Im Kloster sagte ich auch manchmal ‚ja', aber tat trotzdem nichts. Man erwartet eine ganze Menge von einem Tulku, besonders die Tibeter und früheren Schüler, obgleich sie es vielleicht selbst nicht einmal merken. Ich mußte der Klassenbeste sein und der Beste in allen möglichen Dingen. Ich mußte mich ruhig und immer friedlich benehmen. Ich mußte einfach ein vollkommener Mensch sein. Aber niemand ist vollkommen. Wenn du es nicht bist, können sie enttäuscht sein. Auch Lama Ösel steht sehr unter Druck", antwortete er.

Er erzählte mir, unter welchem Streß er und seine Familie gestanden hatten, als er klein war und die Lamas dauernd darauf drängten, daß er zu ihnen geschickt werden möge. „In dem Jahr, in dem wir ihre ersten Briefe erhielten, bekam ich Asthma und bin es seither nicht mehr losgeworden. Jetzt, nachdem ich nicht mehr im Kloster bin, wird es allmählich besser. Ich möchte damit nicht sagen, das Kloster sei ein schlechter Ort, aber man steht dort einfach sehr unter Druck", gab er zu.

Ich fragte ihn, ob er immer noch das Gefühl habe, er müsse diesen Erwartungen entsprechen – ob sie sein Leben in irgendeiner Weise beherrschten oder beeinflußten.

Die Antwort fiel auch dieses Mal recht heftig aus.

„Nein, nein, nein! Ich lasse mich keinesfalls von den Erwartungen anderer leiten. Das habe ich nie getan. Ich lebe meinen eigenen Erwartungen entsprechend", bekräftigte er. „Und eigentlich erwarte ich nicht viel von mir. Ich gebe mir freien Lauf und mache meine Erfahrungen. Wenn ich etwas tue, tue ich es, so gut ich kann, und wenn ich nicht mehr tun kann, erwarte ich von den Leuten, daß sie das akzeptieren."

Die Antwort reichte mir.

Es gab aber noch andere unangenehme Fragen zur Reinkarnation, die ich gerne ansprechen wollte. Mich interessierte zum Beispiel, warum er keine genauen Erinnerungen an Geshe Jatse hatte.

„Ich stelle mir das ganze als eine lineare Abfolge vor. Geburt, Tod – Geburt, Tod. Bei der Geburt steht man seinem Vorleben näher. Ungefähr im Alter von sieben Jahren beginnt man dann zu erkennen, was um einen herum geschieht, und allmählich wird man mehr von diesem Leben eingenommen als vom letzten. In meinem Fall ist das so geschehen, aber damals war ich mir dessen nicht so bewußt, wie ich es heute bin, wenn ich zurückschaue", antwortete er.

Wenn unsere Leben als eine Reihe aufeinanderfolgender Existenzen angesehen werden können, wie ließ sich dann die ungefähr dreißigjährige Pause zwischen seiner Inkarnation als Geshe Jatse und der als Tenzin Sherab erklären? Was hatte er seiner Meinung nach in der Zwischenzeit getan? Wo hatte er sich aufgehalten?

„Einige Leute denken, ich sei vielleicht noch einmal wiedergeboren worden und sei sehr jung gestorben – das ist natürlich möglich. Andere sagen, ich sei an einem anderen Ort, in einem anderen Bereich, gewesen. Es gibt keine eindeutige Erklärung. Ich glaube, daß ich wiedergeboren wurde und entweder nicht erkannt oder nicht als Mönch aufgenommen wurde. Wahrscheinlich wurde ich nie offiziell anerkannt und starb sehr jung", sagte er.

Ich hatte auch noch Fragen zu den offensichtlichen Unterschieden im Charakter von Geshe Jatse und Tenzin Sherab. Geshe Jatse war konservativ und ein rechter Einzelgänger gewesen. Tenzin Sherab dagegen ist offenkundig ein geselliger Mensch, der sich freut, wenn er zur Hauptgestalt eines Buches oder Filmes wird und der bereit ist, direkt ins Rampenlicht der Öffentlichkeit zu treten. Wie erklärt er solche deutlichen Unterschiede?

„So etwas geschieht öfters", antwortete er verdutzt. „In Sera gibt es einen Tulku, ein früherer Klassenkamerad von mir, der extrem dünn ist.

In seinem Vorleben aber ist er dagegen ein Koloß gewesen! Ich sah ein Foto von ihm. Ich habe in meinem ganzen Leben noch nie eine so fette Person gesehen. Es überrascht mich, daß er sich überhaupt noch fortbewegen konnte. Körperliche und Verhaltensmerkmale ändern sich oft. Manchmal schlagen sie ins Gegenteil um", sagte er. Wie alle tibetisch ausgebildeten Lamas hatte er immer eine Antwort parat!

Nun wandte ich mich an Carol und Isaac und wollte wissen, ob sie, im Nachhinein betrachtet, anders mit dem Leben ihres Sohnes umgegangen wären. Was ihre Entscheidung betrifft, Tenzin nach Sera zu schicken, hat Carol heute wenig zu bedauern.

„Wir haben ihn sicherlich nicht zu diesem Schritt gezwungen – er ging, weil er es so wollte. Es war auch nicht schlecht. Ich sehe ja, wie es ihm bekommen ist. Es hat ihn wirklich stark gemacht. Ich glaube, wenn er im Westen studiert hätte, wäre er ein fauler Teenager geworden. Dort war er gezwungen zu arbeiten, sich mit anderen zu messen und sich auf Dinge einzulassen. Und er mochte es. Es war genau das, was er damals brauchte. Ich glaube nicht, daß er heute tun könnte, was er tut, wenn er nicht durch diese Schule gegangen wäre.

Und doch konnte aus ihm keinesfalls ein gewöhnlicher Lama werden. Bevor er nach Sera ging, hatte er zum Dalai Lama gesagt, daß er nicht wisse, ob er Mönch bleiben und den Rest seines Lebens im Kloster verbringen wolle. Der Dalai Lama sagte, dies sei allein seine Entscheidung.

Nun kann er tun, was er tun muß. Meiner Meinung nach war es sein Karma, einige Jahre im Kloster zu verbringen – dem konnte er nicht widerstehen, da er in seinem Vorleben als Geshe Jatse Sera vorzeitig verlassen hatte, um sich zur Meditation in die Berge zurückzuziehen. Er mußte dieses Karma abgelten. So sehe ich das zumindest", sagte sie.

Ich fragte sie, wie sie nun, nachdem sie ein Kind mit angeblich besonderen Fähigkeiten geboren und mit ihm den Erziehungsalltag durchlebt hatte, das Phänomen der Wiedergeburt sehe.

„Ich sehe es wie die Geschichte von Mozart", antwortete sie. „Mozart war in gewisser Weise ein Tulku. Er wuchs in einer von Musik geprägten Umgebung auf, aber er hatte auch diese außerordentliche Begabung mitgebracht, und weil er in der passenden Umgebung war, lernte er diese Begabung nutzen. Für mich ist es mit Tenzin ähnlich. Tulkus sind begabte

Menschen, die, wenn sie die rechte Gelegenheit bekommen, etwas Nützliches für sich selbst und andere tun können. Bietet sich ihnen diese Gelegenheit nicht, geschieht vielleicht auch nichts. Westliche Leute haben diese mystifizierende Vorstellung, daß ein Tulku alles wissen müsse. Das stimmt so nicht. Tenzin macht Fehler wie alle anderen."

„Ich achte Tenzin", fuhr sie fort, „und manchmal sehe ich diese uralte Person in ihm, die ich ‚seinen alten Geist' nenne. Wenn ich zurückschaue und sehe, wie die einzelnen Steinchen des Mosaiks allmählich zusammenkamen, kann ich deutlich sehen, daß da etwas im Gange ist. Das Ganze ist nicht nur ein Produkt meiner Einbildung oder eine politische Verschwörung der Tibeter."

Ich fragte sie, was ihrer Meinung nach die besondere Begabung Tenzins sei.

„Tenzins Gabe ist seine Intelligenz und seine Fähigkeit, das, was der Buddhismus uns zu bieten hat, in die moderne Welt zu bringen. Das ist aber nicht einfach, da er ein Pionier ist. Er muß erst einmal vorfühlen. Vielleicht wird das Tulku-System funktionieren, vielleicht auch nicht. Tenzin wird möglicherweise irgendwann beschließen, ins Kloster zurückzukehren. Das muß er selbst entscheiden. Es ist sein Leben", sagte sie.

Isaac sah seinen Sohn etwas einfacher. „Tenzin gibt mir Unterweisungen", sagte er. „Es ist wie bei den alten tibetischen Lehrern, die Schüler nur dann annahmen, wenn sie demütig genug und wirklich bereit waren. Der Lehrer saß dann auf einer Seite eines Baumes und der Schüler auf der anderen, so daß sie sich gegenseitig nicht sehen konnten. Der Lehrer sagte nichts. Der Schüler versenkte sich in tiefe Meditation, und wenn der Meister glaubte, eine echte Bereitschaft im Schüler zu spüren, sagte er etwas, was diesem mehr Verständnis und Einsicht vermittelte. So macht Tenzin es auch mit mir. Vielleicht grübele ich tagelang über ein Problem oder ein Thema nach, ohne etwas davon zu erwähnen. Dann sagt Tenzin etwas – ohne ersichtlichen Grund. Das kann ich dann immer annehmen."

Tenzin ist also im Augenblick zufrieden mit dem, was er tut, und mit seinem Aufenthaltsort. Vielleicht ist das Leben härter und unsicherer, seit er den klar abgesteckten Pfad des Klosterlebens verlassen hat, er empfindet jedoch keine Reue über seinen Schritt.

„Die Zeit für meine Rückkehr in den Westen und meine erneute Integration in eine westliche Gesellschaft war gekommen. In Sera hatte ich das Gefühl, nicht viel für andere zu tun", sagte er.

Nachdem ich Tenzin und seine Geschichte kennengelernt hatte, hoffte ich, daß er seine Bestimmung im Westen finden möge – ganz gleich in welcher Form. Und heimlich hoffte ein Teil von mir, daß sie glorreich werden möge. Es wurde so viel von ihm erwartet.

Ich wollte noch eine letzte Frage stellen: Da er seine Wiedergeburt offensichtlich selbst bestimmen konnte, hatte er sich schon Gedanken über sein nächstes Leben gemacht?

„Ich mag dieses Leben – es würde mir nichts ausmachen, es noch einmal zu wiederholen", war die unverbindliche Antwort.

3

Roger Woolger

Haben wir wirklich mehr als ein Leben? Gibt es tatsächlich ein Bewußt-seinskontinuum, das von einem Dasein zum nächsten geht, wie es die Religionen des Ostens behaupten? Oder ist Reinkarnation einfach nur Teil orientalischer Glaubensrichtungen und ein rein östliches Phänomen? Im Westen gibt es mittlerweile eine Reihe von Belegen dafür, daß dem nicht so ist. Ich machte mich auf den Weg, einige der führenden westlichen Reinkarnationsforscher aufzusuchen. Ihre Ansichten interessierten mich, und ich wollte herausfinden, welche Ähnlichkeiten und Unterschiede zwischen ihrem Ansatz und dem der tibetischen Lamas bestanden.

Einer der interessantesten Menschen, denen ich dabei begegnete, war der Brite Dr. Roger Woolger, jungianischer Analytiker, Dozent im Be-reich Kulturpsychologie und Reinkarnationstherapeut. In seiner Arbeit als Therapeut erforschte er den Einfluß vergangener Leben auf das gegenwärtige Dasein seiner Klienten. Mit seinen akademischen Graden der Universitäten Oxford und London, seiner Akkreditierung durch das C. G. Jung Institut in Zürich und seinem Bestseller *Other Lives, Other Selves* verband er einen renommierten Hintergrund erfolgreich mit seiner wirklich bahnbrechenden Arbeit auf psychotherapeutischem Gebiet.

Dr. Woolger glaubt, daß Erinnerungen aus vergangenen Leben einen gravierenden Einfluß auf die Qualität unseres gegenwärtigen Lebens haben können. Daher hält er während eines großen Teils des Jahres fünftägige Seminare über Reinkarnations- und Regressionstherapie in Europa und Nordamerika. Seit ungefähr fünf Jahren arbeitet er nun an diesem Thema, und seither haben sich ihm Hunderte, wenn nicht Tausen-de Menschen anvertraut – sie waren bereit, in die dunkelsten Tiefen ihres Geistes hinabzutauchen, um dort nach den Ursachen ihrer Ängste und Phobien, ihres Versagens und ihres Unglücklichseins zu suchen. Der Erfolg von Dr. Woolgers Ansatz beweist meiner Meinung nach, daß die Menschen des Westens nicht nur bereit sind, die Vorstellung von vergan-genen Leben zu akzeptieren, sondern auch, sie anhand der eigenen

Erfahrung zu erforschen. Dr. Woolger zufolge ist so etwas sinnvoll. Ich sprach mit ihm in seinem Haus im ländlichen Teil des Staates New York, wo er mit seiner Frau und seinen drei Töchtern lebt.

„Die Leute kommen zu mir, weil sie andere Arten der Psychotherapie ausprobiert haben und spüren, daß es noch mehr geben muß als Kindheitsgeschichten. Gewöhnlich kennen sie schon all die üblichen ‚Antworten‘ auf ihre Probleme, und doch erscheinen ihnen immer wieder fremdartige innere Bilder, und sie haben seltsame Empfindungen, die sie sich nicht erklären können. Meistens haben sie mein Buch gelesen und einen meiner Vorträge gehört. Nun wollen sie es selbst einmal versuchen. Sie sind auf einer gewissen Ebene offen für diese Dinge. Gelegentlich kommt jemand, der nicht weiß, daß ich Reinkarnationstherapie mache und der nur an Psychotherapie interessiert ist. Solch einer Person schlage ich dann vielleicht in der vierten oder fünften Sitzung vor, ein wenig tiefer zu gehen“, sagte er.

Dr. Woolger arbeitet vor allem mit kleinen Gruppen, gelegentlich aber auch mit einzelnen. Mittels einer Variante der von Freud begründeten klassischen Technik der freien Assoziation lockt er die Erinnerungen an frühere Leben hervor.

„Ich benutze stark aufgeladene Sätze und rufe dadurch ein Psychodrama innerer Bilder hervor“, sagte er. „Ich lasse die Leute zum Beispiel bestimmte Sätze wiederholen: ‚Ich werde ihn nie wiedersehen‘, ‚Sie kommen mich holen‘, ‚Ich bin allen egal‘ oder ‚Ich habe etwas Entsetzliches getan‘. Das sind ausgesprochen einfache Sätze, aber sie wirken wie ein Angelhaken für das Unbewußte und bringen die persönlichen Geschichten sehr schnell zum Vorschein.“

Er sagte, die Auswahl dieser Sätze erfolge nach einem längeren Gespräch, in dem er mit Hilfe seiner psychoanalytischen Ausbildung die Muster aufspüre, die das Leben des Klienten oder der Klientin durchziehen.

„Ich spreche ausführlich mit der Person, um ihre Lebensmuster und -probleme zu verstehen, und versuche als Therapeut zu erfassen, um welche Thematik es geht. Das funktioniert so ähnlich wie bei einer Astrologin, die das Horoskop einer Person betrachtet, um dann sagen zu können: ‚Dieser Mensch hat ein Problem mit Macht oder Verlassenheit oder Gesundheit und Körper.‘ Die Astrologin stimmt sich mit Hilfe des Horoskops ein, ich tue das durch das Gespräch.“

Und in der Tat: Die Dramen, die sich in Dr. Woolgers Therapieräumen abspielen, haben etwas ganz Außergewöhnliches und Bewegendes an sich und gehen tief. Und das Besondere an ihnen ist, daß sie oft sonst rätselhaft und seltsam erscheinende Probleme erklären können, die das Leben einer Person belasten. Er gab mir einige Beispiele.

„Einmal kam eine Dame zu mir, die selbst praktizierende Psychoanalytikerin war und eine solide Ausbildung sowie eine zehnjährige Analyse hinter sich hatte. Es gab aber eine Problematik in ihrem Leben, die sie nicht zu überwinden vermochte: Sie litt unter extremem Lampenfieber. Von Geburt an hatte sie eine wunderschöne Stimme gehabt, und ihre Familie hatte sie darin bestärkt, Gesangsunterricht zu nehmen. Sie konnte jedoch niemals bei Konzerten in ihrer Schule auftreten, weil sie zuviel Angst hatte. Sie sang zu Hause für die Familie, doch das war alles. Das Singen hatte für sie irgendetwas Erschreckendes und Beschämendes an sich, was sie sich jedoch nicht erklären konnte. Niemand hatte sich in ihrer Kindheit über sie lustig gemacht – auch in der Schule war nie etwas vorgefallen, denn sie hatte ja niemals dort gesungen.

„Ich machte eine Rückführung mit ihr, und sie erinnerte sich an eine attraktive junge Jüdin, die in der Küche eines Konzentrationslagers arbeitete. Dort sang sie eines Tages, und da sie eine wohlklingende Stimme hatte, befahl ihr ein Offizier des Lagers, der sie zufällig gehört hatte, im Konzertsaal der Offiziere aufzutreten. Im Grunde handelte es sich dabei um ein Lager-Bordell. Als sie sich zunächst weigerte, drohte man ihr. ‚Sing‘ für uns, oder du wanderst in die Gaskammer‘, sagten sie.

Um ihr Leben zu retten, willigte sie schließlich ein. Dadurch wurde sie mit den anderen Offizieren bekannt und wurde zu einer beliebten Prostituierten. Sie litt aber deswegen unter solch verheerenden Schamgefühlen, daß sie es schließlich nicht mehr aushielt und sich erhängte. Das war der Grund, warum sie in diesem Leben niemals in der Öffentlichkeit singen konnte. Sie trug das Trauma und die Schamgefühle jenes Vorlebens immer noch mit sich herum.“

Das war tatsächlich eine faszinierende Geschichte, die auch der Frau selbst sofort eingeleuchtet hatte. Dr. Woolger erzählte mir von einem weiteren aufschlußreichen Beispiel seiner Arbeit.

„Es gab da eine Frau, die das Heiraten stets vor sich herschob und schließlich in ihren beiden Brüsten Zysten entdeckte. Als ich sie zurückführte, fand sie sich um 1880 in einer Industriestadt in Nordengland wieder. Sie war eine junge Frau, die an einer Wand saß und langsam verhungerte. Ein Baby versuchte vergebens, Milch aus ihrer Brust zu saugen. Ihr wurde nun klar, welch große Verzweiflung und Bitterkeit sie in ihrem gegenwärtigen Leben fühlte. ‚Ich habe nichts zu geben, ich verabscheue mich und meine Brüste‘, sagte sie. Sie konnte nun sehen, daß sie sich auf einer tiefen emotionalen Ebene selbst als nährende Mutter abgelehnt hatte. Die damit einhergehende negative Einstellung hatte auch dazu beigetragen, daß sie von Männern abgewiesen wurde", sagte er.

Roger hat buchstäblich Tausende spannender Krankengeschichten zu erzählen. Was mich jedoch besonders interessierte, war die Tatsache, daß sie allem Anschein nach exakt das bestätigten, was Lama Yeshe und Lama Zopa gesagt hatten – nur in einem westlichen psychotherapeutischen Zusammenhang: daß alles, was wir jemals getan, gesagt oder gedacht haben, in unserem Geist bewahrt wird und daß wir unsere Bewußtseinsinhalte – seien sie nun froh oder traurig – in zukünftige, entweder direkt anschließende oder in weiter Ferne liegende Leben hineintragen. Sie bestätigten auch die buddhistische Anschauung, nach der wir selbst, nicht ein äußerer Gott, die Urheber unseres Lebens sind. Im Lichte der Geschichten, die mir Roger Woolger erzählte, war dies nicht gerade ein tröstlicher Gedanke.

Einer der faszinierendsten Aspekte in Rogers Arbeit ist, daß seine Klienten ihre Vorleben nicht nur vor ihrem inneren Auge sehen – sie durchleben sie auch körperlich. Deshalb geht es bei seiner Arbeit auch oft recht dramatisch zu. Das macht sie aber auch plausibler, denn – und das wissen auch die Lamas – was man fühlt ist sofort wesentlich authentischer und realer als das, was man bloß denkt.

„Die Klienten liegen nicht einfach nur mit geschlossenen Augen da und erzählen ihre inneren Visionen. Sie durchleben sie tatsächlich, erfahren eine Situation mit allem, was dazu gehört – Erregung, Aufregung oder Schock –, als würde es sich jetzt ereignen! Manchmal winden sie sich, bekommen Krämpfe, keuchen oder schlagen um sich. Ein Patient umklammert vielleicht scheinbar schmerzerfüllt seine Brust, wenn er von einer Verwundung durch ein Schwert berichtet. Ein anderer versteift sich vielleicht in einer bestimmten Körperhaltung, hält zum Beispiel die Hände über den Kopf, weil er sich daran erinnert, wie er bei Folterungen an einem Pfosten festgebunden war", sagte Roger.

Da ich keiner Sitzung dieser Art beiwohnen konnte, gab er mir eine zusammengefaßte Tonbandabschrift einer Rückführung, damit ich noch besser begreifen könne, worüber er sprach. Eine wahrlich fesselnde Lektüre!

Mike war ein Sozialarbeiter, der jedesmal unter schrecklichen Panikanfällen litt, wenn er bei einer Besprechung mit Kollegen irgendetwas vortragen mußte. Bereits etwa eine Stunde vorher wurde er ausgesprochen nervös. Er hatte Beklemmungsgefühle in der Brust, seine Atmung war eingeschnürt, seine Hände schwitzten, und er hatte rasendes Herzklopfen. Seit seiner Kindheit reagierte er so, wann immer er irgendetwas in der Öffentlichkeit tun sollte.

RW: Wie fühlt es sich an, wenn Sie zu den Besprechungen mit Ihren Arbeitskollegen gehen?

Mike: Furchtbare Panik. Ich habe das Gefühl, daß ich sterben muß. *(Er berührt seine Brust.)* Es fühlt sich an, als würde sich alles verschließen. Ich spüre mein Herz wie wild schlagen, wenn ich jetzt darüber spreche.

RW: Welche Gedanken entstehen dabei? Sie befinden sich offensichtlich in einem schwerwiegenden Konflikt.

Mike: Ich muß es tun, aber ich will es nicht tun. O mein Gott! Wie komme ich da nur 'raus? *(Sein Bauch scheint sich zu verspannen und seine Arme scheinen steif zu werden.)*

RW: Was möchte Ihr Bauch sagen?

Mike: Ich will es nicht tun. Wie komme ich nur hier raus? O Gott! Ich spüre eine furchtbare Beklemmung in der Brust, und mein Bauch fühlt sich an, als würde er herausfallen.

RW: Bleiben Sie bei den Empfindungen und dabei, was Ihr Bauch sagen will, folgen Sie dem einfach.

Mike: Ich will nicht. Ich will alleingelassen werden. Zwingt mich nicht dazu! Nein, nicht vor all den Leuten! Ich bin in der Falle. Ich kann nicht mehr heraus. *(Er windet sich jetzt deutlich sichtbar hin und her.)*

RW: Erlauben Sie sich jetzt, in irgendeine Geschichte eines Vorlebens zu gehen, zu der diese Worte passen.

Mike: Ich sehe eine Kirche. Und eine Menschenmenge. Ja, eine große Anzahl Menschen. O nein! Ich will nicht. Zwingt mich nicht!

RW: Sagen Sie das ihnen, nicht mir. Bleiben Sie bei den Bildern und bei Ihrem Körper.

Mike: Es ist furchtbar. Ich habe solche Angst. Ich werde meine Furcht nicht zeigen. Sie zwingen mich dahin zu gehen. O Hilfe! Meine Hände und mein Hals! Sie tun schrecklich weh.

RW: Was, glauben Sie, passiert Ihnen?

Mike: Sie haben meine Handgelenke hinten zusammengebunden. Etwas berührt mein Gesicht. Ich kann nichts sehen. Nun ist es mein Hals. O Hilfe! Sie werden mich hängen!

RW: Ich möchte, daß Sie da ganz hindurchgehen, bis es vorbei ist. Der Schmerz wird vorübergehen, aber er muß losgelassen werden. Erzählen Sie weiter, was Sie fühlen, während es geschieht.

Im Bericht hieß es weiter:

Mike atmete schwer und warf sich auf der Matratze hin und her. Er erzählte von einem Kribbeln in seinen Händen und Füßen und einer immer größer werdenden Panik in seinem Bauch. Sein Kampf steigerte sich bis zum Ende. Offensichtlich hatte er die ganze Zeit über gegen die Hinrichtung angekämpft…

Als er schließlich den Augenblick seines Todes in jenem Vorleben erreichte, wurde sein Körper schlaff. Er weinte und atmete schwer: „Ich konnte nichts tun", sagte er. Nun konnte er seinen Brustkorb dehnen und fühlte sich befreiter. Als die traumatische Erinnerung vorübergegangen war, wurde seine Atmung erheblich tiefer…

Wir nahmen uns so viel Zeit, wie er brauchte, damit er seine Energie vollständig befreien, allen Gefühlen Ausdruck geben und sie in Worte fassen konnte. Dann gingen wir zu den Ereignissen zurück, die zu der Hinrichtung geführt hatten. Mike erinnerte sich, daß er ein Jüngling gewesen war, der einen Mann beraubt und ihn dann in einer Schlägerei umgebracht hatte. Er war von den Dorfbewohnern erwischt und vor Gericht gestellt worden, und man hatte ihn zum Tod durch Erhängen verurteilt.

Mike erinnerte sich an seine Gefängniszelle, an die ungeheure öffentliche Demütigung, die er hinnehmen mußte, und vor allem an das Gefühl der Machtlosigkeit, das ihm in seinen letzten Stunden vor dem Gang zum Galgen in der Brust und im Bauch gesessen hatte. Natürlich hatte er in dieser Geschichte als junger Mann sehr starke Lebenskräfte gehabt, was sich in seinem enormen körperlichen Widerstand gegen das Sterben zeigte. Ich ermutigte ihn, alle Aspekte des Kampfes körperlich auszudrücken.

Der Rest unserer Arbeit bestand darin, ihm zu helfen, das alte Trauma von seinen Parallelen im jetzigen Leben loszulösen. Ich schlug ihm Affirmationen vor, zum Beispiel: ‚Ich bin Herr der Lage.' ‚Ich bin stolz auf meine Arbeit.' ‚Es gibt keinen Grund mehr, mich schämen zu müssen.' "

Als ich diese Geschichte las und die Berichte über andere Fälle hörte, fiel mir auf, welch enorme Lasten aus früheren Leben Roger Woolgers Klienten allem Anschein nach mit sich herumgetragen hatten; vieles hörte sich äußerst tragisch an. Das alles hatte eine unangenehme Ähnlichkeit mit dem, was uns Lama Yeshe und Lama Zopa in Kopan erzählt hatten – daß unsere Leben im Kreislauf von Geburt und Tod durch Leiden gekennzeichnet sind.

Glücklicherweise wendete sich Mikes Geschichte zum Guten. In seinen späteren Sitzungen mit Roger berichtete er, die Panikanfälle vor Besprechungen seien fast völlig verschwunden und er fühle sich allgemein wesentlich vitaler und kraftvoller. Roger glaubte, daß der gefangene und gedemütigte junge Mann in ihm befreit worden war und nun seinem Leben nicht mehr länger Energie abzog, sondern zuführte.

Es ist nicht verwunderlich, daß viele Leute, Experten wie Laien, sich beunruhigt über die Arbeitsweise Rogers und anderer Reinkarnationstherapeuten zeigen. In den eigenen Geist hinabzutauchen, um alte Traumata hervorzuholen, sei gefährlich, sagen sie. Wie reagiert Roger auf die Anschuldigungen seiner Kritiker?

„Menschen, die keine Erfahrung in diesen Dingen haben, empfinden solche heftigen körperlichen Entladungen oft als etwas Beunruhigendes oder sogar Gefährliches – sie sind aber ganz normal und ein wesentlicher Bestandteil der Reinkarnationstherapie. Immer mehr Therapeuten und Therapeutinnen finden heraus, daß der Kern aller möglichen Verhaltensstörungen und Komplexe in rein körperlichen oder emotionalen traumatischen Erfahrungen aus vergangenen Leben liegt", antwortet er.

„Ich gehe davon aus, daß man Abstand gewinnen kann, wenn man zu den ursprünglichen Ereignissen zurückgeht, die das Trauma, die Phobie, die Angst, die Wut, die Schuldgefühle usw. erzeugt haben, und die darin gespeicherte Energie entlädt. So löst sich die Anhaftung, und wenn alles gut geht, wird man davon befreit. Dieses Prinzip wird vom Orakel von Delphi treffend zusammengefaßt: ‚Was verwundet, heilt auch.‘

Mein Ansatz basiert teilweise auf der Arbeit mit Schützengrabenneurosen, die in den beiden Weltkriegen entwickelt wurde. Man hat damals herausgefunden, daß sich solch eine Neurose nur durch eine Droge, Sodium Pentanol, lindern läßt oder durch Hypnose, indem man die Menschen zu den Schrecken des Schlachtfeldes zurückführt. Dort können sie ihre Hysterie, ihre Schreie und ihren Schrecken frei ausdrücken und loslassen. Bei meiner Arbeit geht es darum, Altes loszulassen.“

Er fuhr fort: „Bei den Alchemisten gibt es ein Sprichwort: ‚Das Tor zum inneren Frieden ist ausgesprochen schmal; nur wer die Qualen der eigenen Seele durchschreitet, kann eintreten.‘ Ich glaube daran. Selbst in der christlichen Tradition gibt es die ‚Seelenfinsternis‘ und den Garten von Gethsemane. Ein bestimmtes Maß an Leiden muß sein, wenn man ganz werden will.

Aber wir gehen weiter, wir gelangen auf die andere Seite. Natürlich haben die Leute Angst steckenzubleiben. Viele Leben hindurch steckten wir bereits in diesen Fallen und konnten nicht entkommen. Wir starben schreckliche Tode, wir starben unter großen Schmerzen, wir starben voller Groll – und wir wollen das nicht wiederholen.

Wenn die Leute ein Trauma ihres Vorlebens noch einmal erleben, sage ich ihnen, daß es sich nur noch um Erinnerungen, um Überreste, handelt. Sie sind wie ein altes Radioprogramm im Äther, das man empfangen und spielen lassen kann. Heutzutage sind sie nicht mehr diese Person. Ich sage ihnen, daß sie die Erfahrungen loslassen und ihre eigenen Kanäle reinigen müssen.“

Roger Woolger ist weder ein Lama noch ein Mystiker, sondern ein westlicher Psychotherapeut. Er interessiert sich nicht für ewige Wahrheiten, sondern will den Menschen einfach dazu verhelfen, sich besser zu fühlen. Ich fragte ihn ganz direkt, ob er an Wiedergeburt glaube.

„Ich glaube an Vorleben, so wie ich an Träume glaube“, antwortete er. „Sie sind Phänomene der Psyche, die wir ‚das Unbewußte‘ nennen. Ich benutze diesen Begriff, weil ich in der psychoanalytischen Tradition ausgebildet worden bin. Alles, was wir nicht verstehen, fällt unter diese Bezeichnung!“

„Etwa seit 1840 erweitern die westlichen Psychotherapeuten ihre Vorstellung davon, was das Unbewußte ist und was es enthält", fuhr er fort. „Freud faßte den Begriff des Unbewußten sehr eng. Nach seiner Definition enthält es lediglich persönliche Erinnerungen. Philosophen der Romantik sprachen aber bereits im neunzehnten Jahrhundert davon, daß das Unbewußte die gesamte Menschheit enthalte. Jung knüpfte später daran an. Es ist eine Tatsache, daß wir unser Bewußtsein durch Meditation, Hypnose oder Drogen verändern können – falls man so etwas zu Hilfe nehmen möchte. Im psychischen Raum können wir überall hingehen. Wir können Unterwelten, Oberwelten und andere Wirklichkeiten besuchen und in andere Dimensionen eingehen. Wir können auch in die sogenannte ‚Vergangenheit' reisen. Ich würde sagen, ‚das Unbewußte' ist einfach ein anderer Ausdruck für ‚multidimensionale Wirklichkeit.' "

„Entscheidend ist," sagte er, „daß wir Zugang zu diesen Erfahrungen haben. Wir glaubten, wir hätten den Kontakt verloren. Aber wir kommen genau wieder zurück zu den Erfahrungen, die im Westen verlorengegangen waren.

Meiner Ansicht nach entstehen die meisten Neurosen aus unerledigten, verdrängten Traumata. Ich tue nichts weiter, als diese Vorstellung auf weiter zurückliegende Zeiten – was auch immer das sein mag – auszudehnen, so daß das Unbewußte diese anderen Geschichten erzählen kann, die anscheinend aus anderen Leben kommen", fügte er hinzu.

Im Licht dieser modernen, westlichen psychotherapeutischen Arbeit fragte ich mich, ob Rogers Klienten und Klientinnen sich wirklich an ihre Vorleben erinnerten oder ob sie nicht einfach ihre Probleme in Bilder kleideten, die sie verständlicher und daher akzeptabel erscheinen lassen.

„Vielleicht ist das so", antwortete Roger. „Das ist eine Möglichkeit. Das Unbewußte ist sehr kreativ, vielleicht erschafft es die Geschichte neu, oder es übernimmt Geschichten aus dem kollektiven Unbewußten, die nicht zum Individuum gehören. Was da genau vor sich geht, bleibt ein Rätsel – wir wissen es einfach nicht."

„Eigentlich interessiert es mich auch nicht, ob diese Geschichten wahr sind oder nicht. Für den, der sie erfährt, sind sie wahr, und allein darauf kommt es mir an. Sie sind psychologische Wahrheiten", sagte Roger mit Nachdruck. „Ich bin jedoch der Überzeugung, daß diese Geschichten jedenfalls nicht vom bewußten Ego hervorgebracht werden. Sie entstehen ganz spontan. Oft sind die Leute, die so eine Erfahrung machen, selbst völlig überrascht. ,Woher ist das gekommen?' fragen sie. Vielleicht erinnern sie sich dunkel an irgendeinen Aspekt ihres Erlebnisses und sagen so etwas wie ,Dieser Teil Frankreichs hat mich schon immer in Unruhe versetzt' oder ,Ich war schon immer fasziniert von den Ureinwohnern Australiens... oder den Indianern', die Einzelheiten der Geschichten sind aber normalerweise recht außergewöhnlich. Woher kommen sie?

Wir wissen, daß das Unbewußte ,plaudern' kann, aber das Ganze gleicht der Geschichte mit dem Huhn und dem Ei. Sind die Geschichten erfunden oder sind sie Erinnerungen? Diese Frage kann einen im Kreis herumführen!"

Er hatte recht. Obgleich die Definitionen und Erklärungen darüber, was eigentlich bei der Reinkarnationstherapie passiert, vager sind als die strikten Auslegungen des tibetischen Buddhismus, ist doch das gewonnene Material gleichermaßen aussagekräftig. Der Klient, der in die Vergangenheit eintaucht, erfährt die jeweilige Situation tatsächlich ganz individuell und lebendig (es handelt sich nicht um irgendeine Art von Kollektivbewußtsein).

Ich fragte, ob sich Rogers Klienten jemals in einer anderen Form oder einer nichtmenschlichen Sphäre wiedergefunden hatten – für Buddhisten liegt das ja schließlich im Bereich des Möglichen.

„Manchmal geschieht so etwas. Wir haben UFO-Entführungen und Leute, die auf der Venus oder in anderen Planetensystemen leben. Ich weiß nicht immer, was ich davon halten soll, aber ich akzeptiere, daß sie aus anderen Wirklichkeiten kommen. Ich sagte ja bereits, man kann in jede beliebige Wirklichkeit eintauchen. Es ist schwer zu sagen, ob es sich tatsächlich um vergangene Leben handelt oder um sogenannte ,Astralreisen' ", sagte er.

„Kamen auch Vorleben in Tiergestalt vor?" fragte ich.

„Die meisten Leute erinnern sich an Tierarten wie Wölfe oder Hunde, einige an Vögel, manche an Pferde. Insekten oder Reptilien kommen selten vor. Gewöhnlich handelt es sich um Säugetiere, aber auch das ist nicht sehr häufig", antwortete er.

„Offenbar kann der Geist, wenn er körperlos geworden ist, in einen Tierkörper eintreten. Ich weiß nicht genau, ob das einer Wiedergeburt als Tier gleichkommt oder ob der Geist nur die Kontrolle über ein lebendes

Tier übernimmt. Bei dieser Arbeit haben wir viel über den Geist heraus-gefunden. Anscheinend kann man, sobald man nach dem Tod den Körper verlassen hat, entweder auf dieser irdischen Ebene bleiben oder in andere Sphären eingehen. Manchmal war es Leuten in ihrem menschlichen Körper so schlecht ergangen, daß sie nicht sicher waren, ob sie wieder in solch einen Körper zurückkommen wollen. Um ein bißchen Selbstver-trauen zu gewinnen, nahmen sie dann den Körper eines Tieres an.

Die Metaphysik dieser Dinge ist eine heikle Sache. Man muß zunächst einmal definieren, was man unter Geist, Seele und Körper versteht. Dann gibt es auch noch den subtilen Körper, jene Energieform, die weniger grobstofflich ist als unser Körper aus Fleisch und Blut. Bisher gibt es keine Übereinstimmung in diesen Dingen", sagte er.

„Waren diese Tier-Erfahrungen angenehm oder nicht?" hakte ich nach.

„Das ist unterschiedlich. Manchmal können diese Leben recht ange-nehm sein. Aber es zeigt sich, daß man, wenn man beispielsweise als Wolf oder Hund wiedergeboren wird, die Thematik, die man bereits in menschlicher Gestalt erfahren hat, nochmals erlebt. Stellen Sie sich vor, sie stünden als Mensch immer wieder vor der Problematik, ausgeschlos-sen zu werden, ein Außenseiter zu sein. Nun kommen Sie vielleicht als Wolf zurück und stellen fest, daß Sie derjenige sind, den das Rudel ablehnt", sagte er.

War das nicht nur eine andere Art zu sagen, daß niemand seinem Karma entkommen kann?

Roger stimmte mir zu, wenn er es auch vorzog, bei seiner westlichen Terminologie zu bleiben und von ‚unerledigten Geschäften' zu sprechen. „Für mich geht es hier um Rückstände aus vergangenen Leben, die Eindrücke in den subtilen Körpern ihrer späteren Wiedergeburten hin-terlassen", sagte er.

Stimmte er auch den Vorstellungen der Lamas und der anderen östli-chen Glaubensrichtungen zu, daß wir nicht nur ein oder zwei Vorleben hinter uns haben, sondern mehrere?

„Jung sagte öfter, jeder Mann und jede Frau trage ein achtzigtausend Jahre altes Wesen in sich. Das ist das menschliche Wissen, dessen Träge-rinnen und Träger wir sind. Er nannte das ‚Ahnengedächtnis'. Natürlich haben wir Zugang dazu."

Das war eine Antwort, die zu einer in der neuen psychoanalytischen

Tradition des Westens ausgebildeten Person paßte. Es zeigte sich eine Übereinstimmung in den Grundvoraussetzungen: Unser Unbewußtes oder unser tiefstes Unterbewußtsein trägt Eindrücke aus Leben, die weit über unsere gegenwärtige Existenz hinausgehen. Während jedoch im tibetischen Buddhismus, so wie ich ihn erlernt hatte, besonders hervorgehoben wurde, daß es *unsere eigenen* früheren körperlichen, sprachlichen und geistigen Handlungen waren, die auf dem Wege des Karma unsere jetzigen Lebensumstände hervorbrachten, schien die jungianische Tradition, so wie Roger sie beschrieb, davon auszugehen, daß wir als Individuen mit dem Kollektivbewußtsein der gesamten Menschheit in Verbindung stehen – wir also Ereignisse und Handlungen erfahren bzw. ausleben, die wir nicht notwendigerweise selbst kreiert haben.

Roger stimmte mir zu, jedoch nur bis zu einem gewissen Punkt. „Einige der Menschheitserfahrungen berühren uns, andere nicht. Meiner Meinung nach müssen wir nicht die ganze Menschheit mit uns herumtragen", fügte er hinzu. „Es ist wie bei einem Horoskop. Nicht in jedem Haus befinden sich Planeten. Jeder muß in einer bestimmten Inkarnation einen bestimmten Teilbereich bearbeiten. Am Ende steht alles mit den größeren Zusammenhängen in Verbindung."

Die Verwicklungen einer bereits recht komplexen Angelegenheit wurden noch verzwickter – und doch glaubte ich, Ähnlichkeiten zwischen den östlichen und den westlichen Interpretationen der Reinkarnation heraushören zu können. Am interessantesten fand ich die edelste unter diesen Vorstellungen, nämlich daß wir mit den ‚größeren Zusammenhängen' verbunden waren. Das hieß, daß das Verbrechen *eines* Menschen, die Schmach und Schande *eines* Menschen das Gesamte herabwürdigt, aber auch, daß die edelste, feinste und erhabenste Tat jedes Individuums zum Wohlergehen aller beiträgt.

Das war die zentrale Aussage der gesamten buddhistischen Botschaft: Jedes Individuum strebt nach Erleuchtung – dem Zustand eines völlig erwachten, völlig *bewußten* Individuums – zum Wohle aller fühlenden Wesen. Daß westliche Denker in etwa die gleiche Vorstellung – wenngleich auch in einer völlig anderen Form – entwickelt hatten, war wirklich spannend.

Ging Roger in seiner Theorie und bei der Anwendung seiner Methoden davon aus, daß wir uns von den ‚Erinnerungen' der Vergangenheit befreien können – als Kollektiv oder als Einzelne? Seine Antwort war überraschend buddhistisch.

„Nur indem wir bewußt werden, nur indem wir unsere inneren Muster betrachten, und zwar nicht nur die gesunden, sondern auch die schädlichen, die wir leicht verdrängen. Erst nachdem wir sie uns bewußt gemacht haben, können wir uns von ihnen befreien. Davon gehen die Psychoanalytiker, die Jungianer, aus", sagte er. „Natürlich ist es schmerzhaft zurückzugehen, unsere ungesunden Muster nochmals zu erleben und sie uns einzugestehen", räumte er ein.

Während Roger erzählte, kam mir der Gedanke, daß er in seiner Arbeit die seltene Gelegenheit hatte, als objektiver Beobachter dem erinnerten Todesprozeß seiner Klienten und Klientinnen beizuwohnen. Was er dabei erlebte, konnte vielleicht ein anderes Licht auf dieses rätselhafteste aller Ereignisse werfen – das bisher nur von Mystikern, medial veranlagten Menschen und Leuten mit Nahtod-Erfahrungen beschrieben worden war.

„Ein typischer friedlicher Tod", erzählte er, „wird ungefähr folgendermaßen beschrieben: ‚Ich bin alt und verbraucht. Ich liege auf meinem Bett und weiß, daß es Zeit ist zu gehen.' Dann sagen sie: ‚Ich schwebe über meinem Körper und kann meine Familie sehen. Alle weinen. Ich bin traurig, aber ich bin bereit zu gehen.' Normalerweise sehen sie sich dann nach oben schweben, anderen Sphären zu.

Oder der Tod tritt ganz plötzlich ein, zum Beispiel auf dem Schlachtfeld. Dann würde jemand vielleicht sagen: ‚Ich spüre einen heftigen Schmerz in meinem Rücken. Ich bin nicht mehr da.' Wenn man in den Rücken geschossen wurde oder im Schlaf starb, trägt man möglicherweise immer noch die alten Ängste mit sich herum, die diesen plötzlichen Tod begleitet haben. Hat man sie sich einmal bewußt gemacht, kann man sie auch loslassen.

Viele Leute sind wütend über ihren Tod. Oft wurden junge Männer in Schlachten getötet, an denen sie gar nicht teilnehmen wollten. Sie starben voller Zorn", fuhr er fort. „Ich glaube, solche Erfahrungen stehen oft an der Wurzel vieler jugendlicher Aggressionen. So entstehen beispielsweise Trunksucht, Raserei mit Autos, die in Unfällen endet, usw. Ich habe sehr viele Klienten getroffen, die erzählten, ihr Leben habe, bis sie etwa achtzehn Jahre alt waren, einem Wirbelsturm geglichen; sie waren ständig in Eile, so als hätten sie nicht mehr lange zu leben.

Ich habe auch langsame und qualvolle Tode beobachtet – Menschen, die gefoltert wurden oder während der Geburt eines Kindes starben.

Ganz gleich, wie die Klienten sterben, meine Technik ist immer: Hindurchgehen, bis es vorüber ist. Wenn es dann vorbei ist, hat man das Gefühl, es geht etwas zu Ende, unabhängig davon, wie schwierig und heftig der Todeskampf gewesen ist. Es ist vergangen und abgeschlossen. Therapeutisch gesehen ist das äußerst wichtig. Wir können diese Muster, diese Erinnerungen erst loslassen, wenn wir uns wirklich bewußt gemacht haben, daß sie vorbei sind."

Was war es seiner Meinung nach, das von einem Leben zum anderen ging und sich an diese Ereignisse aus einer anderen Zeit erinnerte?

„Ich glaube, es handelt sich um ein Bündel von Erinnerungen, die durch eine gemeinsame Thematik zusammengehalten werden. Vielleicht gibt es auch irgendein höheres Prinzip, das alles verbindet, das man vielleicht ‚Höheres Selbst‘ nennen könnte. Ich bin nicht sicher, ob es so etwas wie eine Einzelseele gibt, in dem Sinne, daß es sich notwendigerweise um Erinnerungen aus *dem eigenen* Vorleben handelt", sagte er.

Das zumindest kam der tibetischen Anschauung nahe, nach der es kein festes, inhärent existierendes, unveränderliches ‚Selbst‘, kein festgefügtes ‚Ich‘ und ‚Mein‘, gibt, das von einem Leben zum anderen geht. Aber ich fragte mich, ob solche tief eingegrabenen Erinnerungen wirklich so einfach getilgt werden können? Können wir unser Karma so schnell loswerden?

„In einigen Fällen funktioniert es, aber nicht in allen", antwortete Roger. „Manchmal werden die Gefühle sofort befreit – die Leute haben losgelassen. Solche Menschen brauchen nur zwei oder drei Sitzungen. Andere Erinnerungen kommen langsamer an die Oberfläche. Wir brauchen dann etwa fünf oder zehn Sitzungen; manchmal gibt es auch eine Anzahl von Leben, die nochmals erfahren und zum Ausdruck gebracht werden müssen. Man kann zum Beispiel auf eine Reihe miteinander verketteter Leben stoßen, in denen die Person sich immer tiefer in etwas hineinverstrickt hat. Oft geht es dabei um Schuldgefühle: ‚Hier habe ich etwas Schlechtes getan, dort werde ich dafür bestraft, und dann komme ich mit einem Gefühl der Unzulänglichkeit und Wertlosigkeit zurück. So entstehen Schuldgefühle immer wieder aufs neue.‘ Solche Fälle lassen sich nur schwer bewältigen. Da gibt es keine sofortige Lösung. Die Seele muß eine Art Versöhnung, eine Art Vergebung erfahren.

In solchen Fällen führe ich die Person durch die Todeserfahrung und spreche mit geistigen Wesenheiten auf der anderen Seite, um zu erfahren, ob Vergebung gewährt werden kann. Manchmal ist es möglich, manchmal nicht", sagte er.

Es wäre schön, glauben zu können, daß sich unsere Leiden durch Therapie überwinden lassen. Und vielleicht ist das auch möglich – bis zu einem gewissen Grad. Werden wir aber – wenn wir erst einmal unsere Angst vor Beziehungen, unser Lampenfieber, unsere Angst, unseren Gefühlen Ausdruck zu geben oder unsere anderen Komplexe losgeworden sind – wirkliches Glück, wahren, immerwährenden Frieden finden? Im Buddhismus stellt man sich dieser bedeutenden Frage. Den Lamas zufolge ist es nicht so einfach.

Die Suche nach dem vollkommenen Glück, um das es den Menschen ja letztlich geht, ist eine lange und mühsame Reise, die unzählige Weltzeitalter lang dauert! Kann der Westen das Heilmittel in zehn Sitzungen hervorbringen?

4

Jetsünma

Die Reise von New York nach Poolesville, Maryland, hatte fast vier Stunden gedauert. Zuerst einer jener silbernen, zigarrenförmigen Züge von Penn Station in Manhattan bis Washington DC. Dann ging es weiter in einem modernen automatisierten Zug nach Poolesville – einem der saftiggrünen, wohlhabenden Vororte der Hauptstadt der Amerikaner. Ich hatte viel Zeit zum Nachdenken.

Ich erinnerte mich, wie ich vor einigen Jahren einen Zeitungsartikel über eine Frau gelesen hatte, die als tibetischer Tulku anerkannt worden war und Gebetswachen für den Weltfrieden organisiert hatte. Mehr wußte ich nicht. Irgendwie hatte sich dieses Stückchen Information in den Randzonen meines Gehirns eingenistet, nur um nun aktiviert zu werden, als mir die Idee zu diesem Buch kam. Als ich nun im Zug die Ostküste der Vereinigten Staaten hinunterratterte, hatte die Vorstellung, bald einem weiblichen westlichen Tulku zu begegnen, etwas sehr Verlockendes. Schließlich war das etwas wirklich Seltenes: eine Frau, der innerhalb der offenkundig männlich orientierten Welt des tibetischen Buddhismus die höchste spirituelle Ehre und Autorität zuerkannt worden war. Und noch dazu eine Frau aus dem Westen. Sie aufzuspüren war nicht leicht gewesen. Ich hatte mich nicht an ihren Namen erinnern können, und seit ihrer offiziellen Inthronisation im Jahre 1988 hatte sie sich sehr im Hintergrund gehalten. Ich fand sie schließlich mit Hilfe verschiedener tibetischer Bekannter in den Vereinigten Staaten. Sie hieß Jetsünma Ahkon Norbu Lhamo und hatte ein Zentrum in der Nähe von Washington.

Ich muß ehrlich sagen, daß mir in den siebzehn Jahren, in denen ich nun schon die verschiedensten tibetisch-buddhistischen Zentren besuchte, nichts unter die Augen gekommen war, was sich mit dem Haus messen konnte, dessen ich gleich ansichtig werden sollte. Jedermann mußte das imposante, zweistöckige weiße Haus mit seinen sechs weißen Säulen an der Vorderseite, das da im Sonnenlicht gleißte, für einen exklusiven Country-Club halten. Ich näherte mich diesem beeindruckenden Gebäude auf einem gewundenen Zufahrtsweg, der von Reihen langer Fahnenstangen, tadellos geschnittenen Rasenflächen und Blumenbeeten gesäumt wurde. Bei einem Blick zum Dach entdeckte ich das erste Zeichen der wahren Identität dieses Ortes: zwei goldene Rehe, die ein goldenes Dharma-Rad hielten, das Wahrzeichen Tibets. Und dort, auf einem großen Schild neben dem Eingang, stand in großen Buchstaben der ebenfalls fremdartige Name: Kunzang Odsal Palyul Changchub Choling. Da die englische Übersetzung dieses Namens – ‚Völlig erwachter, glorreicher Dharmakontinent des absoluten Klaren Lichts‘ – ein beinahe noch härterer Brocken war, wurde der Ort von seinen Bewohnern einfach ‚KPC‘ genannt.

Bereits das Äußere war beeindruckend, das Innere aber geradezu atemberaubend. Eine große Treppe schwang sich von der Mitte der Eingangshalle zu den Räumen im Obergeschoß empor, und das ganze Haus war mit beigefarbenem Teppichboden ausgelegt. Aber auch das erschien bald blaß und gewöhnlich, nachdem ich die beiden *gompas* betreten hatte, die zweifellos schönsten Andachtsräume, die ich je gesehen hatte. Es waren regelrechte Kristallpaläste: An den Wänden entlang stand eine Reihe außergewöhnlicher, riesiger Kristalle, wie Museumsstücke strategisch auf Sockel gestellt und einzeln beleuchtet. Wie ich später erfuhr, war das die größte Kristallsammlung nach der des Smithsonian Instituts in Washington.

Die erste Gompa, in der die Unterweisungen und Zeremonien stattfinden, hatte königsblau-goldene Vorhänge und edle Stühle für diejenigen, die nicht mit über Kreuz geschlagenen Beinen auf dem Boden sitzen konnten. Der Thron für den Lehrer stand unter einem rot-golden-königsblauen Baldachin. In der Mitte des Raumes war ein riesiges Mandala, unten von goldenen Stupas umringt. An einer Wand befand sich eine Statue von Padma Sambhava, dem Begründer des Buddhismus in Tibet, und davor stand der allergrößte runde Kristall. Daraus ergab sich ein ganz besonderer Effekt – eine Mischung aus einem verschwenderisch und exotisch eingerichteten westlichen Empfangszimmer und einem magischen östlichen Tempel. Mir kam der Gedanke, daß wohl kein Mann im tibetischen Buddhismus jemals den Mut gehabt hätte, solch einen Gebetsplatz zu errichten oder sich zumindest so etwas auszudenken. Der Ort durchbrach alle Schranken der Konvention und blieb doch unverwechselbar eine Gompa des tibetischen Buddhismus.

Die zweite Gompa war sogar noch sagenhafter. Sie war das von Kerzen erleuchtete Gebetszimmer, in dem heute immer noch die Wache für den Weltfrieden stattfindet, und zwar rund um die Uhr. Im Halbdunkel konnte ich noch gigantischere, individuell beleuchtete Kristalle ausmachen sowie den beeindruckenden Anblick einer mit 108 kleinen Buddhastatuen bestückten Wand. In ordentlichen Reihen übereinander aufgestellt, wirkten die Buddhas wie Wachmänner, die ein Auge auf die vor ihnen stattfindenden heiligen Aktivitäten hatten. Ich hatte so etwas Ähnliches bereits in Tibet gesehen. Dort waren manche Wände mit Tausenden von Buddhastatuen bemalt worden, die nun allmählich vom Rauch der Millionen brennenden Butterlampen mit einem schwarzen Film überzogen werden – aber nichts war annähernd so prachtvoll gewesen wie das, was Jetsünma hier im ländlichen Poolesville geschaffen hatte. Ich drehte mich um, um eine andere Wand zu betrachten. Dort bot sich mir ein ebenso entzückender Anblick: einundzwanzig goldene Statuen von Tara, dem weiblichen Aspekt des erleuchteten Geistes, der für schnelles und wirkungsvolles Handeln steht. Sie standen in Reihen, wie ein spiritueller Hofstaat schöner Frauen. Eine Runde, die besonders gut an diesen Ort paßte. Ein einzelner Mönch saß auf seinem Kissen und sandte Gedanken universeller Harmonie und allumfassenden Mitgefühls aus; vom Band vernahm man Jetsünmas Stimme, die ohne Unterlaß eine Anrufung wiederholte, mit der sie die Buddhas um ihre Präsenz bat – die kraftvolle spirituelle Schwingung dieses Raumes war nicht zu leugnen.

Wer *war* die Frau, die all dies geschaffen hatte? Jetsünma Ahkon Norbu Lhamo betrat das Wohnzimmer im ersten Stock. Sie strahlte Wärme, Wohlwollen, übersprudelnde Lebendigkeit und – zumindest was die äußere Erscheinung betraf, war es nicht zu leugnen – eine ganz gewöhnliche amerikanische Mittelmäßigkeit aus. Sie trug Rock und Oberteil, beigefarben und gerade geschnitten, Makeup und modische Ohrgehänge. Sie hatte lange, lackierte Fingernägel, und ihr dunkelbraunes lockiges Haar war schulterlang und wild. Sie war hochgewachsen, rundlich und Anfang Vierzig. Nichts verriet ihren einzigartigen Status außer einer Mala, einer Gebetskette, mit der sie ständig spielte; das und die Tatsache, daß sie mit ihren leicht mandelförmigen Augen, ihrem etwas nach unten gezogenen Mund und ihrer ganzen Gesichtsform etwas unverwechselbar Tibetisches an sich hatte.

Ich fand heraus, daß sie eigentlich ein lebendiges Beispiel seltsamer Widersprüchlichkeiten war. Ganz unserer modernen westlichen Art entsprechend war sie mehr als einmal verheiratet gewesen und geschieden worden. Sie war Mutter dreier Kinder – zweier Söhne, die nun schon über Zwanzig waren, und einer fünfjährigen Adoptivtochter. Sie lebte in einem Haus hinter dem Zentrum, wo sie kochte, Versandhauskataloge nach Kleidern durchblätterte (eine ihrer Leidenschaften) und sich um ihren Mann und ihre Familie kümmerte – so wie Millionen andere amerikanische Frauen im ganzen Land auch.

Und doch trug sie nach der alten östlichen Art den Namen „Jetsünma", einen Titel, der noch mehr Verehrung ausdrückt als „Rinpoche", die Anrede für männliche Reinkarnationen. Eine Frau stand vor mir, geschminkt und mit Stöckelschuhen, die als „Erhabene Inkarnation" angerufen wurde. Eine Frau, die, so hieß es, solch einen Grad spiritueller Meisterschaft erreicht hatte, daß es ihr möglich war, in jeder von ihr gewählten Form wiedergeboren zu werden und direkt, ohne jede formale Ausbildung, aus ihrer Erinnerung heraus zu lehren. Das war in der Tat eine seltene Befähigung. Im Gegensatz zu den anderen westlichen oder tibetischen Tulkus, die mir bisher begegnet waren, war Jetsünma Ahkon Norbu Lhamo nicht in jungen Jahren entdeckt worden. Man hatte sie auch nicht in ein tibetisches Kloster gebracht, damit ihr Potential sich entfalten konnte. Dieses hatte sie ganz allein weiterentwickelt, im Geheimen und völlig auf sich gestellt, mitten in Amerika. Was sie erreicht hatte, war für jedermann ersichtlich: ein wunderbares Zentrum mit einem schönen Gelände und herrlichen Meditationsräumen und eine blühende Gemeinschaft ihrer Anhänger, die sie um sich versammelt hatte. Kein Zweifel, sie war eine ganz besondere Dame.

Ich hatte Glück, daß ich sie treffen konnte. Sie befand sich gerade in einer längeren Meditationsklausur und hatte noch dazu eine Erkältung. Dennoch hatte sie sich bereit erklärt, ihr Schweigen zu brechen und mit mir zu reden. Ich war wirklich gespannt auf die Geschichte dieser amerikanischen Dakini.

„Ich bin eigentlich nur ein ganz gewöhnliches Mädchen aus Brooklyn", begann sie, wobei ihr der Schalk aus den Augen blitzte. Im Grunde gab es wenig in ihrem familiären Hintergrund, das zum Lachen war. Sie stammte aus einer armen Familie voller Probleme. Es hatte Alkoholismus, Gewalt und Mißbrauch gegeben, sie wollte allerdings nicht viel mehr darüber erzählen, außer daß ihr die Polizei mit siebzehn geraten hatte, von zu Hause wegzugehen. „Es war eine *sehr* schwierige Situation, *sehr* schwierig", sagte sie ruhig. „Sobald ich auf eigenen Füßen stehen konnte, ging ich. Aber es ging alles gut. Ich bin ziemlich gut klargekommen", fügte sie hinzu, offensichtlich mit dem Wunsch, etwas Aufheiterndes über ihre Kindheit zu sagen, die allem Anschein nach schrecklich gewesen war.

Ihre Mutter war Jüdin und Kassiererin in einem Lebensmittelladen, ihr Stiefvater ein italienischer Lastwagenfahrer, der zuviel trank. Beide schlugen die Kinder. „Was die Religionszugehörigkeit betraf, war unsere Familie ziemlich zusammengewürfelt, und es gab viele Spannungen aufgrund der unterschiedlichen religiösen Überzeugungen. Es ist eine seltsame Geschichte. Meine Mutter, eine Holländerin, trat zwar zum jüdischen Glauben über, als sie meinen Vater heiratete, übte ihre neue Religion aber nicht wirklich aus. Sie blieb Mitglied der protestantischen Kirche ihres Heimatlandes. Sie war eine sogenannte ,*lox and bagels*'-Jüdin, jemand, der neben dem typischen Akzent seiner Anhänger nicht viel vom Judentum kannte!" sagte Jetsünma mit einem tiefen kehligen Lachen.

„Meinen wirklichen Vater habe ich nie kennengelernt, aber mein Stiefvater war katholisch. In unserem Haus wurde eine regelrechte Schlacht darüber ausgetragen, wie die Kinder erzogen werden sollten. Wenn mein Stiefvater den Sieg davontrug, war ich Katholikin, also wurde ich katholisch getauft und ging in eine katholische Schule, wo man mir den Katechismus und so weiter beibrachte. Wenn meine Mutter gewann oder wenn sie die Nonnen absolut nicht mehr ausstehen konnte, nahm sie mich aus dem Katechismus-Unterricht heraus und brachte mich zur holländischen protestantischen Kirche."

In Anbetracht all der Dinge, die später kommen sollten, konnte ich mir vorstellen, daß ihr familiärer Hintergrund, so schwierig er auch gewesen sein mochte, ihr wahrscheinlich doch geholfen hat, ihrer wahren Bestimmung näherzukommen. Die Gewalt in ihrem Elternhaus mußte ihr Empfinden für das geistige und körperliche Leiden in der Welt verstärkt haben. Auch hatte sie in ihrer jüdisch-christlich gefärbten Schullaufbahn die eigentlichen Wurzeln der westlichen Zivilisation aus erster Hand erfahren – ein wirklich wertvolles Gut für jemanden, der die Prinzipien eines völlig anderen Glaubens lehren sollte. Jetsünma kannte den sozialen

Hintergrund des größten Teils ihrer Zuhörerschaft aus eigener Erfahrung.

Sie sei von Natur aus ein spirituelles Kind gewesen, erzählte sie, eine Verehrerin Jesu, was sie auch heute noch sei. „Ich empfinde große Liebe für ihn. Ich halte ihn für einen der größten Bodhisattvas der Welt", sagte sie. Sie hatte sich aber auch auf ganz unerklärliche Weise von Buddhastatuen angezogen gefühlt. „Ich kaufte dauernd solche Statuen und gab sie entweder meiner Mutter oder behielt sie selbst. Ich erinnere mich noch genau, wie mein Zimmer aussah, als ich durch meine Hippie-Phase ging: Überall hingen psychedelische buddhistische Poster, und ich hatte einen buddhistischen Altar. Ich fühlte mich davon angezogen und mochte die Schlichtheit. Eigentlich wußte ich überhaupt nichts über den Buddhismus, aber irgendetwas an ihm fühlte sich normal an." Sie erinnert sich auch, wie sie mit zehn Jahren oben in ihrem Etagenbett beseligende Visionen hatte. Und sie hatte ihre ganz eigenen Gebete.

Trotz ihres angeborenen Hangs zur Spiritualität fand sie nichts in Kirchen oder Synagogen, zu dem sie sich hingezogen fühlte. „Mit der Art und Weise, wie Religion in unserem Land praktiziert wird, konnte ich nichts anfangen", sagte sie. „Ich fand das alles ziemlich fade. Es sah nicht so aus, als würden die Leute durch die Religion lernen, wie sie ihr Leben besser gestalten könnten. Ich erinnere mich zum Beispiel nicht daran, daß man uns jemals sagte, wir sollten für alle fühlenden Wesen sorgen. Man sagte mir nur, ich solle ein braves Mädchen sein, ein nettes Mädchen; es ging also ausschließlich um Moral. Wir alle wußten, was brave, nette Mädchen nicht taten!" sagte sie.

„Und in meiner Familie fiel mir natürlich auf, daß die gleichen Eltern, die zur Kirche gingen und all die richtigen Dinge taten, fähig waren heimzukommen und noch am gleichen Tag ihre Kinder windelweich zu prügeln! Für mich lief da irgendetwas grundverkehrt – besonders dann, wenn ich diejenige war, die windelweich geprügelt wurde. Eine Zeitlang war ich richtig wütend auf ‚Religion' und rebellierte dagegen."

Eines ist sicher: In Jetsünmas hinsichtlich Religions- und Rassenzugehörigkeit bunt zusammengewürfelter Ursprungsfamilie gab es keinerlei Hinweise auf den tibetischen Buddhismus, der später in ihrem Leben ganz von selbst zutage treten sollte. Nirgendwo gab es geheime Einflüsse oder Unterweisungen, die erklären könnten, wieso ihr bald die reine buddhistische Philosophie so selbstverständlich von den Lippen fließen würde.

„Niemand brachte mich in Kontakt mit dem Buddhismus. Da war absolut niemand. Der einzige Vorfall, der vielleicht eine Verbindung hergestellt haben könnte, es aber nicht tat, war, daß mich meine Mutter einmal nach Coney Island mitnahm und mir dort eine Handleserin sagte, ich sei eine alte Tibeterin. Das war alles. Ich wußte überhaupt nichts über Tibet. Ich hatte nicht die geringste Vorstellung. Wenn ich an Tibeter dachte, fielen mir übelriechende alte Männer auf Teppichen ein!"

Als sie auf Anraten der Polizei von zu Hause weglief, ging sie nach Florida und traf dort einen Mann, den sie heiratete. Sie bekam ein Kind, und die junge Familie zog auf eine abgelegene Farm in North Carolina. Dort begann Jetsünmas spirituelle Geschichte. Endlich dem Tumult der Städte und dem Elend ihres Familienlebens entronnen, begann sich die ihr innewohnende Geistesgröße zu entfalten. Ohne daß man ihrer Stimme eine besondere Gefühlsbewegung oder wenigstens Interesse anmerken konnte, erzählte sie von der außergewöhnlichen Serie von Ereignissen, die nun folgte.

„Es begann mit einer Reihe von Träumen – ich habe sowieso mein ganzes Leben lang seltsame Träume gehabt. In diesen Träumen wurde mir gesagt, was ich tun sollte. Und dann ereigneten sich sehr seltsame Dinge.

Meistens wurde ich in den Träumen angewiesen, Ausschau nach einem Zeichen zu halten. Im ersten Traum traf ich eine alte Frau, die wie ein Hexe in einem alten Schloß mit Türmchen aussah. Sie legte einen Kreis auf meine Stirn und sagte: ‚Das bist du; nun mußt du beginnen.' Drei Tage später bat mich eine Freundin, sie zu einer Frau zu begleiten, die Horoskope erstellte, welche ja interessanterweise in einem Kreis gezeichnet werden. Wir dachten, wir könnten uns dort ein bißchen amüsieren, also gingen wir hin. Die Frau öffnete die Tür, und – so wahr ich hier sitze – es war genau die Frau, die ich in meinem Traum gesehen hatte. Sie hatte genau das gleiche Gesicht und trug die gleichen Kleider. Ich erinnere mich, wie mir der Schweiß ausbrach!

Sie war recht alt, aber irgendwie fühlte ich mich sehr zu ihr hingezogen. Ich erinnere mich, wie ich sie ansah und dachte, wie schön sie doch sei. Jedenfalls erklärte sie, sie sei gerne bereit, mein Horoskop zu erstellen. Nach einer Weile kam sie zurück und sagte: ‚Ich habe Ihnen nichts zu sagen, meine Liebe. Ihr ganzes Leben ist vorbestimmt, Sie brauchen von niemandem einen Rat.' Ich glaube, diese Frau war sehr geschickt, weil sie nichts konkretisierte, sondern alles im Fluß beließ.

Drei Tage später hatte ich einen weiteren Traum, in dem mir die Farm erschien, auf der wir lebten. Vor dem Tor standen einige zusätzliche Autos, ein Gewitter tobte, und der Himmel war merkwürdig grün. Drei Tage nach dem Traum – damals geschah offensichtlich alles im Drei-Tage-Rhythmus – war ich einkaufen gewesen und mit einigen Freundinnen, die alle ihre eigenen Autos fuhren, nach Hause zurückgekehrt. Da brach ein Gewitter los. Im Traum hatte eine Stimme gesagt: ‚Wenn du das siehst, ist es Zeit, mit deiner Meditation zu beginnen.' "

Zu sagen, Jetsünma sei verblüfft gewesen, wäre stark untertrieben. Damals war sie gerade neunzehn Jahre alt und fragte sich, warum ihr, einem armen ‚Mädchen aus Brooklyn', solche Dinge passierten. Schließlich wußte sie überhaupt nichts über Meditation und hatte keinerlei Übung darin.

„Ich ging zur Haustür und sah nach draußen, um mich zu vergewissern, daß wirklich alles genau wie in meinem Traum aussah. Es war so. Dann ging ich ins Schlafzimmer und legte mich hin! Ich wußte, ich mußte nur um Führung bitten, dann würde ich meditieren lernen; so waren die Anweisungen im Traum gewesen. Das war der Anfang meiner eigentlichen spirituellen Ausbildung", sagte sie. Diese sollte sich höchst individuell und recht unorthodox gestalten.

„Als erstes wurde ich ‚angewiesen', ich solle mich verpflichten, alle meine künftigen Handlungen zu einem Segens-Kanal werden zu lassen. Also wiederholte ich bestimmte Sätze in meiner Meditation, fast so, als würde ich Mantras aufsagen: ‚Ich verpflichte mich, zum Wohle aller Wesen zu wirken. Mein Leben hat keinen anderen Sinn als den, das Wohlergehen aller Wesen herbeizuführen.' " Damals wußte sie nicht, daß sie typische tibetische Vorstellungen in einem typisch tibetisch-buddhistischen Jargon äußerte. Gewissenhaft ging sie jeden Tag ein Stück weiter auf dem Weg ihrer selbsterfundenen Meditationen.

„Ich hatte die Vorstellung, ich sei eine Art Wasserhahn: Das Wasser war da drinnen, und ich mußte nur den Hahn aufdrehen. Ich versuchte, mich dem Prinzip allumfassenden Mitgefühls anzuschließen."

Als sie schließlich den Eindruck hatte, sie könne mit dieser speziellen

Meditation nicht mehr weiterkommen, bat sie um die Anweisungen für den nächsten Schritt. Nun sagte ihr ein weiterer Traum, sie solle sich vor Augen führen, welchen Verlauf ihr Leben nehmen könne und alle Möglichkeiten prüfen.

„Ich malte mir all die typischen Situationen aus, von denen wir im Westen träumen: Häuschen, weißer Gartenzaun usw.", fuhr sie fort. „Ich stellte mir in diesen Meditationen vor, mein Mann und ich seien immer glücklich – wie in den Werbespots, in denen die Paare lachend durch ein Weizenfeld aufeinander zulaufen. Oder daß mein Sohn heranwachsen und Arzt werden würde, daß er wohlhabend und voller Liebe sein würde! Daß ich noch andere Söhne und Töchter haben würde und sie ebenfalls glücklich und erfolgreich werden würden, wenn sie erwachsen waren. Dann fragte ich mich: Wenn für mich nun jeder materielle Traum, den eine Frau in Amerika nur haben kann, in Erfüllung ginge, was dann?

Darüber meditierte ich. Das gab meinem Geist eine neue Ausrichtung. Ich erkannte die Sinnlosigkeit dieser Dinge, dieser Träume und Hoffnungen. Wohin führten sie? Selbst wer alles erreicht hat, stirbt am Ende. Ich begann zu erkennen, daß alle derartigen Bemühungen fruchtlos sein würden. Selbst wenn ich in dieser Welt vollkommen glücklich wäre und all meine Zeit und mein Geld in solche Dinge stecken würde, war das letztlich sinnlos. Ich würde vielleicht die Bewunderung meiner Freunde ernten und alle Reichtümer, die man sich nur erträumen kann, und dann würde ich sterben. Und dann?"

Was sie da beschrieb, war die grundlegende buddhistische Meditation über Tod und Vergänglichkeit, die auch ich damals 1976 in Kopan geübt hatte.

„Ich erinnere mich, wie ich über diese Dinge meditierte, während ich meinen Sohn in den Armen hielt. Ich spürte den Wunsch, dieses kleine Wesen zu schützen und fühlte, daß ich alles für ihn tun würde. Ich erinnere mich, wie ich dachte: ‚Ich verspreche dir fest, daß ich für deine Sicherheit sorgen werde.' In meiner Meditation mußte ich dann erkennen, daß ich solch ein Versprechen eigentlich nicht einhalten konnte. Wenn mein Sohn schwer erkranken und sterben würde, könnte ich nichts dagegen tun. Ich konnte ihm nicht in die Erfahrungen nach seinem Tod folgen. Ich mußte mir eingestehen, daß ich mein kleines Kind belogen hatte", sagte sie.

Diese schonungslose Analyse ihres eigenen Lebens, der verschiedenen Wege, die sie einschlagen konnte und des unvermeidlichen Resultats des Lebens, des Todes, zeigte bald ihre Wirkungen. Von da an wandte sie sich von allen weltlichen Zielen ab. Buddhistisch ausgedrückt, hatte sie ‚Entsagung' entwickelt: die Abwesenheit jeder Faszination mit den Höhen und Tiefen, den Dramen und Freuden des weltlichen Daseins. Es heißt, erst nachdem man ‚Entsagung' entwickelt habe, betrete man wirklich den spirituellen Pfad, denn erst dann glaube man nicht mehr daran, durch Verfolgen der materialistischen Ziele eines weltlichen Daseins glücklich werden zu können.

Sie drückt das so aus: „Damals sagte ich der Party ade. Ich hatte das Gefühl: Hier gibt es nichts für mich." Ihre Meditation machte daraufhin einen Quantensprung – genau ins Herz der Mystik, zur Quelle der Wahrheit.

„In meinem nächsten Traum wurde ich angewiesen, über eine andere Frage zu meditieren: ‚Wenn das, was ich hier habe, wegen seiner Begrenztheit nicht besonders viel ist, was hat dann wirklichen Wert?' " Plötzlich fand sie sich in einer Kontemplation über die letztendliche Wahrheit wieder, den ursprünglichen Weisheitszustand, das tiefgründigste und schwierigste aller Meditationsthemen im Buddhismus.

„Ich hatte keine Worte dafür, aber ich wußte, es war nicht so wie Gott, nicht wie die Vorstellung von dem alten Mann auf dem Thron. Ich meditierte über eine nichtdualistische, allesdurchdringende Essenz, Form und Formlosigkeit in einem, völlig ununterscheidbar. Ich erkannte das als das einzig Gültige – das und die mitfühlende Aktivität, die ein Ausdruck dieser Essenz war."

Was Jetsünma mir da erzählte, war – soviel begriff ich – wahrlich außergewöhnlich. Was Yogis und Gelehrte in den tibetischen Klöstern erst nach Jahren intellektueller Überlegung und noch längerer Meditationsklausuren erreichten, hatte Jetsünma ganz allein für sich herausgefunden. Auf ihrer Farm in North Carolina versteckt, ohne Guru, ohne Bücher, ohne irgendeine vorgegebene Lehre oder ein Vorbild, dem sie hätte nacheifern können, hatte sie die beiden wesentlichen Wahrheiten nicht nur erkannt, sondern auch verwirklicht: Weisheit und Mitgefühl sind die beiden Flügel des tibetischen Buddhismus, mit deren Hilfe man, so heißt es, den ganzen Weg zur Erleuchtung zurücklegen kann. Ohne sie kann

man sich jedoch kaum vom Boden erheben. Sie hatte wirklich ein Meisterwerk vollbracht.

Aber damit nicht genug. Während sie weiterhin über die absolute Natur und das Mitgefühl meditierte, begann sie gleichzeitig, ihren Körper Stück für Stück als Gabe darzubringen.

„Das klingt natürlich sehr seltsam", sagte sie lachend, „aber ich legte mich hin – ich wußte ja nicht, daß man das alles eigentlich im Sitzen machen sollte –, schaute meine Füße an und sagte: ‚Also gut, hier sind meine zehn Zehen.' Ich betrachtete meine Füße ganz genau und dachte an all die Dinge, die ich mit ihnen tun konnte: gehen, rennen, tanzen, Zehennägel wachsen lassen. Ich beschäftigte mich intensiv mit all den guten Dingen, die meine Füße für mich tun konnten. Und dann dachte ich darüber nach, was wohl der letztliche Nutzen all dieser Dinge sein könne. Letztlich besaßen sie keinen Nutzen! Dann sagte ich: ‚Ich bringe meine Füße der letztendlichen Natur dar, so daß meine Bewegung diese Natur sein möge, wo immer ich mich aufhalte.' " Auf diese Weise ging sie durch ihren ganzen Körper, wobei sie etwas länger bei den Körperteilen verweilte, an denen sie besonders hing. „Niemand möchte zum Beispiel seinen Kopf aufgeben. Der Kopf ist so etwas wie die letzte Bastion der eigenen Individualität. Ich richtete meine Aufmerksamkeit auch ganz besonders auf meine weiblichen Körperteile und meine Hände. Man möchte nicht so gerne ohne diese auskommen müssen!"

Damals wußte sie es nicht, aber was sie da tat, war nichts anderes als *chöd,* eine andere tiefgründige tibetische Meditation, bei der man den eigenen Körper zum Wohle aller Wesen in die Leerheit entläßt. Diese Meditation gilt als die höchste Form körperlicher Selbstaufgabe. Die Frage, wie sie mitten in North Carolina – lediglich mit ihrem Mann und ihrem Kind als Gesellschaft – auf solch eine seltsame Meditation kommen konnte, macht ihre Geschichte noch rätselhafter. Ich forschte nochmals nach, ob es nicht doch irgendwelche richtungsweisenden äußeren Einflüsse gegeben hatte.

„In den siebziger Jahren waren wir in Ashville, dort gab es überhaupt nichts Metaphysisches", antwortete sie. „Doch, eigentlich war da etwas: Ein kleines Zentrum für transzendentale Meditation wurde eröffnet, und meine Freunde drängten mich, dort mitzumachen. Aber ich wollte nicht. Ich hatte nicht das Gefühl, dies sei der richtige Platz für mich. Sie sagten, ich bräuchte einen Guru und würde ohne einen Lehrer niemals irgendetwas erreichen. Ich antwortete: ‚Vielleicht stimmt das, aber ich habe meinen Lehrer noch nicht gefunden, und wenn ich ihn finde, werde ich es schon selbst merken.' "

Mehrere Jahre lang verbrachte sie immer wieder längere Zeitspannen in intensiver Meditation. „Ich meditierte stundenlang. Glücklicherweise hatte ich ein sehr friedliches Kind, das viel schlief, und einen Mann, der mich in diesen Dingen unterstützte. Dafür werde ich ewig dankbar sein. Aber es war natürlich immer noch eine Hausfrauen-Klausur. Ich hatte einen Ehemann, ein Kind und mußte allen meinen Aufgaben nachkommen. Trotzdem hielt ich meine Meditationszeiten damals viel strikter ein als heute."

Ihre Meditation wurde immer kraftvoller und klarer, und als sie etwa Dreißig war, hatte sie eine spirituelle Erfahrung, die zeigte, daß die Zeit für den Beginn ihrer eigentlichen Arbeit gekommen war. Sie wollte mir nichts Genaueres erzählen, sondern sagte lediglich, sie habe längere Zeit meditiert und ihre Klausur schließlich mit der Gewißheit verlassen, daß ihr persönliches Leben zu Ende war und der einzige Sinn ihres künftigen Daseins darin bestand, dem Wohl der anderen zu dienen. „Ich habe niemandem davon erzählt. Aber seltsamerweise begannen nun die Leute zu mir zu kommen."

Ich verbrachte einige Tage im KPC, bewunderte das Gelände und traf mich mit einigen Anhängern Jetsünmas. Einer von ihnen war Wib Middleton, ein freundlicher, offener Mann, der einer von Jetsünmas ersten Schülern gewesen war und nun als Hauptverwalter des Zentrums arbeitete. Ich fragte ihn, welchen Eindruck er von diesem ersten weiblichen Tulku des Westens gehabt habe, als sie es erstmals gewagt hatte, ihrer Mission nachzugehen.

„Wir begegneten ihr erstmals 1981, als sie mit ihrer Familie nach Washington kam. Wir fühlten uns wirklich zu ihr hingezogen. Wir waren eine Gruppe Suchender, ungefähr zehn von der New-Age-Philosophie beeinflußte Leute, die das Gefühl hatten, im Leben müsse es doch noch mehr geben, und den tiefen Wunsch verspürten, etwas für die Gesellschaft zu tun. Wir hatten aber keinerlei Methode. Wir sahen uns um, aber das New-Age-Zeug schien größtenteils sehr ichbezogen und egoistisch zu sein. Als wir ihr begegneten, sprach eine wirklich weite Sicht der Dinge aus ihren Worten. Sie redete über ‚planetarisches Bewußtsein und planetarische Schnelligkeit' und über den ‚Schwingungsursprung', wie sie die Leerheit damals nannte. Es war wirklich erstaunliches Zeug", sagte er.

„Wir gingen zu ihr und baten sie um Unterweisung, und sie sagte: ‚Gerne'. Also trafen wir uns etwa einmal wöchentlich in verschiedenen Wohnzimmern. Sie brachte uns Meditationsübungen bei und leitete unsere Diskussionsrunden. Wenn ich nun zurückschaue, wird mir klar, daß sie bei ihren Unterweisungen sehr geschickt vorging – sie ging stets auf das ein, was die Anwesenden gerade brauchten", sagte er.

„Obgleich sie ihre Lehren voller Überzeugung vorbrachte, so, als seien ihre Worte von einer inneren Kraft getragen, nahm sie nie für sich in Anspruch, irgendwelche Fähigkeiten zu besitzen", fuhr er fort. „Das hat sie nie getan. Eigentlich hat sie ihre besonderen Eigenschaften in der Öffentlichkeit stets verleugnet. Sie war immer sehr bescheiden. Sie sagt über sich, sie sei keine besonders gute Lehrerin und habe keine außergewöhnlichen Fähigkeiten. Aber uns war klar, daß sie besondere innere Qualitäten entwickelt hatte und über bestimmte Beschränkungen des Bewußtseins hinausgegangen war", sagte Wib.

Während sich Jetsünmas spirituelles Leben rasch entwickelte, fiel ihr materielles Leben auseinander. Geld war äußerst knapp, Komfort war kaum vorhanden. Sie lebte mit ihrer Familie in einer Einzimmerwohnung, Holzkisten dienten ihr als Möbel. Sie hatte sich standhaft geweigert, Geld für ihre Meditationskurse anzunehmen und arbeitete in der Kleiderabteilung eines großen Kaufhauses, während ihr Mann auf der Suche nach einer Arbeit als Lehrer war. Als sich die Situation schließlich immer mehr zuspitzte, deutete sie an, sie trage sich mit dem Gedanken, wieder nach North Carolina zu ziehen, denn dort könne ihr Mann leichter eine Anstellung als Lehrer finden.

„Als wir das hörten, machte es uns ganz verrückt", sagte Wib. „Wir dachten: ‚Sie ist unsere Lehrerin, wir *müssen* sie hierbehalten.' Unsere Gruppe bestand mittlerweile aus zwölf oder mehr Leuten. Eines Abends, es war schon ziemlich spät, stürmten wir zu ihrem Haus, klopften an ihre Tür und sagten: ‚Wir möchten dir einen Vorschlag machen. Von nun an möchten wir gerne regelmäßig Kurse abhalten und dafür bezahlen. Wir gründen eine Organisation, die dich bezahlt.' Sie betonte nochmals ausdrücklich, daß sie kein Geld für ihre Unterweisungen haben wolle. Wir versicherten ihr, es so zu organisieren, daß es nicht einer Bezahlung gleichkam. Wir wollten eine Organisation aufbauen, deren Vorstand sich um alles kümmern würde. Und das taten wir auch. Wir begannen mit einem regelmäßigen Kursprogramm und gründeten eine Organisation mit dem Namen ‚Zentrum für Entdeckung und Neues Leben‘. Wir hatten ein kleines Logo und einen Vorstand", erinnerte er sich.

Von nun an wuchs die Organisation organisch. Bald schon gab es zwei Kurse in der Woche, dann drei. Und Jetsünmas Unterweisungen gingen immer mehr in die Tiefe.

„Von Woche zu Woche wurde es phantastischer. Auf dem Weg zum Kurs dachten wir: ‚Es kann überhaupt nicht noch tiefgründiger werden‘, und dann war es doch so. Sie sprach über die Natur des Geistes, die Leere, verschiedene feinstoffliche Körper. Damals bewegten wir uns irgendwo zwischen der Sprache der westlichen Metaphysik und östlichen Vorstellungen. Wir bezeichneten uns keineswegs als Buddhisten."

Die Unterweisungen sprudelten nur so aus Jetsünma hervor – Woche für Woche. Die Gruppe wußte von all dem wenig, aber dies alles stellte eine Vorbereitung auf das dar, was bald kommen sollte. Und als es dann geschah, begriffen sie es nicht ganz.

„Einer unserer Freunde stellte uns einen Tibeter namens Kunzang Lama vor, der aus einem Kloster in Südindien kam", fuhr Wib fort. „Er kam an einem regnerischen Abend in unser Zentrum und brachte eine Menge Teppiche mit, die er zugunsten seines Klosters verkaufen wollte. Er hatte auch ein Fotoalbum mitgebracht, in dem kleine tibetische Kinder, vor allem junge Mönche, zu sehen waren, die Essen, Kleidung und Bücher benötigten. Bei dieser Zusammenkunft entschlossen wir uns, das Projekt zu unserem zu machen. Niemand von uns wußte irgendetwas über Tibet, auch über den Buddhismus wußten wir wenig. Wir hatten lediglich einmal etwas über vietnamesische Mönche gehört, die sich selbst verbrannt hatten, und wir konnten das nicht recht von der Hare-Krishna-Bewegung unterscheiden! Wir reagierten damals so, wie alle typischen Amerikaner auf die Kultur und Religion anderer Völker reagieren", sagte er lachend.

Hingerissen von den Fotos der kleinen Mönche erkannten sie, daß sich hier eine ausgezeichnete Gelegenheit für die Umsetzung der Lehren Jetsünmas bot. „Von Anfang an hatte sie darüber gesprochen, wie wichtig

Mitgefühl sei, die Fähigkeit, Leiden wahrzunehmen und etwas dagegen zu unternehmen. Sie sagte, Leiden entstehe, weil wir uns als etwas ‚Getrenntes‘ wahrnähmen. Sie sprach über ‚Einheitsbewußtsein‘ – die Erkenntnis, daß es ein Wirkungsprinzip gibt – und sagte, wir könnten unsere eigene Natur und die der anderen ausschließlich auf dem Weg der Liebe und Güte verstehen lernen. Sie sprach auch oft darüber, daß wir das Amt eines Helfers oder Pflegers für die Erde und alle ihre Kreaturen übernehmen sollten."

Bereits zwei oder drei Wochen nach dem Besuch des Teppichverkäufers hatten sie Paten für fünfundsiebzig Kinder in Südindien gefunden. Daraus ergab sich ein fruchtbarer Briefwechsel. Sie erfuhren, was die kleinen Mönche taten, und entdeckten, daß dies sich von der Intention her nicht viel von dem unterschied, was sie in Washington taten. Sie erfuhren auch, daß der Abt des Klosters Seine Heiligkeit Padma Norbu Rinpoche hieß, normalerweise Penor Rinpoche genannt wurde und das Oberhaupt der Palyul-Tradition der Nyingmapas war.

In unserer Geschichte überspringen wir ein Jahr und nehmen sie an dem Punkt wieder auf, an dem die Gruppe einen Brief von jenem Teppichverkäufer erhielt, in dem er mitteilte, Penor Rinpoche werde bald seine erste Lehrreise in die Vereinigten Staaten unternehmen. Er wollte Washington besuchen und die Leute kennenlernen, die so großzügig zu vielen seiner kleinen Mönche gewesen waren.

Die Gruppe war sehr erfreut, hatte aber keinerlei Vorstellung, wer und was Penor Rinpoche war, noch welche Umgangsformen angesagt waren. Mittlerweile war Jetsünma in ein größeres Haus umgezogen, da die Gruppe in ihrem Wohnzimmer nicht mehr genug Platz hatte, aber sie tat immer noch alles selbst: saubermachen, die Stühle herrichten, Kaffee und kleine Imbisse zubereiten und natürlich, sich um ihre Familie kümmern.

Penor Rinpoche kam im Frühjahr 1985. Als die Gruppenmitglieder ihn am Flughafen in Washington abholen wollten, wartete dort bereits eine größere Anzahl chinesischer Schüler darauf, ihren Guru zu begrüßen. Die Mitglieder des ‚Zentrums für Entdeckung und Neues Leben‘ wußten nichts davon, aber Penor Rinpoche war ein äußerst hochrangiger Lama, der mehrere Zentren im asiatischen Raum aufgebaut hatte. Später erfuhren sie, daß er in Tibet für hunderttausend Mönche und Nonnen verantwortlich gewesen war, die sich in über tausend Klöstern aufhielten. Wie all die anderen großen Lamas hatte er sein Heimatland 1959 nach der chinesischen Invasion verlassen. Er hatte seine Reise mit fünfhundert Anhängern begonnen, aber als er schließlich vierzehn Monate später in Südindien ankam, waren ihm nur noch zwölf Begleiter geblieben: Alle anderen hatten die gefährliche Reise nicht überlebt. Er ließ sich jedoch nicht abschrecken; er nahm die fünf Morgen Land und den Elefanten, die die indische Regierung ihnen angeboten hatte, und begann – angesichts schier unüberwindlich scheinender Hindernisse – mit dem Aufbau eines Klosters für fünfhundert Mönche. Als Jetsünma und Wib ihm begegneten, war sein Kloster bereits völlig überfüllt. Etwa 650 Mönche, die wegen der anhaltenden Verfolgungen aus Tibet geflohen waren, hielten sich dort auf.

Penor Rinpoche hatte einen brennenden Wunsch, den er noch in diesem Leben erfüllt sehen wollte. Seit seinen Jugendjahren hatte er dafür gebetet, in diesem Leben die Wiedergeburt von Genyenma Ahkon Lhamo wiederzutreffen, jener tibetischen Yogini, die 1652 zusammen mit ihrem Bruder seine spirituelle Abstammungslinie, die Palyul-Tradition, begründet hatte. Penor Rinpoche war sicher, daß sie irgendwo auf dieser Erde lebte. Er war bereits Ahkon Lhamos Bruder begegnet – einem Tibeter, der ebenfalls in Amerika, genauer gesagt, in Ashland, Oregon, lehrte. Aber er wußte, daß weibliche Wiedergeburten ungleich schwerer ausfindig zu machen waren. Tibetische Yoginis erreichten zwar genau wie ihre männlichen Kollegen die höchsten Bewußtseinszustände, waren aber im allgemeinen von unabhängiger Natur und liebten es, allein in Höhlen zu meditieren. Es gab bisher kein vorgegebenes System, durch das man sie auffinden konnte.

Die kleine Gruppe Amerikaner, die an jenem Frühlingstag im Jahre 1985 auszog, um Penor Rinpoche vom Flugzeug abzuholen, wußte nichts von alledem. Und was nun folgte, war eine Szene, die gut in einen Hollywood-Film passen würde. Jetsünma erzählte mir in aller Ausführlichkeit, was damals geschah:

„Als wir am Flughafen ankamen, war bereits diese riesige Gruppe Chinesen mit ihrer Limousine da, die irgendwie erfahren hatten, daß er kommen würde. Sie wußten, wer er war. Wir hatten keine Ahnung. Sie umringten etwas oder jemanden, den wir nicht sehen konnten, und fotografierten ununterbrochen. Penor Rinpoche ist klein, etwa 1,55 Meter groß und beleibt. Ich bin wesentlich größer als er. Ich dachte: ‚Wahrscheinlich ist er irgendwo in dem Gewühle, aber was ist denn da eigentlich los?' Irgendwann teilte sich die Menge der Chinesen, ich sah ihn und brach in Tränen aus!"

„Eigentlich bin ich ganz und gar nicht der Mensch, der so etwas tut, muß ich hinzufügen. Ich bin eine ziemlich hartgesottene Person, nicht umsonst komme ich aus Brooklyn!" witzelte sie. „Aber ich konnte mich einfach nicht zusammenreißen. Ich fühlte mich wirklich wie ein Trottel. Ich weinte und weinte. Ich sah ihn nur an und dachte: ‚Das ist mein Herz… Das ist mein Geist… Das ist alles.' " Ihre Stimme war weich geworden. „Wie fühlt man sich, wenn man gerade alles gesehen hat? Ich *wußte* einfach, daß es das war. Es war das, wonach ich mein ganzes Leben lang gesucht hatte. Und die Tränen liefen mir die Wangen hinunter."

Ich fragte sie, was sie damit genau meine.

„Padma Sambhava, der Begründer des Buddhismus in Tibet, sagte: ‚Ich werde als euer ‚Wurzelguru' zurückkommen, als der, zu dem ihr solch eine Beziehung habt, daß ihr die Natur eures Geistes versteht. Wenn ihr euren Lehrer trefft, werdet ihr in einer gewissen Weise euer eigenes Gesicht sehen; es wird das Gesicht sein, das euch zutiefst bewegt. Das ist der Anfang eures Erwachens.' "

Sie sprach noch ein wenig über die Rolle des Guru im Buddhismus. „Der Guru ist eine Manifestation des erleuchteten Mitgefühls, und dieses Mitgefühl ist wie ein Haken oder ein Klettverschluß", erklärte sie, wobei sie in der für sie so charakteristischen Weise östliche Vorstellungen in westliche Worte faßte. „Solch ein Klettverschluß muß ein Gegenstück haben, das ihm entspricht, sonst verbindet er sich nicht. Das bedeutet: Man muß irgendwann in der Vergangenheit bereits eine Beziehung zu diesem Guru gehabt haben. Das muß nicht heißen, daß der Lehrer Ihren Namen kennt oder so etwas Ähnliches. Aber die Kraft, die Motivation des Mitgefühls und der liebenden Güte bringt eine Schwingung hervor, die fast wie ein Klang ist, und die Schüler beginnen auf diese Schwingung zu reagieren. Der Schüler wird gerufen."

„Der Klang ist so fein und doch so kraftvoll, daß er das Leben des Schülers verändert – einfach so", sagte sie und schnippte mit den Fingern. In diesem Moment ging mir auf, daß sie auch sich selbst als ‚Guru' bezeichnete. „Und er kann diese Verwandlung aufrechterhalten. Er kann die Welt verändern. Dieser Klang ist die größte und zugleich zarteste Kraft, die es gibt – Bodhicitta, die Kraft des Mitgefühls. Das ist der Klang, der in eine bestimmte Schwingung gekleidet wird, die zum Geist des Schülers paßt", erklärte sie.

Damals auf dem Washingtoner Flughafen hatte Jetsünma jedoch keine Ahnung, daß dieser kleine, rundliche Mann, der sie zum Weinen brachte, ihr Guru war; das kam erst später. Sie dachte eher darüber nach, wie sie ihn zu sich nach Hause bringen und was sie ihm zum Mittagessen bereiten sollte. Er quetschte sich schließlich in ihr altes Auto, und man fuhr nach Poolesville, wo die Gruppe ihm hinter dem Haus Hot dogs und Kartoffelchips servierte. Eine recht ungewöhnliche Situation für eine glückverheißende Begegnung, aber Jetsünma selbst war schließlich auch alles andere als gewöhnlich.

„Wir wußten nicht, was wir mit ihm tun sollten", gestand sie. „Wir grillten und setzten uns neben ihn, freundschaftlich und gesprächig. Ich hatte keine Ahnung, daß man das eigentlich nicht tut. Aber er schien sich wirklich bei uns wohlzufühlen und sagte, er wolle alle meine Schüler sehen und ihnen Fragen stellen. Das überraschte mich sehr. Er fügte hinzu, daß auch wir ihm Fragen stellen konnten. *Das* wiederum konnte ich gut verstehen", fuhr Jetsünma fort.

Den ganzen Tag über befragte Penor Rinpoche Jetsünmas Schüler eingehend. Er wollte genau wissen, was sie ihnen beigebracht hatte. Als Jetsünma selbst schließlich ein wenig Zeit mit Penor Rinpoche fand, sagte sie ihm, er sei der wahre Lehrer und bekannte ihre ‚Sünde', ohne rechte Qualifikation gelehrt zu haben.

„Bitte vergeben Sie mir, aber ich konnte einfach nicht nur dasitzen und nichts tun", sagte sie. „Durch zwei Dinge erhielt ich eine Art Autorisation. Zum ersten sehe ich Leiden, wenn ich mich umschaue, also muß ich etwas tun. Zum zweiten habe ich meine Übungen an mir selbst ausprobiert und weiß, daß sie wirksam sind. Aber ich weiß nicht, *warum* mir diese Unterweisungen in den Kopf kommen. Können Sie mir sagen, woher das alles kommt?"

Penor Rinpoche sah ihr direkt in die Augen und gab endlich die Neuigkeit preis – zumindest teilweise. „In der Vergangenheit waren Sie ein großer Bodhisattva, eine Person, die unentwegt für die Befreiung der fühlenden Wesen arbeitete. Sie haben Ihre Übung bis zu dem Punkt vervollkommnet, daß Sie sich auch in all Ihren künftigen Leben an sie erinnern werden. Sie werden sie immer kennen, Sie werden immer wieder auf sie zurückkommen. Sie ist in Ihrem Geist und wird nie mehr in Vergessenheit geraten." Er nannte aber keinen Namen und gab ihr keinen Hinweis, welche Art von Bodhisattva sie gewesen war. Er riet ihr, einfach nur mit dem fortzufahren, was sie bisher getan hatte, und es auf genau die gleiche Weise zu tun. Er bestätigte ihr, daß ihre Lehren genau das waren, was ihre Schüler brauchten. Das war alles. Es sah aus, als würden keine großen Anforderungen an sie gestellt werden – bis er die Bombe platzen ließ.

„Er sagte, ich solle ein Zentrum kaufen, einen regelrechten Tempel, und solle mich nicht davor fürchten. Er sagte, ich würde verschiedene Gebäude anschauen, aber ich solle das Haus mit den weißen Säulen an der Vorderseite kaufen. ‚Sie werden denken, daß Sie es sich nicht leisten können', sagte er – und damit sollte er recht behalten – ‚aber Sie werden Mittel und Wege finden. Haben Sie Vertrauen, alles wird sich regeln. Irgendwann', fügte er hinzu, ‚werden Sie Plätze überall auf der Welt haben.' " Der letzte Teil dieser Vorhersage ist bisher noch nicht in Erfüllung gegangen.

Nach Penor Rinpoches Abreise dachte die Gruppe über alles nach, was geschehen war und was er gesagt hatte. Pflichtbewußt begannen sie mit der Suche nach einem Grundstück und fanden prompt einen schönen Platz, der für ihre Zwecke bestens geeignet zu sein schien. Entlang der Vorderfront des Hauses standen weiße Säulen. Der Kaufpreis war jedoch astronomisch hoch. Sie kratzten soviel Geld zusammen, wie sie nur konnten, nahmen eine riesige Hypothek auf (aufgrund derer sie sich heute viele ausgeklügelte Finanzierungs-Strategien ausdenken müssen) und kauften den Grundbesitz, in dem heute das KPC untergebracht ist. Hier bauten sie innerhalb von fünf Jahren die größte ordinierte buddhistische Gemeinschaft in den Vereinigten Staaten auf. Jeden Sonntag kommen mehr als 120 Leute aus der Umgebung, um Jetsünmas Unterweisungen zu hören.

Damals wußte Jetsünma aber immer noch nicht genau, wer sie war. Das sollte erst noch kommen.

Ein Jahr nach Penor Rinpoches Besuch hatte Jetsünma den starken Wunsch, den kleinen, rundlichen Mann wiederzusehen, der in ihr Leben getreten war und sie so tief berührt hatte. Sie beschloß, nach Indien zu fahren, um ihn in seinem Kloster in Bylakuppe, Karnataka, zu besuchen. Die Landung in Bombay mit seinem Chaos, seiner Farbenpracht und seiner Armut gab dem Mädchen aus Brooklyn, das die Vereinigten Staaten noch nie verlassen hatte, nur einen ersten Vorgeschmack auf die größere Offenbarung, die bald folgen sollte.

Als sie Penor Rinpoche nun auf seinem eigenen Territorium wiedertraf, erklärte sie, sie wolle die Bodhisattva-Gelübde ablegen. Dabei verspricht man in einer bestimmten Zeremonie, sein Leben dem Wohlergehen der anderen zu widmen. Sie fragte ihn, ob er ihr einen spirituellen Namen geben könne, so wie es bei dieser Gelegenheit üblich war.

„Wenn die rechte Zeit gekommen ist", antwortete Penor Rinpoche.

„Wann wird die rechte Zeit gekommen sein?" drängte Jetsünma mit typisch westlicher Ungeduld.

„Ich werde ihn Ihnen geben, wenn der rechte Tag gekommen ist", sagte Penor Rinpoche abermals.

„Wann wird dieser rechte Tag sein?" insistierte Jetsünma, die nicht aufgeben wollte.

„Wenn ich es sage", gab Penor Rinpoche mit Nachdruck zu verstehen.

Da gab Jetsünma auf.

Eines Tages, als der Mond an einem bestimmten Platz am Himmel stand, rief Penor Rinpoche sie zu sich und sagte: „Nun bin ich bereit, Ihnen Ihren Namen zu geben."

Daraufhin schrieb er ihren spirituellen Namen auf ein Stück Papier, machte daraus eine Schriftrolle, versah diese mit seinem persönlichen Siegel und überreichte sie ihr, eingewickelt in eine weiße *katag*, einen Schal, den man anderen als Ausdruck seiner Verehrung überreicht. „Das ist Ihr Name: Ahkon Lhamo", sagte er.

Keine apokalyptische Vision stellte sich ein, keine spontane Rückblende in eine andere Zeit, an einen anderen Ort, keine Erinnerung an einen anderen Körper. Nicht einmal ein Schock oder ein Gefühl der Überraschung – nur die Empfindung tiefster Vertrautheit.

„Ich hatte ein intensives Déjà-vu-Erlebnis", erinnert sich Jetsünma an diese Begebenheit. „Ich spürte eine starke Verbindung zu diesem Namen und bat ihn, ihn noch einmal auszusprechen. Es klang wirklich wie Musik in meinen Ohren."

Mit Hilfe seines Übersetzers gab der Lama dann die folgenden eindrucksvollen Worte von sich: „Hiermit erkenne ich Sie an als die Schwester von Kunzang Sherab. Sie hieß Ahkon Lhamo. In jenem Leben gründete sie zusammen mit Kunzang Sherab die Palyul-Tradition. Ich erkenne Sie als ihre Wiedergeburt an."

Und mit diesen wenigen einfachen Sätzen gab Penor Rinpoche eine sinnvolle Erklärung für das außergewöhnliche Leben, das Jetsünma sich aufgebaut hatte, und ihre ansonsten unbegreiflichen Fähigkeiten. Das war schließlich die offizielle Erklärung dafür, was eine Frau ohne jede buddhistische Ausbildung, ohne Bücher über den tibetischen Buddhismus, ohne Lehrer und irgendein äußeres Vorbild, dem sie nacheifern konnte, veranlaßt hatte, Jahre allein in strenger Meditation zu verbringen und dabei schließlich nicht nur tiefe Weisheit zu entwickeln, sondern auch den Wunsch und die Fähigkeit, anderen zur Erfüllung ihres spirituellen Potentials zu verhelfen.

Bevor sie ihre Bodhisattva-Gelübde ablegte, hatte sie Penor Rinpoche von ihrem eigenen Gelübde erzählt, das sie ihren Schülern beigebracht hatte: „Ich widme mich der Befreiung und Errettung aller fühlenden Wesen. Ich bringe meinen Körper, meine Rede und meinen Geist dar, um die Ziele aller fühlenden Wesen herbeizuführen. Ich werde in jeder Form und unter allen möglichen ungewöhnlichen Umständen wiederkommen, wenn es nötig ist, um dem Leiden ein Ende zu setzen. Möge ich zu unvorhersehbaren Zeiten, an mir bisher unbekannten Orten geboren werden, bis alle fühlenden Wesen aus dem Kreislauf von Tod und Wiedergeburt befreit sind.

Kostbarer Buddha, mache aus mir ein reines und vollkommenes Werkzeug, mit dessen Hilfe das Ende von Leiden und Tod in all seinen Formen herbeigeführt werden kann, ohne Rücksicht auf meine Bequemlichkeit und Sicherheit zu nehmen. Lasse mich vollkommen erwachen, zum Wohle aller Wesen, und mögen dann allein durch meine Hand und mein Herz alle Wesen die vollständige Erleuchtung und die vollkommene Befreiung erlangen."

Penor Rinpoche hatte sich in unverhohlener Heiterkeit vor und zurück gewiegt und sich voller Freude auf die Schenkel geschlagen. Jetsünma hatte fast wörtlich jene Worte wiederholt, die auch die tibetischen Lamas benutzen – ein erneuter Beweis ihrer wahren Identität.

Er überreichte ihr ein weiteres Zertifikat, in dem er ihr die Lehrbefugnis erteilte. „Das ist wichtig für Sie", sagte er. „Die Leute werden sagen, daß Sie das Dharma nicht studiert haben und noch nie jemand etwas über Sie gehört hat. Sie werden nicht verstehen. Mit diesem Papier in der Hand wird niemand bezweifeln, daß sie fähig sind, andere im Dharma zu unterweisen."

Penor Rinpoche erzählte Jetsünma noch ein wenig von ihrer berühmten „Vorfahrin". Die erste Ahkon Lhamo sei eine direkte Schülerin des Terton Nyigyu Dorje, eines berühmten Entdeckers geheimer Unterweisungen, gewesen, erklärte er. Sie sei eine große Dakini gewesen und habe jahrzehntelang in Abgeschiedenheit meditiert. Nur gelegentlich sei sie aus ihrer Höhle gekommen, um ihrem Bruder im Kloster zu helfen. Ansonsten seien die Leute zu ihr gegangen und hätten um Heilung und Unterweisung gebeten.

Ich fragte Jetsünma, ob sie nicht neugierig gewesen sei, mehr über Ahkon Lhamo herauszufinden und ob sie sich noch irgendwie an die Yogini erinnerte, die um 1665 in Tibet gelebt hatte und die Gründerin eines heute noch existierenden religiösen Ordens gewesen war.

„Ich fand heraus, daß sie ziemlich wild gewesen sein muß", antwortete sie. „Sie wohnte oben in ihrer Höhle und sah ziemlich heruntergekommen aus – ihre Haare standen wirr in alle Richtungen", sagte sie, wobei sie auch auf ihr eigenes widerspenstiges Äußeres anzuspielen schien. „Sie war eine verrückte Yogini. Einige Dinge ändern sich nie! In der Höhle gab es natürlich kein Wasser, also badete sie sich nicht. Ihre Kleider verrotteten an ihrem Körper. Aber die Leute sagten, es habe stets nach Parfüm gerochen, wenn sie die Yogini in ihrer Höhle besuchten. Penor Rinpoche erzählte mir, die Leute hätten ihr Türkise, Gold und Korallen geben wollen, sie aber habe stets abgelehnt. Wahrscheinlich hielt sie sich zurück, weil sie auf Geschenke wartete, die sie wirklich gebrauchen konnte, wie zum Beispiel einen Fön! Vermutlich wartete sie darauf, daß ihre Höhle an die Stromversorgung angeschlossen wurde, damit sie Zentralheizung haben konnte!", scherzte sie.

„Und zu meinen Erinnerungen: Ich spreche nicht gerne über meine inneren Erfahrungen. Ich kann Ihnen sagen, daß mir einiges bewußt ist, aber mein Erinnerungsvermögen ist ziemlich löcherig, wie Schweizer Käse. Ich *bin* neugierig. Ich möchte gerne nach Tibet zurückgehen und die Höhle besichtigen, in der sie praktiziert hat. Jaltrul Rinpoche, der die Wiedergeburt von Kunzang Sherab ist und nun in Oregon lebt, sagte, er habe sich bei einem Besuch in Tibet an vieles erinnert. Irgendwie scheinen die Kanäle dort durchlässiger zu sein."

Es gibt zumindest ein konkretes Verbindungsstück zwischen dem heutigen Bodhisattva, dem Mädchen aus Brooklyn, und der tibetischen Yogini aus dem siebzehnten Jahrhundert, die eine buddhistische Übertragungslinie mitbegründet hatte. Ahkon Lhamos Schädel, oder zumindest ein Teil davon, existiert noch. Ein unverkennbarer Hauch von Heiligkeit umgibt ihn. An einer Seite ist die heilige Silbe ‚AH‘ eingeritzt.

Dazu wird folgende Geschichte erzählt: Als die erste Ahkon Lhamo verschieden war, errichtete man eine Feuerstätte und legte ihren Körper darauf, um ihn zu verbrennen. Als der letzte Überrest ihres Fleisches verbrannt war, erhob sich der Schädel vor Hunderten von Leuten in die Luft, flog ungefähr eine Meile und landete schließlich im Palyul-Kloster zu Füßen ihres Bruders Kunzang Sherab. Man betrachtete das als den letzten Beweis für Ahkon Lhamos spirituelle Kräfte und Fähigkeiten. Die große Dakini, die schon vorher aufgrund ihrer vielen Wundertaten berühmt geworden war, hatte nochmals ihre wahre Größe gezeigt.

Der Schädel wurde zu einer hochgeschätzten Reliquie und diente von da an als *kapala*, ein Behälter für Nektar, den man während religiöser Zeremonien benutzte. Er blieb unversehrt erhalten, bis die Chinesen während ihrer Invasion in der Mitte des zwanzigsten Jahrhunderts alles in Stücke hackten, was religiöse Bedeutung hatte, also auch die kostbare *kapala* im Palyul-Kloster. Ein Laie sah ein Stück des Schädels in einem Scherbenhaufen liegen, versteckte es unter seiner Kleidung und brachte es in Sicherheit. Penor Rinpoche selbst hatte erst wenige Jahre zuvor erfahren, daß wenigstens ein Teil der heiligen Reliquie erhalten geblieben war.

Dann war eine große Zeitspanne verstrichen – von 1660 bis 1949, dem Geburtsjahr der heutigen Jetsünma Ahkon Lhamo. Ich stellte ihr die gleiche Frage, die ich Tenzin Sherab gestellt hatte: Welche Leben hatte sie ihrer Meinung nach in dieser Zeitspanne hinter sich gebracht?

„Ich glaube, daß es noch viele Inkarnationen gegeben hat. Penor Rinpoche erzählte mir, daß die Tibeter sich jedoch nicht um die Wiederauffindung der Frauen bemühen – nicht weil sie Vorurteile gegen die Weisheit der Frauen haben, im Gegenteil, Dakinis werden als die ur-

sprünglichen Weisheitswesen angesehen und sehr hoch geachtet. Aber
Dakinis waren im allgemeinen keine Linienhalter. Sie verbrachten ihr
Leben mit spirituellen Übungen in der Einsamkeit. Penor Rinpoche sagt,
es habe in der Zwischenzeit viele Inkarnationen gegeben, und ich bin der
gleichen Überzeugung."

Aber diese jetzige Wiedergeburt, die amerikanische Frau, die es ‚auf
ihre Art' macht – wie sie es wohl schon immer getan hatte – war diejenige, die die Aufmerksamkeit vieler Menschen auf sich zog. Jetsünma
verließ die Vereinigten Staaten als verheiratete Frau, Mutter zweier
Kinder und Lehrerin für New-Age-Metaphysik mit einem Hang zur
weltumspannenden Fürsorge und kam als anerkannter Tulku, als wieder-
geborener weiblicher Lama, zurück. Ihre Schüler mußten sich auf diese
veränderte Situation einstellen. Schüler einer Frau zu sein, mit der sie wie
mit ihresgleichen umgingen, hatte ihnen keine Probleme bereitet, aber
nun mußten sie sich mit einer Lehrerin abfinden, die nicht nur ‚Buddhistin' geworden war, sondern deren neuer spiritueller Rang ihr auch eine
völlig andere soziale Stellung verlieh. Bestimmte Umgangsformen waren
nun einzuhalten; die Vorstellungen, die sie bereits gelernt hatten, mußten
in eine neue Sprache gekleidet werden, und die äußeren Formen einer
alten und etablierten ‚Religion' aus dem Osten waren zu akzeptieren.
Einige Schüler sprangen ab, die meisten standen jedoch diesen Wand-
lungsprozeß durch.

Alle Zweifel, die sie möglicherweise noch an der Authentizität des
neuen, hohen Tulku-Status ihrer Lehrerin gehegt hatten, wurden ihnen
spätestens beim zweiten Besuch Penor Rinpoches im Jahre 1988 restlos
genommen. Mit zwölf Mönchen als Begleitung kam er nach Poolesville
und gab allen Mitgliedern des KPC die vollständigen Unterweisungen des
großen Padma Sambhava. Er tat dies zum allerersten Mal, und diese Folge
von Unterweisungen war in diesem Jahrhundert überhaupt erst fünfmal
gegeben worden. Besser hätte er Jetsünmas Qualifikationen nicht bestätigen können.

Dann folgte die offizielle Inthronisation der Jetsünma Ahkon Lhamo.
Die Medien bekamen Wind von dieser neunundreißigjährigen Frau, die
als Reinkarnation einer berühmten tibetischen Yogini anerkannt worden
war. Journalisten und Fernsehteams überfluteten das KPC. „Treffen Sie
Ahkon Norbu Lhama, eine tibetische Heilige", prangte es auf der Titel-

seite der *International Herald Tribune.* „Die unerwartete Reinkarnation", verkündete die *Washington Post.* Sie wurde in der recht populären Zeitschrift *People* vorgestellt. Führende japanische und deutsche Zeitschriften veröffentlichten Artikel über sie. Damals muß wohl auch meine eigene auf gute Geschichten geeichte journalistische Antenne die Wichtigkeit dieser Ereignisse erkannt und sie für späteren Gebrauch abgespeichert haben.

Skeptiker mögen annehmen, die Frau, die jetzt allgemein als Jetsünma Ahkon Lhamo bekannt geworden war, müsse nach diesem ersten Auftritt auf der Weltbühne im Jahre 1988 in Ruhm und Geld geschwommen haben. Nichts könnte von der Wahrheit weiter entfernt sein. Sie hatte alle Hände voll zu tun, ein großes Zentrum finanziell zu unterhalten und stand nun noch dazu im Rampenlicht des öffentlichen Interesses. Das war keineswegs das, was sie sich vorgestellt hatte, als sie den Sinn ihres Lebens darin zu sehen begann, anderen jene tiefen spirituellen Wahrheiten zu vermitteln, die sie für sich entdeckt hatte. Auf die Frage, ob sie es genieße, die anerkannte Wiedergeburt eines weiblichen Lamas zu sein, erhielt ich eine recht deutliche und eindrucksvolle Antwort.

„Ich hasse es! Das ist nicht die Art von Leben, die ich mir gewünscht habe. Ganz und gar nicht!" erklärte sie. „Der Tag meiner Inthronisation war in vieler Hinsicht der Tag, an dem ich ins Gefängnis gesteckt wurde. Ich bin eigentlich ein *sehr* eigenbrötlerischer Mensch. Wenn ich mein Haus mit Türmen versehen könnte, in denen Wachen stehen, die jeden wegschicken, der sich nähern will, würde ich das tun. Diese Anerkennung hat mein Dasein ruiniert. Von meiner Persönlichkeit her bin ich nicht für so eine Position geeignet. Nun repräsentiere ich das Dharma. Ich liebe das Dharma aus tiefstem Herzen, es ist mein Lebenselixier, aber ich möchte nichts mit der Dharma-Szene zu tun haben. Überall, wo ich hingehe, beurteilen die Leute das Dharma aufgrund meines Benehmens, also versuche ich nun oft, irgendwohin zu gehen, wo mich niemand kennt. Dann kann ich mich entspannen. Ich könnte jetzt dauernd andere Zentren besuchen, und man würde mich dort sehr gut empfangen, aber ich tue es nicht. In meinem Leben geht es um Mitgefühl. Das ist das einzige, was mich interessiert." Ein ehrlicher Aufschrei, der wahrlich von Herzen kam!

Als Penor Rinpoche sie anerkannt hatte, hatte sie angeboten, sich die Haare abzuschneiden und Nonne zu werden, Penor Rinpoche hatte das aber nicht befürwortet. „Er sagte, ich könne so wie ich bin mehr Menschen erreichen. Ich ziehe es auch vor, normal behandelt zu werden", fuhr sie fort. „Ich sehe gerne wie eine westliche Frau meines Alters aus, ziehe mich gerne normal an und denke gerne normal. Vor meiner Begegnung mit Penor Rinpoche habe ich versucht, meine Arbeit auf eine demokratische Basis zu stellen. Für mich waren ‚wir' die Meditationsgruppe, und unser Gebet für die Welt war die Energie, der Dynamo, der uns verband. Ich glaube an Gebete. Damals war alles viel demokratischer – meine Person stand nicht so sehr im Mittelpunkt.

Jeden Tag wünsche ich mir, daß die Dinge wieder so werden. Ich habe bereits so viel Verantwortung wie möglich an andere abgegeben. Ich finde, alle sollten stark sein", fügte sie hinzu.

Im Lichte solcher Gefühle fragte ich mich, warum sie sich denn den tibetisch-buddhistischen Mantel umgehängt hatte. Schließlich hatte ihr eigener Weg auch sehr gut funktioniert, als sie sich noch zu keiner bestimmten Religion, keinem bestimmten Pfad bekannt hatte. Als westliche Frau hatte sie selbständig ihre eigenen Wahrheiten gefunden, die ihre besonderen Merkmale trugen. Warum hatte sie sich äußerlich den Formen des tibetischen Buddhismus angepaßt? Ich wollte von ihr wissen, ob da eine Art Kidnapping stattgefunden hatte.

Jetsünma freute sich sichtlich über diese markige Frage. Ihre Augen begannen zu funkeln, und sie wurde mit einem Mal recht lebhaft.

„Das Dharma hat uns in vieler Hinsicht geholfen", antwortete sie. „Ich hatte wirklich ein Problem mit meinen Schülern. Ich hatte gedacht, ich hätte meine spirituellen Fortschritte schrittweise gemacht, bis ich vor einigen Jahren erkennen mußte, daß ich einige Quantensprünge hinter mich gebracht hatte. Mir wurde klar, daß ich in spiritueller Hinsicht unbemerkt von einem Ort zu einem anderen Ort der Kraft gegangen war, etwa von A nach M. Aber meine Schüler konnten nicht von A nach M springen, nicht einmal von A nach D. Meine Schüler mußten die einzelnen Schritte nacheinander gehen – A, B, C, D. Ich persönlich konnte ihnen jedoch nichts über diese Schritte sagen, da ich sie in diesem Leben nicht zurückgelegt hatte. Ich hatte nur den Raum. Das Dharma hat mir eine Methode an die Hand gegeben."

Sie führte ihre Ansicht noch weiter aus. Sie hatte versucht, ihren Schülern die Chöd-Meditation beizubringen, bei der man die verschiedenen Körperteile zum Wohle aller darbringt. Die Schüler versuchten es, waren darin aber nicht so erfolgreich, wie Jetsünma es gewesen war. „Viele schliefen ein!" sagte Jetsünma. „Ich konnte es nicht glauben! Ich erinnerte mich daran, wie lebendig und anrührend die Meditation damals auf meiner Farm für mich gewesen war. Ich mußte jedes Mal weinen. Ich sagte zu meinen Schülern: ‚Geht zurück und macht die Übung so lange, bis euch Tränen in die Augen treten.' Sie gingen nach Hause und als sie wiederkamen, sagten sie: ‚Ich bin eingeschlafen.' Für sie geschah einfach nichts, und ich wußte nicht, wie ich das ändern sollte."

„Ich glaube nicht, daß ich ohne Dharma, ohne dessen Methodik, die gleichen Resultate erreicht hätte", sagte sie.

Und doch fühlt sie sich in mancher Hinsicht verwirrt von dem großen Gebäude mit all seinem tibetischen Putz, das doch ihre eigene Kreation ist. Manchmal, so sagt sie, schaue sie sich ihr großes Haus und die große Gemeinschaft ordinierter Mönche und Nonnen an, die sich um sie versammelt haben – und sei einfach nur verwundert.

„Ich frage mich, wie das alles geschehen konnte. Von meiner Persönlichkeit her bin ich überhaupt nicht für ‚Religion' zu haben – ich finde Rituale und Dogmen sehr anstrengend. Auch die festgelegten Umgangsformen sind etwas sehr Verwirrendes für mich. Bis zum heutigen Tag komme ich mit gewissen Dingen nicht zurecht. So etwas kam in meiner Erziehung nicht vor!" gestand sie.

Und mit leiser Stimme: „Ich würde mich lieber ganz einfach in irgendeine Höhle zurückziehen und nur noch üben. Ich wäre lieber ein ganz normaler Mensch, dessen Hauptanliegen im Leben Mitgefühl ist. Wenn ich mich zu einer Religion bekennen müßte, würde ich es dem Dalai Lama gleichtun und sagen, meine Religion sei Mitgefühl. Das ist das einzige, was mich interessiert", wiederholte sie.

„Und obgleich ich so etwas sage, weiß ich doch, daß Dharma die einzige wirkungsvolle Methode in einer Welt wie der heutigen ist. Es funktioniert! Es entsteht aus dem Geist des Erwachens und führt zum Erwachen. Der Same und die Frucht sind Teile des Pfades", sagte sie, den Glanz der Überzeugung in den Augen. „Und daher muß ich es tun."

Als ich sie so ansah und ihre Worte hörte, schien mir Jetsünma Ahkon Lhamo auf der Brücke zwischen zwei unterschiedlichen Kulturen, zwei

Denkweisen, zwei Seinsweisen zu stehen. Sie war wie ein Baum, dessen Wurzeln fest in der einsiedlerischen, mystischen Tradition des Ostens verankert waren, während seine Zweige im Westen Blüten und reichlich Früchte trugen. Trotz dieser seltsamen inneren Spaltung war sie sich überraschend klar über ihren Weg und ihr Ziel in diesem Leben.

„Ich werde Ihnen sagen, was meiner Meinung nach geschehen wird. Die Rituale und Methoden werden in ihrer reinen Form praktiziert werden, zumindest in meinem Tempel. Die Unterweisungen werden nicht um ein Jota abgeändert werden. Aber sie werden sich genau so verändern, wie der Buddhismus sich bei seiner Ausbreitung nach Burma, Thailand und China verändert hat. Wir werden unsere eigene Ausprägung entwickeln.

Ich glaube auch, daß wir uns mit der Zeit mit dem Buddhismus noch wohler fühlen werden. Zur Zeit sind wir immer noch sehr verspannt und ‚artig‘, wie alle neu Konvertierten. Ich habe einige alte tibetische Mönche getroffen, die so ausnehmend freundlich waren! Sie umarmen die Leute, haben ein wirklich gewinnendes Wesen und nehmen die Dinge überhaupt nicht so todernst. Aber das kommt erst mit der Zeit, wenn eine schon länger etablierte Religion zur Reife kommt. Ich glaube, auch bei uns wird das irgendwann so sein; im Moment sind wir jedoch noch ein wenig steif. Wir sind auch in die Roben vernarrt und sammeln Lamas wie Kerben am Gürtel. Das ist lächerlich. Wenn man einen Lehrer findet, der die Fähigkeit besitzt, den eigenen Geist zur Reife zu bringen, sollte man bei diesem Lehrer bleiben, dann lernt man etwas. So einfach ist das.“

Da war etwas, was mich aufhorchen ließ. Bei meiner eigenen Reise in die Gefilde der Wiedergeburt ging es mir genau um diese Fragen.

In welchem Maße war sie sich des großen Experiments bewußt, das hier offensichtlich vor sich ging – der Übertragung der heiligen esoterischen Wahrheiten aus den geheimen Höhlen in Tibet zu den Marktplätzen Amerikas und des Westens? Und wußte sie, welches ihre eigene Rolle in diesem Schauspiel war? Offensichtlich tat sie das, obgleich sie in ihrer Wortwahl jeden Bezug zu ihrer eigenen Person vermied.

„Die Reinkarnation der Tulkus in den westlichen Ländern ist eines der allerwichtigsten Dinge für das Dharma im Westen. Selbst sehr bedeutende tibetische Lamas, die hierhergekommen sind, um die westlichen Menschen und ihre Denkweise zu verstehen, können oft die Unterschiede nicht ganz überbrücken. Bestimmte Dinge, die wir tun, werden von den

Lamas falsch interpretiert, und auch wir verstehen vieles falsch. Ich habe das immer wieder beobachtet. Sie mögen die großartigsten Lehrer sein, oft aber wissen sie nicht, wie sie die Dinge so ausdrücken können, daß sie für uns verständlich werden, und daher kapieren wir sie einfach nicht.

Meiner Meinung nach wäre es jetzt wirklich wichtig, daß sich mehr Tulkus im Westen inkarnieren. Ich bete Tag und Nacht dafür. Ich bin sicher, dieser Prozeß ist bereits im Gange. Ich glaube, wir bekommen allmählich Kinder zu Gesicht, die lehren können."

Hier war die Rechtfertigung für alle meine Forschungen, meine Reisen. Jetsünma hatte das in Worte gefaßt, was ich und einige andere vermutet hatten, daß es wirklich einen Plan gab, die Wahrheiten eines lebendigen Buddhismus in den Westen zu bringen, und daß die westlichen Tulkus wie Lama Ösel und sie selbst Boten dieses Prozesses waren.

Ich begriff, welch hervorragende Gelegenheit mir das Zusammensein mit Jetsünma bot, meine Fragen über Reinkarnation und Karma aus westlicher Perspektive zu stellen. Hier war schließlich eine Frau meiner Muttersprache, die die Probleme des westlichen Geistes im Angesicht solcher Mysterien verstand und doch offensichtlich in hohem Maße Meisterschaft über deren Gesetzmäßigkeiten erlangt hatte.

„Der Buddha erklärte es ungefähr so", begann sie. „Es wäre unsinnig, von einem Hellseher zum nächsten oder auch zu irgendwelchen großen Lehrern zu laufen, um herauszufinden, wer man in seinem letzten Leben war. Man muß dazu nur in den Spiegel schauen. Wenn Sie ein angenehmes Leben haben, zeigt das, daß Sie in der Vergangenheit nett zu anderen waren. Wenn Sie bei guter Gesundheit sind, ist das ein Zeichen, daß Sie früher andere geheilt oder ihnen geholfen und ihr Leben gerettet haben. Wenn sie wohlhabend sind, waren Sie irgendwann in der Vergangenheit anderen gegenüber großzügig. Wenn Sie einsam sind und sich nach Liebe und Anerkennung sehnen, waren Sie irgendwann früher einmal selbst nicht gütig oder liebevoll zu anderen. Wenn Sie arm sind, waren Sie nicht großzügig. Wenn Sie nicht so gut aussehen, waren Sie in der Vergangenheit nicht treu und tugendhaft in bezug auf körperliche Dinge.

Karma ist eigentlich etwas sehr Einfaches. Der Inhalt unseres Geistes tritt ständig in Form unseres Lebens zutage. Es gibt eine Ursache für jedes einzelne Resultat, dem wir ausgesetzt sind, und diese Ursache liegt in unserem Bewußtseinsstrom", sagte Jetsünma.

„Manchmal ist es nicht so leicht, diese Dinge zu akzeptieren", räumte sie ein. „Auch mir fällt das manchmal schwer. Ich habe einen Freund, den ich erst kürzlich wieder einmal traf, der meiner Meinung nach schrecklich leidet. In meinem Herzen trauere ich richtig um ihn. Und irgendwie halte ich ihn für ein Opfer. Er wurde als Kind mißbraucht, und ich weiß, wie viele Male er in seinem Leben größte Schwierigkeiten ertragen mußte. Man gerät leicht in die Falle zu glauben, wir könnten grundlos Leiden ausgesetzt sein, wir seien irgendwie Opfer, uns seien irgendwelche Dinge passiert, für die wir eigentlich nicht verantwortlich sind; wir halten uns für ‚unschuldig'. Aber das ist nie der Fall."

„Das Problem ist", fuhr sie fort, „daß wir nur ein Kontinuum sehen können, das mit unserer Geburt begann. Und selbst daran können wir uns nicht erinnern. Aber dem Buddha zufolge leben wir seit anfangsloser Zeit und haben schon viele Leben hinter uns gebracht – unzählige Leben in allen möglichen Gestalten. Damals hielten wir uns bereits für ein ‚Ich'. Der Buddha spricht von anfangsloser Zeit. Unsere Geschichte geht also buchstäblich zurück zu einer Zeit jenseits unseres Geistes. Wir können nicht wissen, wieviele Zutaten wir gegenwärtig in unserer karmischen Suppe haben. Im Augenblick sehen wir nur eine kleines Stück unseres Bewußtseinskontinuums aus einem bestimmten Stadium in diesem Leben, und wir erkennen nicht alle Faktoren, die mitspielen. Das hält uns von spiritueller Aktivität ab. Wenn wir das ganze Bild sehen könnten, hätten wir keine Probleme, uns mit Haut und Haar ins Dharma zu stürzen, schwitzend und mit rollenden Augen", sagte sie lachend.

Sie grübelte über das Thema Wiedergeburt nach und darüber, wie man es am besten erklären könne.

„Karma *scheint* etwas sehr Kompliziertes zu sein, aber eigentlich folgt es sehr einfachen Gesetzmäßigkeiten. Es ist Ursache und Wirkung. Die Faktoren, gegen die wir am meisten ankämpfen müssen, deren wir uns aber oft nicht einmal bewußt sind, sind unsere Gewohnheiten. Diese basieren wiederum auf unserem Karma. Wir waren immer wieder nachlässig und faul. Wir verhielten uns immer wieder unheilsam. Das ist uns zur Gewohnheit geworden. Eine Katze wird als Katze geboren, weil sie ein gewohnheitsmäßiger Jäger ist. Sie hat einen natürlichen Hang dazu. Dagegen müssen wir ankämpfen. Wir müssen uns unserem Lehrer hingeben, dem Dharma hingeben und sagen: ‚Ich erkenne, daß ich völlig unter dem Einfluß meiner Gewohnheiten stehe. Zeigen Sie mir den Weg. Sagen Sie mir, was ich tun soll, so daß ich mich befreien kann.' "

Solange wir unsere Gewohnheitsmuster nicht unter Kontrolle hätten, führte sie weiter aus, hätten wir absolut keine Kontrolle über unsere Wiedergeburt. Wir seien den in unserem Bewußtseinsstrom eingeprägten Gewohnheiten völlig ausgeliefert – wir würden in Leben hineingeworfen, die unser früheres Handeln widerspiegeln.

„Solange wir unsere Wiedergeburt nicht selbst bestimmen können, haben wir überhaupt keine Kontrolle darüber, in welches Leben wir nach unserem Tod hineingeworfen werden. Die Leute denken, Wiedergeburt stelle einen Ausweg dar, aber Buddhisten kommt die Vorstellung, nach dem Sterben in den Himmel einzugehen, wie ein glücklicher Ausweg vor. Wenn wir annähmen, das wäre das Ende der Reise, würden wir ins ‚Halleluja' einstimmen!"

Ich fragte: „Ist unser Problem nicht auch das, daß wir unsere gegenwärtige Glückserfahrung für das Größte halten? Wenn wir die Art von Glück erfahren könnten, die der Buddha beschreibt, wenn wir einmal einen Vorgeschmack davon gehabt hätten, würden wir uns dann immer noch mit den Zielen abgeben, die wir momentan verfolgen?"

„Genau", sagte Jetsünma. „Unser Geist ist so betrunken. Wir sind alle drogensüchtig. Wir brauchen immer neue ‚Kicks', neue Erfolge, neuen Wirbel. Wir haben die Gewohnheit, immer wieder geboren zu werden, weil wir diese Reize brauchen. Selbst in diesem Leben nehmen wir uns keine Zeit für unsere Übungen, weil wir immer neue Reize wollen. Wir haben ein hyperaktives Bewußtsein."

„Wir halten dieses Herumwirbeln, diese Hyperaktivität für Glück. Aber eigentlich ist es folgendermaßen", fuhr sie fort. „Wenn wir unsere Selbstversunkenheit nur für einen Moment beenden könnten – nur einen Moment ohne Verlangen, Größenwahn, Anhaften, einen Moment reiner, offener Weite erführen – würden wir uns nie mehr nach etwas anderem sehnen. Wenn wir nur einen Augenblick lang diese Erfahrung gekostet hätten, würde sich alles verändern." Sie hielt inne. „Wenn wir einen Augenblick lang reines glückseliges Gewahrsein erführen, verstünden wir alles. Das wäre die Geburt der Weisheit."

Das war Jetsünma, die Lehrerin, die Überbringerin spiritueller Wahrheiten. Das war die Autodidaktin, die Wiedergeborene, die sich selbst in den Hintergrund stellte und versuchte, ein möglichst normales Leben zu führen. Aber was war mit dem Menschen Jetsünma? Die Schüler, die sie schon am längsten kennen, zweifeln nicht an ihrer Kraft und wissen, was sie zu geben hat.

Wib Middleton erzählt: „Ich kann sagen, daß ich in den dreizehn Jahren unserer Bekanntschaft niemals etwas anderes in ihrem Verhalten entdeckt habe als den Wunsch, anderen Menschen zu helfen und ihren Leiden ein Ende zu setzen. Es ist, als wäre auf ihrem Mikrochip nichts anderes gespeichert. Sie hat kein Programm für irgendein anderes Benehmen. Wenn man ihr zuschaut, bei dem, was sie tut, kann man nur eines denken: 'Das ist wirklich bemerkenswert.'

Für mich ist sie eine wirklich bedeutende Inkarnation. Tibetische Lamas, die hierherkommen, sagen: ,Ihr begreift gar nicht, wen ihr hier habt.' Und Mönche sagen mit Hochachtung in der Stimme: ,Sie ist eine Manifestation von Tara.' Damit wollen sie sagen, daß sie eine Ausstrahlung der erleuchteten Aktivität des Buddha ist. Sie kann auch weissagen – eine sehr seltene Gabe. Wegen all dieser besonderen Merkmale, die man an ihr beobachten kann, ist sie eine wirklich wundervolle Person. Wir westlichen Menschen finden es schwierig, das Außergewöhnliche in ihr zu sehen. Wir sind mehr gefordert, weil sie eine Frau ist und kein älterer tibetischer Mönch. Sie ist ein westlicher Mensch, sie schminkt sich und zieht sich an wie eine ganz normale westliche Frau. Aber die Qualität der Lehrer und der Unterweisungen, mit denen wir hier in Kontakt kommen, beweist, welch reiner Lama sie ist.

Ihr Haus steht direkt hinter dem Tempel, dort wohnt sie mit ihrer Familie. Tagsüber meditiert sie viel. Ich glaube, sie arbeitet ununterbrochen – natürlich nicht so, wie wir das kennen, wenn wir irgendwo eine Arbeit annehmen. Für sie gibt es keinen Augenblick, in dem sie nicht in Kontakt mit den fühlenden Wesen steht – dieser Kontakt ist nicht immer körperlicher Natur, sie widmet sich jedoch ohne Unterlaß dem Leid der Lebewesen. Sie weiß zum Beispiel, wenn jemand, der meilenweit weg ist, sie sprechen muß. Oder sie sieht plötzlich, daß jemandem aus ihrem Bekanntenkreis Gefahr droht. Einfach zu sagen, sie sei hellsichtig, trifft nicht den Kern der Sache. Ich kann nur sagen, daß sie ständig für andere wirkt. Sie ist eine gute Hirtin, wenn man es in einem christlichen Bild ausdrücken möchte."

Andere beschreiben sie als eine Frau mit vielen Facetten und mannigfaltigen Talenten. Sie erzählen von ihren Kochkünsten, ihrer Vorliebe für Vampir-Filme, ihrem leidenschaftlichen Hang, Kleider zu kaufen (und sie dann zu verschenken). Sie sagen, sie halte sich wie alle guten Amerikaner fit und habe ihr Heimtraining-Fahrrad und ihre Hanteln sogar schon mit in die Klausur genommen. Sie sagen, sie sei spontan und modern, könne singen und komponieren. Sie sagen, sie sei ungeheuer witzig, habe einen ausgeprägten Sinn für Humor und könne sich manchmal recht unerhört verhalten. (Ich bekam eine Ahnung davon, als ich ein Fotoportrait von Jetsünma sah, das an der Pinnwand im Eßzimmer hing, auf dem sie schelmisch mit den Augen zwinkerte.)

Sie sprechen von ihrer schamanischen Natur und sagen, sie besuche die Hopi-Indianer und mache Gebetsarbeit mit ihnen. Und natürlich liebe sie Kinder. Das war auch für mich offensichtlich. Unter all den tibetisch-buddhistischen Zentren, die ich je besucht hatte, war das KPC das einzige mit einem Raum zum Spielen und einem Kinderhort. Jetsünma versammelt Kinder um sich und erklärt ihnen die grundlegenden Wahrheiten des Buddha. Sie spricht dabei beispielsweise über die Güte und die zerstörerische Kraft von Ärger und Gier. Das ist eine ihrer Lieblingsbeschäftigungen. Sie nennt die Kinder ihre ‚kleinen Praktizierenden‘ und sagt, sie gehörten zu ihren besten Schülern.

Nirgends kommt das Ausmaß ihrer Kreativität und ihr Ideenreichtum aber deutlicher zum Ausdruck als in dem nach ihren Plänen entworfenen Garten, der in der Nähe des Zentrums auf der gegenüberliegenden Straßenseite liegt. Dank ihrer einzigartigen visionären Gabe hat sich dieses Stück Land in eine Welt der Magie und Schönheit verwandelt und ist nun der Öffentlichkeit zugänglich. Man geht durch ein Tor und betritt ein Natur-Mandala. Pfade unterteilen es in Abschnitte, den Roten Garten, Grünen Garten, Blauen Garten und Gelben Garten. Es ist so angelegt, daß man im Uhrzeigersinn herumgeht und dabei heilige Objekte umrundet, die Jetsünma an bestimmten strategischen Orten angebracht hat. Zwischen den Bäumen dieses Gartens trifft man auf schweigende Buddhas in tiefer Versenkung; in der Mitte einer grasbewachsenen Lichtung entdeckt man auf einem Steinsockel einen riesigen Kristall; in kleinen Winkeln stößt man auf tibetische Gebetsmühlen, die, wenn man sie in Schwung versetzt, Tausende von Gebeten für das Wohl aller Lebewesen in alle

Richtungen aussenden. In einer anderen Ecke befindet sich ein kleiner Bach, an dessen Ufer Irise wachsen, und ein Aussichtspunkt, wo man sich hinsetzen und in die friedliche Stimmung versenken kann.

Beim Weitergehen erblickt man acht großartige weiße Stupas, Bauwerke, die für den erleuchteten Geist des Buddha stehen. Jede der Stupas symbolisiert eines der acht richtungsweisenden Ereignisse im Leben des Buddha. In der Mitte dieser Bauwerke ist eine größere, etwa 6 Meter hohe Stupa, die Jetsünmas langem Leben gewidmet ist. Alle Stupas sind mit Gebeten und Mantras auf langen zusammengerollten Papierstreifen, mit heiligen Objekten, mit Gaben und kostbaren Reliquien gefüllt. Sie wurden gesegnet und strahlen nun eine heilige Kraft aus. Jetsünma möchte noch mehr Stupas bauen und unter anderem auch eine etwa 25 Meter hohe Statue von Tara, der Mutter aller Buddhas.

Wib sagt dazu: „Wenn Sie in Washington umherfahren, können Sie ungefähr zweitausend Statuen sehen, die den Krieg verherrlichen – Generäle auf dem Rücken ihrer Pferde etwa. Hier haben wir lebendige Denkmäler, die dem Frieden und der Toleranz, der Harmonie, dem reinen Leben, der Liebe und dem Mitgefühl gewidmet sind. Wir glauben, daß die Leute davon profitieren, auch wenn sie nur vorbeikommen, um sie sich einmal anzusehen. Selbst wenn sie nur einen kurzen Blick auf solch ein kraftvolles Objekt werfen, wird dadurch ihr Leben und ihre karmische Situation verändert, denn sie sind mit dem Dharma in Kontakt gekommen."

Nun stellte ich dieser bemerkenswerten Frau meine letzte Frage. „Was möchten Sie in diesem Leben erreichen?" wollte ich von ihr wissen.

„Es gibt so unglaublich viel, was ich erreichen möchte", gab sie mit ihrem typischen Lachen zur Antwort. „Mein Zentrum wird immer sehr buddhistisch sein, aber ich möchte gerne eine Art ‚Hochzeitskuchen-Phänomen' anbieten – mit verschiedenen Schichten, wobei jede Schicht eine andere Entfernung zum Zentrum hat. Es wird hier auch immer Platz für Nicht-Buddhisten geben", sagte sie. „Außerdem möchte ich einen Platz für Pilger schaffen. In diesem Land gibt es keine richtigen Pilgerorte, auf die sich die Amerikaner beziehen können, wenn sie Buddhisten sind, und wo sie den Geist des Buddha wirklich sehen und spüren können. So etwas würde ich gerne errichten.

Ich möchte auch ein Hospiz aufbauen, einen Ort, an dem Menschen, die dem Dharma vertrauen, betreut werden und auf rechte Weise sterben können – im Geiste ihrer Praxis und ohne daß ihnen Schläuche und andere Dinge überall hineingesteckt werden.

Ich möchte meine Schule erweitern, für Kinder, Buddhisten und Nicht-Buddhisten gleichermaßen, für jeden, der etwas über das Miteinander ohne Konkurrenzkampf sowie über Güte, Kooperation, die Kostbarkeit der Erde, das Gesetz von Ursache und Wirkung, Gleichmut und die ‚Berufung zur Liebe‘ erfahren will. Wir haben bereits mit der Arbeit daran begonnen.

Außerdem möchte ich ein Kloster für Mönche und Nonnen gründen, wo diese in einer Gemeinschaft leben können, besonders wenn sie Kinder aus der Zeit vor ihrer Ordination haben. Ich möchte ihnen dadurch helfen und ihnen auch Klausurplätze zur Verfügung stellen.

Auch eine tantrische Schule würde ich gerne aufbauen, damit die Leute eine gute Ausbildung in den Lehren des Buddha erhalten können. Ich habe ein wenig Angst, wissen Sie. Das Dharma ist zur Zeit vor allem in solchen Ländern verbreitet, deren politische Situation nicht gerade stabil ist. Ich weiß zwar, daß nichts beständig ist, aber in Amerika hat man einfach zur Zeit eine bessere Ausgangsbasis. Man kann hier ein Gefühl von Stabilität gewinnen, und ich glaube, wenn wir hier ein festes Zentrum bauen, wird das Dharma noch eine Weile gedeihen."

Sie hatte es gesagt. Der Grund für *ihre* Geburt, der Geburt eines Tulkus, ist einfach nur der, die Wahrheit des Buddha auf so vielfältige Weise wie möglich zu verbreiten, den anderen zu dienen und bei der Linderung der Schmerzen und Leiden der Menschheit mitzuwirken. Jetsünma Ahkon Lhamo erfüllte ihre Bestimmung offensichtlich bestens.

5

Rückkehr

Was geschieht bei der Reinkarnation? Wer genau sind diese westlichen Tulkus? Was tun sie hier, und wie haben sie die Meisterschaft über die Reinkarnation erlangt? Ich hatte die offizielle Version der Antworten auf diese Fragen von Lamas gehört, die sich an die strikte tibetische Auslegung hielten, aber nun interessierte mich die westliche Version. Professor Robert Thurman hat den einzigen Lehrstuhl für indotibetische buddhistische Studien an der *Columbia University* inne. Er ist ein ausgesprochen geistreicher und witziger Mann mit einer lauten Stimme und einer abwechslungsreichen Lebensgeschichte. Viele Jahre lang hatte er zu Füßen der großen Lamas in Dharamsala, der Heimat der tibetischen Exilregierung, gesessen und hatte dort fließend Tibetisch lesen und sprechen gelernt. Anschließend hatte er in Harvard seinen Doktortitel erworben. Ich fuhr nach New York, um mich mit ihm zu unterhalten, da ich annahm, daß niemand besser als er in der Lage war, komplexe östliche Vorstellungen in moderne westliche Worte zu fassen. Ich wurde nicht enttäuscht.

Wir saßen in seinem Büro im *Tibet House*, einem der Verbreitung der tibetischen Kultur gewidmeten Zentrum, dessen Präsident er damals gerade war. Das Getöse des New Yorker Verkehrs schallte von draußen herein, und wir unterhielten uns über die größten Mysterien dieser Welt. Ich fragte ihn ganz direkt, ob er tatsächlich an Reinkarnation glaube. Schließlich war er ein Mann von herausragendem Intellekt, ein Akademiker, ein Gelehrter. Wenn er glaubte, daß wir mehr als nur einmal leben und daß große Meister in unserer Mitte wiedergeboren werden können, hatte die Sache der Reinkarnation einen wirklich mächtigen Fürsprecher.

„Natürlich glaube ich daran", rief er aus. „Und ich glaube auch, daß es wesentlich mehr Inkarnationen im Westen gibt, als man bisher anerkannt hat. Zunächst einmal müssen wir zwischen Reinkarnation und Wiedergeburt unterscheiden. Wiedergeburt ist etwas Unwillkürliches. Alle Wesen im Daseinskreislauf – seien sie Menschen, Tiere, Höllenbewohner oder Götter – sind ihr unterworfen. Auf diesem Thanka an der Wand sind sie allesamt abgebildet", sagte er und zeigte dabei auf ein in leuchtenden Farben gehaltenes tibetisches Gemälde, eine Darstellung der verschiedenen Zustände, in denen wir geboren werden können. Ich kannte das Lebensrad: Bilder von Menschen in Umarmung, beim Gebären und beim Sterben, schauerliche Figuren, die schreckliche Folterungen ausführen, über Berghänge ziehende Tiere, Götter in verschiedenen schwelgerischen oder zänkischen Posen, die allesamt ein riesiges Rad bevölkerten, das seinerseits wiederum von Yama, dem Herrn des Todes, in seinen Fängen gehalten wurde.

„Bei der Wiedergeburt hat man keine Wahl. Die Wesen werden aufgrund von Triebkräften in diesen verschiedenen Zuständen geboren, die wiederum Teil eines Wirkungskreislaufs von Handlungen und ihren Auswirkungen sind", sagte er.

„Reinkarnation auf der anderen Seite bedeutet, daß ein Wesen, gewöhnlich ein Mensch, in diesem Kreislauf einen freien Willen entwickelt, indem es seine unwillkürlichen Handlungen und Impulse unter Kontrolle bringt. Solche Menschen können dann während des Übergangs vom Tod zur Wiedergeburt bewußt bleiben und dadurch die genauen Umstände ihrer Wiedergeburt auswählen. Im Mahayana-Buddhismus geht man davon aus, daß diese Fähigkeit zusammen mit der Buddhaschaft erworben wird. Das tibetische Wort *tulku* ist eine Übersetzung des Sanskrit-Begriffs *nirmanakaya*, auf Deutsch ‚Ausstrahlungskörper des Buddha‘ ".

Das rückte die westlichen Männer, Frauen und Kinder, denen ich begegnet war, in ein völlig neues Licht. Hatte ich tatsächlich mit Buddhas gesprochen? Der Gedanke schüchterte mich ein.

„Genaugenommen kann niemand reinkarnieren, der noch nicht Buddha ist", antwortete Bob Thurman. „Es gibt jedoch Wesen, die einen starken Wunsch haben zu reinkarnieren, um bestimmte Aufgaben zu erfüllen. Diese Absicht schiebt sie vielleicht dann gewissermaßen durch ihre anderen Triebkräfte hindurch, ein Prozeß, der jedoch weder völlig bewußt verläuft noch ganz zuverlässig funktioniert. Nun tauchen diese Tulkus allmählich hier auf, aber ich glaube, viele Menschen des Westens kommen gar nicht auf den Gedanken, daß sie Buddhas sein könnten. Sie denken, die Tulkus kommen nur ganz zufällig von Tibet hier vorbei", lachte er in sich hinein.

Dann begann er das zu beschreiben, was man Tibets einzigartigen

Beitrag zum religiösen Gedankengut der Welt nennen könnte. „Sehr wenige Leute glauben an diese Vorstellung von Reinkarnation, selbst wenn sie sich Buddhisten nennen und der Zen-, Theravada- oder Vipassana-Tradition angehören. Sie hängen immer noch der Ansicht an, wenn man einmal Buddha geworden sei und die Erleuchtung erlangt habe, sei die Kette der Leben durchbrochen und man werde nicht mehr wiedergeboren. Daher akzeptieren die meisten anderen buddhistischen Länder diese Tulku-Geschichte nicht. Selbst andere Anhänger des Mahayana, wie zum Beispiel die Zen- oder Reines Land-Buddhisten in Japan, glauben, daß man, sobald man den Ausstrahlungskörper erlangt hat, nicht mehr zurückkommen wird, um in der Stadt herumzulaufen! Sie gehen davon aus, daß Buddhas ein- oder zweimal in der Geschichte der Menschheit auftauchen, und glauben nicht, daß sie überall umherlaufen. Eigentlich ist das seltsam, denn in allen Sutren, den Schriften des buddhistischen Kanon, wird erklärt, daß Buddhas überallhin ausstrahlen. Hunde und Katzen können Ausstrahlungskörper sein. Inseln, Gebäude und Städte können Ausstrahlungskörper sein. Selbst Kontinente und Planeten! Wenn man ein Buddha ist und glaubt, die Menschen bräuchten irgendwo einen Planeten, kann man ihnen einen Planeten erschaffen. Man kann sich selbst als Planeten neu hervorbringen.

Die meisten Nicht-Tibeter halten die Vorstellung, daß jemand, der einmal ein Lama war und *mo-mos* (tibetische Maultaschen) aß, nun vielleicht als Spanier inkarniert ist und Oliven ißt oder nun in Amerika lebt und sich bei McDonalds verpflegt, für eine äußerst abwegige Idee. Die Vorstellung, ein Buddha reinkarniere sich mitten in unserer gewöhnlichen Realität, paßt überhaupt nicht in ihr Weltbild. Das ist aber nur deshalb so, weil sie die Sutren nicht eingehend genug studiert haben und nicht verstehen, was eine Geburts-Ausstrahlungskörper ist. Die Vorstellung des Nirmanakaya, wie sie in den Mahayana-Schriften erklärt wird, ist wirklich phantastisch", sagte er.

Die tibetischen Buddhisten unterschieden sich darin von anderen Anhängern des Buddhismus, fuhr er fort, daß sie als einzige das tantrische System weiterentwickelt hätten – jene esoterischen Übungen, bei denen die Meditierenden lernen, den Sterbevorgang zu benutzen, um die drei Körper des Buddha, den Wahrheitskörper *(dharmakaya)*, den Freudenkörper *(sambhogakaya)* und den Ausstrahlungs- oder Formkörper *(nirmanakaya)* zu entwickeln. Die Lehren, die diese höchste aller menschlichen Errungenschaften beschrieben, seien nicht nur äußerst komplex, sondern auch nur sehr schwer verständlich. Ich bat Bob Thurman, in einer dem Laien verständlichen Sprache zu erklären, wie die großen Meisterinnen und Meister Tulkus wurden – was sie denn genau taten, um nicht mehr länger ‚wiedergeboren zu werden‘, sondern stattdessen zu ‚reinkarnieren‘.

Bei seiner Erklärung bediente er sich der modernen Computerfachsprache. „Die Meditierenden in einer fünfjährigen Klausur wenden recht ausgefeilte Techniken an. Sie sitzen nicht einfach nur da und treten in Verbindung mit der Großen Einheit! Sie gehen ganz methodisch daran, ihr eigenes Nervensystem auseinanderzunehmen, um aus den eigenen Zellen heraus selbst-gewahr zu werden. Es ist so, als benutzten Sie Word Perfect und seien selbst im Chip. Dabei sind Sie selbst-gewahr, daß Sie im Chip sind. Sie sind durch die meditative Festigung ihres eigenen Geistes dorthin gekommen – hinunter bis zu den Punkten und Strichen. Sie sind immer weiter nach unten gegangen, selbst dorthin.

Anders ausgedrückt: Praktizierende des Mahayana, die sich mit den Techniken des Tantra vertraut gemacht haben, sind so etwas wie die Quantenphysiker der inneren Wirklichkeit. Sie identifizieren sich nicht mehr mit den groben, oberflächlichen Prozessen der Wahrnehmung und Begriffsbildung. Sie sind zur Ebene der Neuronen vorgestoßen und sind aus dieser Ebene heraus zur subtilsten Neuronenebene, gelangt. Dann ist es so, als sei der Computer sich seiner selbst bewußt geworden. Die Yogis gehen ganz in die Tiefe, unter die Ebene der Maschinensprache – unter die subatomare Ebene.

Nun hängt alles vom Willen ab. Daher kann man alle Impulse unter Kontrolle bringen, besonders im Tod. Man wird nicht mehr automatisch von einer grobstofflich aufgebauten Wirklichkeit gefangengenommen. Man nimmt nur noch *willentlich* an einer solchen Wirklichkeit teil. Aus diesem Grund hat man keine Probleme mehr beim Übergang des Todes. Wenn man das getan hat, wird einem nicht irgendeine mystische Befähigung zuteil, sondern man hat etwas ganz Konkretes erreicht, das Resultat eines Entwicklungsprozesses ist. Es stellt die höchste Ebene der Entwicklung dar. Genau so wird der Buddha definiert: die höchste Ebene der Entwicklung."

Diese Beschreibung war klar, anschaulich und durch und durch modern. Ich als ‚Computeranalphabetin' verstand zwar das Bild, konnte aber leider keine anregende Debatte mit dem Professor beginnen. Außerdem hatte mich das, was er mir erzählt hatte, zu sehr in Verwirrung versetzt. Die Beschreibungen des höchsten Meditationsprozesses machten mich ganz benommen vor Bewunderung und Ehrfurcht. Zu welchen Gipfeln waren die Tibeter emporgeklommen!

Es gab noch viele andere kostbare Informationen, die man von diesem hochgelehrten und redegewandten Mann in Erfahrung bringen konnte. Konnte er zum Beispiel näher erklären, wie wir von einem Dasein zum nächsten reisen?

„Die feinste Ebene des Ich geht von einem Leben zum anderen. Im Tantra nennt man diese Ebene ‚unzerstörbarer Tropfen' oder auch ‚sehr subtiler Körper und Geist' ", antwortete er. „Man könnte sie eigentlich auch Seele nennen. Buddhisten rennen ja dummerweise herum und sagen, es gäbe keine Seele und kein Ich, völlig lächerliche Aussagen. Des Buddhas berühmte Doktrin der Ichlosigkeit hatte etwas mit der metaphysischen Konstitution des Wesenskerns der Person zu tun. Dem Buddha ging es darum, daß es kein festes, starres Ich gibt – kein absolut unwandelbares, unabhängiges, eigenständiges Ich, in welches Namen und Seriennummer eines Menschen eingraviert sind und welches sich nie verändert, sondern von einem Dasein ins nächste plumpst.

Der Buddha betonte jedoch stets, daß es ein relatives, immerzu lebendiges, ständig im Wandel begriffenes Ich gibt. Er sagte, wer das Ich beherrsche, sei der Meister. Und: ‚Benutze dich selbst, um dich selbst zu besiegen'. Für Buddhisten ist die Seele die feinste Ebene dieses Ich. Sie ist der äußerst subtile Körper/Geist, der sich, einem kleinen Tropfen gleich, in der Mitte des Herzchakras befindet. Bei der Empfängnis bildet sich dieses Chakra (in der Mitte der Brust) um den Tropfen herum aus. Im Tod, wenn die Seele den Körper verläßt, löst sie sich wieder aus dem Chakra. Sie gleicht einer Zelle, die sich ständig selbst erneuert – ähnlich der DNS", erklärte er.

Hier erklärte jemand in einfach gehaltenen modernen Worten, welche spirituelle Technologie die Tibeter anzubieten hatten, woraus genau ihr großartiges Geschenk an die Welt bestand. Das waren keine vagen Definitionen, keine ekstatischen Versprechungen, transzendentale Erfahrungen zu erlangen, sondern eine direkte Beschreibung der höchsten spirituellen Wahrheit, eine Beschreibung dessen, woraus wir gemacht sind. Die vage Vorstellung einer Seele, die mir von meiner christlichen Erziehung her gut bekannt war, wurde nun schlagartig zu etwas Einleuchtendem. Und ich staunte darüber, daß die Mysterien, die die Meditierenden in ihren fernen Höhlen im Himalaya durch ihre direkte Erfahrung entdeckt hatten, so präzise analysiert, beschrieben und vermittelt werden konnten. Hier mitten in New York fand sich dieser amerikanische Professor, der solch kostbare Informationen zum Zwecke unserer Bildung in derart exakte und moderne Worte übersetzen konnte.

„Die Eindrücke", fuhr er fort, „liegen wie DNS-Ketten in der Seele verschlüsselt. Das ist etwas recht Kompliziertes, vergleichbar mit dem, was sich auf der subatomaren Ebene abspielt. Normalerweise sind wir uns dieser Ebene nicht bewußt, und doch baut sich unser Bewußtsein letztlich daraus auf. Das Entscheidende ist, daß es sich um ein Kontinuum handelt. Der unzerstörbare Tropfen enthält eine ungeheure Menge ganz spezifischer, individueller Information in verschlüsselter Form, die sich dauernd ändert. Er wird ständig von unseren Erfahrungen in diesem Leben beeinflußt. Und er nimmt die verschlüsselten Informationen über das, was wir in einem Leben entwickelt und gelernt haben, ins nächste Leben mit", sagte er.

Ich machte einen Vorschlag: „Mir scheint, dieses spirituelle Gen, über das Sie sprechen, gleicht ein wenig einer großen Empfangsantenne, die ständig aufnahmebereit ist für alle Entscheidungen, die wir treffen, Gewohnheiten, die wir entwickeln, für alle Eindrücke, Handlungen usw."

Professor Thurman schien sich sehr zu freuen, daß ich sein Bild – zumindest in rudimentärer Form – verstanden hatte. „Ganz genau!" brach es aus ihm heraus. „Allerdings dürfen Sie nicht vergessen, daß diese Ebene noch unterhalb des Unterbewußten angesiedelt ist, sie ist das Unter-Unterbewußte."

Dann erklärte er weiter, wie das alles funktioniert. „Ist jemand zum Beispiel sehr großzügig, bringt ein großes Opfer oder überwindet seinen Zorn und vergibt einer anderen Person, dann prägen sich solche großen Veränderungen in der Geisteshaltung als eine Art DNS-Eintrag der Großzügigkeit ein. Ist jemand andererseits ausgesprochen gierig oder ermordet eine andere Person, wird ein DNS-Eindruck der Habsucht oder der Boshaftigkeit hinterlassen.

Solche tiefgreifenden, machtvollen Taten oder Gedanken werden registriert, so daß sie im nächsten Leben wirklich zum Tragen kommen. Eigentlich schlägt alles irgendwie zu Buche, aber vielleicht nur als so etwas wie eine kleine Seitenkette in den molekularen Verbindungen – um bei der DNS-Analogie zu bleiben. Ich möchte damit nicht sagen, daß jeder kleine Eindruck eine große Verwandlung hervorbringt. Aber der unzerstörbare Tropfen ist sehr empfindlich und nimmt alles auf. Aus buddhistischer Sicht ist das die Garantie dafür, daß sich aus jeder noch so kleinen Sache etwas entwickeln wird. Eine kleine großzügige Tat kann bereits gute Resultate hervorbringen, auch ein kleines bißchen ethisches Verhalten oder ein wenig meditative Einsicht. Ganz gleich, was es ist, es wird den Grundstein für irgendetwas legen."

Den tibetischen Buddhisten zufolge ist es dieses spirituelle Gen mit seiner verschlüsselten Information, das von der Person mitgenommen wird, wenn sie stirbt. In der althergebrachten Beschreibung des Sterbeprozesses im *Tibetischen Totenbuch* wird ganz genau und plastisch beschrieben, was geschieht. Wenn wir beginnen, uns aus diesem Leben zurückzuziehen, sinken die Elemente unserer körperlichen Form eines nach dem anderen ineinander. Gleichzeitig wird das Bewußtsein immer feiner, immer subtiler und klarer, denn das grobe, begriffliche Denken zieht sich ebenfalls zurück. Schließlich wird das allerfeinste Bewußtsein, das bis dahin in unserem Herzchakra weilte, befreit und offenbar. Den buddhistischen Schriften zufolge ist das der Moment, in dem die bestimmendste, kraftvollste ,Information' in den Vordergrund tritt und unsere nächste Daseinsform hervorbringt.

Bob Thurman, der gerade eine neue Übersetzung des *Tibetischen Totenbuchs* fertiggestellt hatte, beschrieb es in den folgenden Worten: „Das Bardowesen, das Wesen, das gestorben ist und nun zwischen zwei Leben steckt, ist in einer Art Traumzustand. Allein mittels seiner Vorstellungskraft erzeugt es das Gefühl, einen bestimmten Körper zu besitzen. Das gleicht unseren jetzigen Träumen – im Traum können wir zu einem Schmetterling werden oder zu einem Pferd, oder wir können das Geschlecht wechseln. Uns passiert alles mögliche. Und wir sehen, was geschieht. Aber womit? Wir sehen es nicht mit diesen Augen", sagte er und zeigte dabei auf seine eigenen. „Unsere innere Vorstellungskraft erzeugt also ein virtuelles Auge. Es ist wie das Gewahrsein einer virtuellen Wirklichkeit."

War das der Grund, fragte ich, für die buddhistische Annahme, daß wir in vielen verschiedenen Gestalten wiedergeboren werden können – zum Beispiel als Höllenwesen oder Tier? „Obgleich ich grundsätzlich weiß, daß unser Bewußtsein unsere Wirklichkeit erschafft, habe ich nie verstehen und akzeptieren können, wie jemand, der einmal ein menschliches Bewußtsein hatte, als Ameise oder Kakerlake wiedergeboren werden soll. Was geschieht mit dem Rest des Bewußtseins? Wohin geht dann die im spirituellen Gen eingeschlossene verschlüsselte Information?" fragte ich.

Professor Thurman hatte, wie nicht anders zu erwarten war, eine Antwort parat: „Wenn jemand in der Kette so weit zurückfällt, daß er zu einem primitiven Tier wie zum Beispiel einer Kakerlake wird – obwohl Tiere der buddhistischen Ansicht zufolge nicht so tief stehen wie zum Beispiel Höllenwesen –, dann muß er in einem Leben als Mensch irgendeine sehr folgenschwere Tat begangen haben, die ihn seiner Empfindungsfähigkeit beraubt hat. Das könnte auf ein Ereignis zurückgehen, das einen furchtbaren Schock, große Angst oder ein enormes Zurückschrecken auslöste – zum Beispiel eine äußerst bösartige Tat, in deren Folge sich die Person, von ihrer eigenen Brutalität erschreckt, völlig in sich zurückzieht. Aber nur eine extrem negative Handlung kann den ‚DNS-Schlüssel' so drastisch verändern, daß sich die Person im ‚Zwischenzustand' die Form einer Kakerlake etwa aussucht. Man wird nämlich nur deshalb als Kakerlake geboren, weil man sich aus dem Zwischenzustand heraus zur Form einer Kakerlake hingezogen fühlt. Wird man dagegen als Mensch wiedergeboren, übt im Zwischenzustand die menschliche Form eine Anziehungskraft aus. Man strebt den Daseinsbereichen zu, die den eigenen Neigungen entsprechen. Aber um an einen Punkt zu kommen, an dem man die kleine Kakerlake Liese Müller attraktiv findet, muß man schon einen gewaltigen Schock erlebt haben.

Es heißt, dieser sehr subtile Körper/Geist-Zustand des Bardo sei wie ein Traum, in dem die eigene Verkörperung sehr unbeständig ist, weil sie ja nur auf der Vorstellungskraft beruht. Wenn bei Ihnen also ganz unwillkürlich unbewußte Bilder aufsteigen und Sie zum Beispiel plötzlich die Vorstellung, eine Tarantel zu sein, recht angenehm finden, schweben Sie in Gefahr", sagte er.

Diese Vorstellung war nicht gerade tröstlich. Von meinen eigenen kleinen Ausflügen in die Welt der Meditation wußte ich genau, wie schwer zu ergründen, wie unwillkürlich und im allgemeinen völlig außer Kontrolle der Inhalt des eigenen Geistes ist. Schon wenn man sich nur hinsetzt und den Versuch unternimmt, den Geist durch Meditation zur Ruhe zu bringen, wird überdeutlich klar, wie irrelevant und unnütz die meisten der Gedanken und Bilder sind, die sich in den Spiegel unseres Geistes hineindrängen. Dieser unbeherrschte Geist bleibt uns, Bob Thurman und allen Weisen zufolge, wenn der Körper vergeht. Wir sind dann nur noch den Impulsen unseres Bewußtseins ausgeliefert.

„Ja, Buddhisten haben Angst vor dem Übergang von einem Leben zum nächsten", gab mir Bob recht. „Sie fürchten sich vielleicht nicht vor der ewigen Verdammnis, wie es bibeltreue Christen tun, aber sie *haben* Angst vor der Wiedergeburt. Sie denken nicht ‚Toll, beim nächsten Mal werde ich Kleopatra sein, also ist alles in Ordnung.' Während dieser Zeit des Übergangs ist man wirklich ungeschützt, solange man keine Kontrolle über das eigene Bewußtsein hat. Daher verwenden Buddhisten in ihrem Leben so viel Energie auf den Versuch, dieses Gen zu beeinflussen und zu verbessern. Sie nennen die niederen Bereiche ‚Abgrund der drei unglückseligen Zustände' oder ‚der drei grauenhaften Zustände' ", fügte er hinzu.

In den zurückliegenden Jahren hatte ich es immer schwierig gefunden, an die Existenz einer Hölle zu glauben. Ich erinnerte mich, wie Lama Zopa in jenen ersten Wochen in Kopan tagelang bei seiner anschaulichen Schilderung aller Einzelheiten der verschiedenen Folterqualen, Grausamkeiten, Schmerzen und Ängste der ‚niederen Bereiche' verweilt hatte. Die Beschreibungen hatten einen ‚dantesken' Einschlag: unselige Geschöpfe wurden auf Speere aufgespießt, ins Feuer geworfen, wiederholt gehäutet oder lebten in einem Zustand, in dem sie unablässig von Hunger und Durst geplagt wurden. Ich erklärte mir das alles rational damit, daß diese Lehren aus dem Mittelalter stammten und bis zum heutigen Tag innerhalb des Feudalsystems weitervermittelt wurden, das vor der Invasion der Chinesen und der Flucht der Lamas in Tibet noch recht verbreitet gewesen war.

Da Lama Zopa mit Sicherheit kein Lügner war, und da ich all die guten Dinge, die die Lamas mir über die letztendliche Natur der Wirklichkeit und das universelle Mitgefühl beibrachten, mit Freude akzeptieren konnte, versuchte ich, die Berichte über die Höllenbereiche in zeitgemäße Vorstellungen zu übertragen, die mir annehmbar erschienen. Wenn unser gesamtes Dasein nur aus verschiedenen Geisteszuständen bestand, wie es die Buddhisten schließlich selbst behaupteten, dann mußten diese Höllen- und Tierbereiche ebenfalls rein geistiger Natur sein, sagte ich mir. Sind etwa politische Gefangene, die man auf sadistische Weise foltert, Menschen, die in Afrika unter Hungersnot leiden oder im Kriegsgebiet von Bosnien leben müssen oder ist etwa ein Kind, das regelmäßig sexuell mißbraucht wird, nicht in der Hölle? Die Tageszeitungen waren voll von Berichten über Menschen, die überall auf der Welt schreckliche Leiden erfahren mußten. Und schließlich all die geplagten Seelen, die unter einer Geisteskrankheit litten, was war mit ihnen? In unserer Gesellschaft gab es so viele von ihnen. Leben diese Menschen nicht alle in einer Art Hölle?

Gerade als ich mich mit meiner eigenen Interpretation der buddhistischen Lehren über die sechs Daseinsbereiche zufriedengeben wollte, versetzte mich ein Interview mit Dr. Margot Grey, einer Psychologin und praktizierenden Psychotherapeutin in einem großen und angesehenen Londoner Krankenhaus, wieder völlig in Aufruhr. Man hatte mich gebeten, einen Artikel über Nahtod-Erfahrungen zu schreiben, und in diesem Zusammenhang führte ich ein Gespräch mit ihr. Ich fand heraus, daß Margot Grey während einer Urlaubsreise in Indien selbst eine Nahtod-Erfahrung gehabt hatte, aus der sich ihr persönliches und berufliches Interesse an diesem Phänomen entwickelte. Nach längerer Forschungsarbeit über dieses Thema schrieb sie ein hervorragendes Buch mit dem Titel *Return from Death* (Arkana). Interessant und zugleich alarmierend für mich waren Margot Greys Berichte über Fälle, in denen die Leute erzählt hatten, sie seien in ein höllenähnliches Szenario hinabgestiegen, als sie ihren Körper verließen und dem Bereich nach dem Tod zustrebten.

Das war nicht nur beunruhigend, sondern auch recht ungewöhnlich, da ja in den meisten Berichten über Nahtod-Erfahrungen äußerst glückselige und schöne Erlebnisse geschildert werden. Die Leute erzählen gewöhnlich, daß sie dem Licht zustrebten, von Liebe umgeben wurden, einen unbeschreiblich tiefen Frieden fühlten, ihnen nahestehenden Personen begegneten und wunderbare Orte von unvergleichlicher Schönheit sahen. Man höre wahrscheinlich nur deshalb sehr selten etwas über negative Erfahrungen, so Frau Grey, weil sich die Leute zu sehr schämten, von ihnen zu erzählen. Aber sie existierten.

Sie erzählte von Fällen, in denen die Leute größte ‚Furcht und Panik‘

verspürt und ,geistige und emotionale Angstzustände' erfahren hatten, verbunden mit dem Gefühl, schnell ,nach unten' zu fallen und einem furchtbaren Ort zuzustreben, der oft als ,öde', ,grau' oder ,düster' beschrieben wurde, wo es nach ,Verwesung' roch und entweder extrem heiß oder schneidend kalt war. Sie erzählten, sie seien durch ,schwarzen Raum' gereist oder in einen ,schwarzen Strudel' geraten. Manchmal hatten sie Visionen, in denen sie von zornvollen dämonischen Kreaturen bedroht und verhöhnt wurden; manchmal wurden sie von gesichtslosen, verhüllten Gestalten angegriffen. Manchmal roch es nach Schwefel, und manchmal war furchtbares Schreien und Jammern zu hören.

Während mir beim Hören dieser Berichte das Blut in den Adern stockte, erzählte sie mir von einem speziellen Fall, um ihre Darstellung zu belegen. Dabei ging es um eine Frau, die sich einer psychotherapeutischen Behandlung bei ihr unterzogen hatte und die immer noch unter den Nachwirkungen ihrer furchtbaren Nahtod-Erfahrungen litt. Als sie im Sterben gelegen hatte, hatte sich diese Frau an einem von dichtem Nebel umgebenen Ort wiedergefunden. Sie sagte, es sei extrem heiß gewesen und aus einer großen Grube sei Dampf aufgestiegen. Aus der Grube kamen Arme und Hände, die versuchten, sie zu ergreifen. Ihrer Empfindung nach war sie in der Hölle. Dann sah sie von der anderen Seite her einen riesigen Löwen auf sich zukommen und schrie laut auf – starr vor Angst, daß er sie in die Grube stoßen würde. Sie hatte ungefähr drei Tage in einem halbbewußten Zustand zugebracht und war dann wieder ins Leben zurückgekehrt.

Das Besondere an dieser Fallgeschichte war, daß es sich bei dieser Frau um eine fromme Christin handelte, die regelmäßig in die Kirche ging und glaubte, sie habe ein gutes, moralisch einwandfreies Leben geführt. Sie konnte nicht verstehen, womit sie eine solch schreckliche Bestrafung verdient haben sollte. Während ihrer Therapie fand die Frau heraus, daß sie in Wirklichkeit ungemein wütend auf ihren Mann war, der sie wegen einer jüngeren Frau verlassen hatte. Margot Grey zufolge hatte diese Wut die höllenartige Umgebung erschaffen, in der sich die Frau wiederfand, als ihr Bewußtsein den Körper verlassen hatte. Klientin und Therapeutin arbeiteten zusammen an der Überwindung ihres Zorns und der Aussöhnung mit dem, was geschehen war.

Diese Geschichte faszinierte mich, denn obgleich sie sich in einem ganz und gar westlichen Zusammenhang ereignet hatte, belegte sie genau, was

Lama Yeshe und ganz besonders Lama Zopa immer wieder gesagt hatten, nämlich daß Wut eine der schlimmsten negativen Geisteshaltungen ist und auf jeden Fall eliminiert werden sollte. Sie ist neben Gier und Unwissenheit eine unserer Hauptverblendungen und bringt uns (und anderen) mit Sicherheit endlose Leiden und Schmerzen. Aus buddhistischer Sicht ist es nicht Gott, der uns zu Höllenqualen verdammt, sondern der Zustand und Inhalt unseres eigenen Geistes. Wir erschaffen unsere Wirklichkeit, ganz gleich, wie sie aussieht. Das war eine zufriedenstellende Erklärung und auch eine recht tröstliche.

Später sah ich eine Oprah Winfrey-Show über Nahtod-Erfahrungen, in der die Leute ebenfalls über erschreckende oder ‚negative‘ Erfahrungen berichteten. Ich erinnere mich besonders an eine junge Frau, die, während sie ‚bewußtlos‘ und scheinbar im Sterben begriffen in ihrem Krankenhausbett lag, Dämonen sah, die sie umringten und hinwegführen wollten. Sie war so überzeugt von der Realität ihres Erlebnisses, daß sie daraufhin Missionarin wurde, um, wie sie selbst sagte, ‚zu versuchen, ein wenig von meiner Selbstsucht auszumerzen‘.

Nachdem ich nochmals über alles nachgedacht hatte, kam ich zu dem Schluß, daß das gesamte bizarr anmutende System – Höllen- und Tierbereiche, Menschen, Götter, Halbgötter und Tulkus – und eigentlich die gesamte Thematik Wiedergeburt und Reinkarnation von einer entscheidenden Frage abhing: Kann unser Bewußtsein, unser Geist, getrennt von unserem grobstofflichen Körper existieren oder nicht? Wenn das möglich ist, wie ja im Buddhismus angenommen wird, dann ist auch die Wahrscheinlichkeit groß, daß wir nach unserem Tod in andere Welten eingehen. Es ist auch wahrscheinlich, daß wir bereits unzählige Existenzen hinter uns gebracht haben, bevor wir in dieses gegenwärtige Leben eintraten. Ist das nicht möglich, fällt der ganze Glaube an Wiedergeburt und Reinkarnation einfach in sich zusammen. Wenn Bewußtsein das gleiche wäre wie unser Körper, würden wir bei unserem Tod aufhören zu existieren. So einfach und gleichzeitig so komplex ist das.

An diesem Punkt stoßen wir auf die große Debatte, die gegenwärtig in den westlichen Wissenschaften geführt wird. „Sind Geist und Gehirn identisch?“ wird hier gefragt. „Woher kommt das Bewußtsein?“ Obgleich ich über keinerlei Fachwissen im Bereich der modernen Physik verfüge, spornte mich doch mein Interesse am Buddhismus dazu an –

zumindest soweit es Laien möglich ist – zu verstehen, was die großen Geister (oder sollte man von Gehirnen sprechen?) zu sagen hatten. Schließlich war das eine ganz zentrale Frage. Auch Seine Heiligkeit der Dalai Lama war dieser Meinung. Mit seiner Vorliebe für die Wissenschaft und seiner eigenen, auf seiner genauen Kenntnis der buddhistischen Erklärungen basierenden Weisheit lud er des öfteren Wissenschaftler zur Debatte über das Thema Bewußtsein ein. Ihm ging es dabei um eine ernsthafte Erforschung der Sache. Schließlich waren beide Seiten – Ost und West – auf der Suche nach der Wahrheit. Bei einer Versammlung in Dharamsala, die er persönlich einberufen hatte und an der neben ihm seine gelehrtesten Lamas und eine Gruppe von Wissenschaftlern teilnahmen, die sich mit dem Thema Wahrnehmung befassen, hob der Dalai Lama die Bedeutsamkeit dieser Diskussion mit folgenden Worten hervor:

„Für die wissenschaftlichen Traditionen des Westens und die der geistigen Entwicklungswege des Ostens ist es äußerst wichtig zusammenzuarbeiten", sagte er. „Irgendwann haben die Menschen den Eindruck gewonnen, diese beiden Traditionen seien grundlegend verschieden und nicht miteinander zu vereinbaren. In den letzten Jahren ist jedoch deutlich geworden, daß dies nicht der Fall ist. Diese Art von Dialog ist deshalb so wichtig, weil sie einen wirklichen Beitrag für das Wohlergehen der künftigen Menschheit darstellt, indem sie jeder der beiden Traditionen die Gelegenheit gibt, von der anderen zu profitieren. Das ist eines der Ziele, die wir uns hier gesteckt haben.

Ich bin auch der Überzeugung, daß es für Buddhisten wichtig ist, sich mit den jüngsten wissenschaftlichen Forschungsergebnissen zur Natur des Geistes sowie zur Beziehung zwischen Geist und Gehirn und dergleichen vertraut zu machen. Zum Beispiel stellt sich die Frage, ob das Bewußtsein als getrennte Einheit existiert oder nicht. Ich würde die Buddhisten allgemein und die tibetischen Buddhisten insbesondere gerne auf einige dieser westlichen Erklärungsmodelle aufmerksam machen."

Mein Verständnis der Materie war begrenzt, doch soweit ich begriff, gab es nun eine große Gruppe von Wissenschaftlern, die sich ‚wissenschaftliche Materialisten' oder ‚Reduktionisten' nannten. Sie gehen davon aus, daß das Bewußtsein, die Wahrnehmung, ein bloßes Produkt unseres Nervensystems ist, welches wiederum nur aus Materie und

Tenzin Sherab (mit bürgerlichem Namen *Elijah Ary*) zu Hause in Montreal, Kanada. Als kleines Kind erinnerte er sich an sein früheres Leben als tibetischer Meditationsmeister und Gelehrter.

Trinley Tulku, der sich in seinem Kloster in Frankreich darauf vorbereitet, erneut ein spiritueller Lehrer zu werden.

Der kleine Tenzin Sherab in Roben, als er bereits als die Reinkarnation des verstorbenen Geshe Jatse anerkannt worden war, mit Lama Yeshe in Kalifornien.

Tenzin Sherab beim Debattieren in Sera, dem großen tibetischen Kloster in Südindien.

Die in Brooklyn geborene Jetsünma Ahkon Norbu Lhamo, die als erste westliche Frau als Reinkarnation einer spirituellen Meisterin aus Tibet anerkannt wurde.

Jetsünma Ahkon Norbu Lhamo mit der Reinkarnation ihres Bruders aus ihrem früheren Leben. Im 16. Jahrhundert standen die beiden am Anfang einer tibetischen Überlieferungslinie, die bis zum heutigen Tag besteht.

Der Stupa-Park, der die erwachten Taten des Buddha repräsentiert. Er wurde von Jetsünma erschaffen und dem Publikum zugänglich gemacht.

Jetsünmas Zentrum „Kunzang Odsäl Palyul Changchub Chöling" oder auch „Der vollkommen erwachte Dharma-Ort des ursprünglichen Klaren Lichts" in Poolesville in der Nähe von Washington. Es ist nun der westliche Sitz einer spirituellen tibetischen Überlieferungslinie, die nie unterbrochen wurde.

Die ununterbrochene Gebetswache, die der Beendigung des Leids aller Wesen gewidmet ist, war bereits ein Teil von Jetsünmas Programm, bevor sie als Tulku erkannt wurde. Sie besteht auch heute noch.

Jetsünmas Tempel mit seiner charakteristischen Mischung aus beleuchteten Kristallen und Reihen mit Tausenden von Buddhas zieht den Besucher in seinen Bann. Hier vereinigen sich Elemente aus westlichen und traditionellen tibetischen Stilrichtungen.

Lama Ösel (die in Spanien wiedergeborene Reinkarnation von Lama Thubten Yeshe), wie er in der Schweiz mit der Reinkarnation von Geshe Rabten, eines der bedeutendsten tibetischen Meister im Westen, spielt.

Lama Ösel mit seinen Klassenkameraden im Kloster Sera, wo ihm die traditionelle tibetisch-buddhistische Ausbildung zuteil wird.

Ein einziges weßes Gesicht unter einigen der hochstehendsten reinkarnierten Lamas des tibetischen Buddhismus: *Von links nach rechts:* Lama Ösel, Serkong Rinpoche, Ling Rinpoche, Trijang Rinpoche, Serkong Dorje Chang, Song Rinpoche.

Seine Heiligkeit der Dalai Lama schneidet Ösels Haare, eine symbolische Geste, die dessen Aufnahme ins Kloster symbolisiert.

Lama Ösel mit Ling Rinpoche, der Reinkarnation des älteren Lehrers des Dalai Lama.

Lama Ösel beim Spiel mit seinem früheren westlichen Begleiter, dem Mönch Namgyal.

Lama Ösel auf dem Thron mit der gelben Mütze der Gelug-Tradition.

1994, Lama Ösel mit Lama Zopa Rinpoche und seinem Vater Paco.

Lama Ösel im traditionellen Gewand für die „Lama-Tänze".

Lama Thubten Yeshe, der Gründer einer weltweiten Organisation, in der sich tibetisch-buddhistische Zentren zusammengeschlossen haben. Er verstarb im März 1984 und reinkarnierte sich im Februar 1985 in Spanien als Lama Ösel.

Energie zusammengesetzt ist. Demzufolge ist unser Bewußtsein das Resultat einer Entwicklung, die mit dem Urknall begann. Francis Crick, einer der Entdecker der DNS und der Autor des Buches *The Astonishing Hyothesis* geht davon aus, daß die Wahrnehmungsfähigkeit der höher entwickelten Tiere und der Menschen etwas mit der Geschwindigkeit zu tun hat, mit der die Gehirnzellen schwingen oder schwirren. Die Reduktionisten kommen daher zu dem Schluß, daß sich unser Bewußtsein auflöst, sobald das Nervensystem aufhört zu funktionieren. Wenn wir sterben, bleibt lediglich ein verwesender Haufen Fleisch übrig. In anderen Worten: Den Reduktionisten zufolge sind wir nichts anderes als die Summe unserer Moleküle.

Diese Theorie hat einen regelrechten Krieg zwischen den gescheiten Köpfen entfacht. Die Wogen der Leidenschaft schlagen hoch. „Wie kann man dann den Geruch einer Rose, die Empfindungen von Liebe und Schmerz oder die einzigartige Weltsicht eines Individuums erklären?" fragten die Anti-Materialisten, die auch recht zahlreich sind. Und: „Wer hat die materialistische Weltanschauung hervorgebracht, wenn es nicht das Bewußtsein selbst ist?"

Bei meinem Treffen mit Professor Thurman faßte ich die Gelegenheit beim Schopfe, ihn nach seiner Meinung zur gegenwärtigen Geist/Gehirn-Diskussion zu befragen. Seine Augen begannen zu funkeln.

„Ich diskutiere sehr gerne mit Materialisten über dieses Thema – es ist eine meiner Lieblingsbeschäftigungen. Ich habe sehr oft die Gelegenheit, ihr nachzugehen", sagte er erfreut. „Die Vorstellung, daß etwas völlig aufhört zu existieren oder daß irgendetwas zum Nichts wird, ist ein kapitaler Fehler. Sie ist eine Wittgensteinsche Fehleinschätzung und eine völlig alberne Idee! Das ist Wunschdenken in seiner reinsten Form. Man braucht dann nur noch abzudrücken, und schon sind alle Probleme vorbei – Nirwana wird automatisch erreicht, wenn man nur das Gehirn ausbläst", platzte er heraus.

„Draußen in der Natur können wir nirgendwo beobachten, daß sich irgendetwas in nichts auflöst. Alles hat eine Wirkung. Warum sollte plötzlich irgendetwas zum Nichts werden können? Das wäre ganz und gar unlogisch. Zu sagen, die Lebewesen würden sich in nichts auflösen, ist absolut falsch, denn nichts ist nichts. Daher kann man es nicht werden!" donnerte er. Er hielt eine Weile inne, um darüber nachzudenken, welche

Folgen der wissenschaftliche Materialismus für die Vorstellung der Wiedergeburt implizierte.

„Die Menschen des Westens glauben, es sei eine großartige, erwachsene, reife Einstellung, ein Materialist zu sein, denn sie haben dabei das Gefühl, sich ihrer Angst vor dem Tod zu stellen, während Buddhisten nur ihrem eigenen Wunschdenken nachhängen, wenn sie glauben, sie könnten unzählige Leben lang weiterleben", fuhr er fort. „Ironischerweise verstehen sie nicht, daß Menschen, die einem zukünftigen Leben entgegengehen, sich viel mehr um die Qualität dieses Lebens sorgen, als jemand, dem die Auslöschung bevorsteht. Auslöschung ist ein Betäubungsmittel. Es geht kein Schmerz damit einher. Ich dagegen behaupte: Die Auslöschung ist eine Flucht!

Die Wissenschaftler schieben das Thema Wiedergeburt eigentlich nur beiseite; das ist ihre Art, damit umzugehen. Sie prüfen nicht einmal wirklich, ob es irgendwelche Beweise gibt. Wenn sie einmal damit begännen, könnten sie das Thema nicht mehr so einfach abtun", sagte er.

Hinter diesem Meinungsstreit, dem intellektuellen Geplänkel und den ausgefeilten Konzepten zu diesem Thema, die scheinbar wenig mit unseren Alltagsproblemen zu tun haben, verbirgt sich eine äußerst wichtige Frage, eine, die auch für durchschnittliche Frauen, Männer und Kinder äußerst relevant ist. Schließlich geht es um eine Definition der menschlichen Identität für das einundzwanzigste Jahrhundert. Ob wir uns dazu entschließen, nicht mehr als ein Fleischklumpen zu sein oder dazu, daß wir in der Tat eine Seele haben, wird viele Jahre lang unser Verhalten, unsere Moralvorstellungen, unsere Erziehung, unsere Glaubenssysteme und unsere ganze Lebensqualität bestimmen.

Ich persönlich bewunderte die aufgeschlossene Haltung des Dalai Lama im Angesicht der neuen Wissenschaft: „Aufgrund bestimmter Umweltfaktoren, durch die man unbewußt beeinflußt wird, möchte man vielleicht etwas erklären oder entdecken, ist aber nicht fähig, das erfolgreich oder vollständig zu tun. Meiner Meinung nach sind die Ansätze des Buddhismus im allgemeinen und des Mahayana-Buddhismus im besonderen in dieser Hinsicht sehr wissenschaftlich. Da einige Elemente der Lehre des Buddha unvereinbar mit unseren heutigen Kenntnissen der Welt sind, muß man aufgrund von rationalen Überlegungen und logischen Schlußfolgerungen entscheiden, was letztlich Gültigkeit hat.

Durch Untersuchungen und Analysen erkennen wir, wie die Dinge tatsächlich beschaffen sind. Auch wenn die Tatsachen scheinbar Buddhas eigenen Worten widersprechen, ist das kein Problem." Später fügte er hinzu: „Wenn die Wissenschaft uns schlagkräftige Beweise liefert, daß eine Sache so oder so gesehen werden muß, werden wir unsere Haltung ändern." Damit demonstrierte der Dalai Lama die erste Grundregel des Buddhismus: Man muß der Wirklichkeit genau ins Gesicht sehen, wenn man Wahrheit und Freiheit finden will. Das war eine edle und ehrliche Haltung. Aber trotz seiner vielen Worte über Logik und Vernunft muß ich doch sagen, daß ich, wenn ich den weisen und demütigen Mönch namens Tenzin Gyatso, den vierzehnten Dalai Lama von Tibet, anschaue, nicht von einer Masse durcheinanderschwirrender Moleküle berührt werde, sondern von jenem kraftvollen Mitgefühl, das so deutlich spürbar von ihm ausstrahlt. Mir scheint, dies hat letztlich sehr wenig mit dem Gehirn zu tun, sondern allein mit dem Herzen.

6

Rabbi Gershom

Meine Nachforschungen auf der Suche nach den Gurus der Reinkarnation im Westen brachten mir recht unerwartete menschliche Kontakte. Bei weitem am überraschendsten war für mich die Begegnung mit einem Chassidim, der in der Nähe von Minneapolis lebte und die phantastischste Geschichte zu erzählen hatte. Rabbi Yonassan Gershom war mit Hunderten von Leuten in Verbindung getreten, die, so behauptete er, im Holocaust gestorben und in der Gegenwart wiedergeboren waren. Viele von ihnen, sagte er, waren heute Nicht-Juden.

Bald nach meiner Ankunft in New York erfuhr ich von seinen außergewöhnlichen Berichten. Jemand zeigte mir Rabbi Gershoms damals gerade erschienenes Buch *Beyond the Ashes – Cases of Reincarnation from the Holocaust* (ARE Press). Ich beschloß sofort, den Autor aufzusuchen. Was mich an dieser Geschichte verwunderte, war nicht so sehr die Tatsache, daß Juden, die in den Konzentrationslagern umgekommen waren, in neuen Körpern zur Erde zurückkamen (ich hatte mich mittlerweile so sehr mit der Theorie der Wiedergeburt angefreundet, daß ich das für durchaus möglich hielt), sondern, daß ein Rabbi und noch dazu ein Chassidim dies dokumentierte und sein Beweismaterial allgemein zugänglich machte.

Mir waren natürlich früher schon Chassidim begegnet, besonders in New York – Männer mit langen, an der Schläfe herunterhängenden Locken, schwarzen Hüten und langen Bärten und Frauen, die ihren rituell geschorenen Kopf mit Perücken bedeckten –, aber sie hatten mich immer ein wenig nervös gemacht. Sie sahen so streng aus und schienen einer ziemlich abgeschlossen lebenden, auf sich selbst konzentrierten Gruppe anzugehören. Ich hatte gehört, sie seien ultraorthodox, darauf aus, Juden wieder zum Judentum zurückzubringen und befolgten die jüdischen Gesetze auf den Buchstaben genau. Sie waren sicherlich die letzten, von denen ich erwartet hätte, daß sie sich solch eine New-Age-Vorstellung wie die der Wiedergeburt zu eigen machen würden. Aber nachdem es mir gelungen war, Rabbi Gershom ausfindig zu machen und mit ihm zu sprechen, wurde meine diesbezügliche Unwissenheit bald hinweggeblasen.

„Natürlich glauben Chassidim an die Wiedergeburt", begann er. „Ich habe gute Gründe anzunehmen, daß ich der Sohn eines Rabbi war, der in einem Dorf in Osteuropa erschossen wurde, und ich kenne viele Mitglieder der Chassidim-Gemeinschaft, die mit Absicht große Familien haben, um den im Holocaust verstorbenen Seelen einen Körper zu geben", sagte er.

Er erzählte, Isaac Luria, ein Rabbi aus dem sechzehnten Jahrhundert und einer der größten jüdischen Mystiker aller Zeiten, habe die Wiedergeburt gelehrt. Ebenso Israel ben Aliezer, besser als Baal Shem Tov bekannt, der Begründer der Chassidim-Bewegung. „Beide Männer standen in dem Ruf, vergangene Leben akkurat erkennen zu können", erklärte er. „Sie haben zahlreiche Geschichten über Reinkarnation hinterlassen, sowohl niedergeschriebene als auch bloß mündlich überlieferte – Millionen Juden haben von diesen Lehren gehört. In der Lubovitcher Ausgabe des Chassidim-Gebetbuches können Sie ein Nachtgebet finden, in dem der Bittende ‚jedem, der mich in dieser Inkarnation oder irgendeiner anderen ärgerlich gemacht oder belästigt hat…' vergibt."

Im Laufe des Interviews stellte sich heraus, daß Rabbi Gershom eine wahre Quelle jüdischer Gelehrsamkeit war und fließend und wortgewandt über sein Thema sprach. Ich erfuhr, daß sich die Chassidim trotz ihrer etwas erschreckenden Erscheinung als die Mystiker, die Seher und Visionäre des Judentums sehen. Reinkarnation war für sie nicht nur eine Idee, sondern ein fester Bestandteil ihres Glaubens.

„Leider ist die Allgemeinheit sehr schlecht darüber informiert, wer die Juden wirklich sind. Leute in einer christlichen Kultur verwechseln die alttestamentarischen Studien, die rein christlich sind, mit dem Judentum, das jüdisch ist. Die reichen Quellen der jüdischen Spiritualität sind nicht im Alten Testament zu finden", fügte er hinzu.

So belehrt, erfuhr ich mehr über Rabbi Gershom. Er war ein junger Mann, der von Rabbi Zalman Schacter-Shalomi, dem berühmten Pionier der spirituellen Erneuerung des Judentums, ordiniert worden war. Er bezeichnete sich selbst als ‚Neo-Chassidim'. Rabbi Gershom war nicht nur ein Experte des Judentums, sondern hatte sich auch eingehend mit anderen Glaubensrichtungen, der New-Age-Bewegung und der Metaphysik beschäftigt. Ich fand heraus, daß er zusammen mit amerikanischen

Indianern Seminare zum Thema Reinkarnation abhielt, am *Institute of Adult Jewish Studies* in Minneapolis unterrichtete und als Geistlicher in einer Privatklinik tätig war. Darüber hinaus hatte er als Lebensberater unzähligen sorgenbeladenen Menschen zugehört.

In diesem Zusammenhang hatte er von der Reinkarnation der Holocaust-Opfer erfahren. Sein erstes diesbezügliches Erlebnis im Jahr 1981 hatte ihn völlig überrascht: Rabbi Gershom war allein zu Hause; er hatte seine Diskussionsrunde über die Kabbala und die esoterischen Lehren des Judentums wegen schwerer Schneefälle abgesagt. Aber eine junge, blonde Norwegerin klopfte trotzdem an seine Tür. Nachdem er ihr eine Tasse Kaffee angeboten hatte, erklärte sie ihm ihr wirkliches Anliegen: Sie wollte mit ihm über den Holocaust sprechen.

Sie erzählte Rabbi Gershom, sie leide seit ihrer Kindheit unter einer unerklärlichen Angst, wenn jemand den Holocaust auch nur erwähnte. Vor kurzem hatte ihr ihre Schwester ihre Studienunterlagen über die Konzentrationslager gezeigt, und das hatte ihre Panik noch verstärkt. Während die junge Frau erzählte, ,sah' Rabbi Gershom, wie sich ein anderes Gesicht – dünn und verhungert – über das schöne, junge Gesicht vor ihm legte. Einer Eingebung folgend begann er, eine Melodie zu summen. Die Augen des Mädchens weiteten sich vor Schreck, und während sie schluchzend in sich zusammensackte, sagte sie, sie wisse, daß sie im Holocaust umgekommen sei. Das Lied, das Rabbi Gershom gesummt hatte, war ,Ani Maamin', jene Hymne, die viele tausend Juden auf ihrem Weg in die Gaskammer gesungen hatten. Bis dahin hatte die Norwegerin das Lied noch nie gehört, zumindest nicht in diesem Leben.

Dies sollte die erste einer erstaunlich großen Anzahl von Geschichten über Holocaust-Wiedergeburten sein, mit denen Rabbi Gershom bald konfrontiert wurde, als sich herumsprach, daß er ein offenes Ohr für solche Dinge hatte. Mehrere Jahre lang sprach er nicht über das ,heiße Gut', das er in Händen hielt, da er fürchtete, die Medien würden dieses brisante Material zur Sensationsmache benutzen, wenn sie davon erführen (was auch schließlich geschah). Er hatte auch das Gefühl, die Öffentlichkeit sei noch nicht bereit, einer solchen ,Wiedererweckung' der Verbrechen der Konzentrationslager ins Auge zu sehen. Er wußte, daß er damit recht gehabt hatte, als die *Spiritual Frontiers Fellowship* eine Rede über seine ,Entdeckungen' mit der Begründung ablehnte, eine derartige

Konfrontation mit Holocaust-Reinkarnationen sei zu ernst und verwirrend. Offensichtlich waren hier Schuldgefühle und Angst im Spiel.

Nun, so nimmt er an, ist die Zeit reif. Rabbi Gershom kann seine Geschichten über die vielen Menschen erzählen, die er kennengelernt hat, die seiner Überzeugung nach von den Nazis im Holocaust umgebracht und nun in der Gegenwart wiedergeboren wurden. Er geht zwar davon aus, daß viele solcher Leute als Juden wiederkamen, konzentrierte sich aber auf die Berichte derer, die in nicht-jüdische Familien hineingeboren wurden. In diesen Fällen seien, wie er vernünftigerweise sagt, die Beweise für die Reinkarnation überzeugender. Kleine Kinder, die nicht durch ihre Umgebung mit den Gebräuchen, Vorstellungen und Glaubensinhalten des Judentums konfrontiert wurden und doch ein oft unheimlich anmutendes Wissen über diese Dinge an den Tag legen, sollten auf jeden Fall ernst genommen werden. Wenn jemand in seiner Kindheit solche Erinnerungen hat, die ohne äußeren Grund und unabhängig von entsprechenden Umwelteinflüssen auftreten, dann bedarf das einer Erklärung.

Als Beispiel erzählt er den Fall einer protestantischen Hausfrau, die jeden Freitagabend den starken Wunsch verspürte, Kerzen anzuzünden. Dieser Drang hatte nichts mit ihrem eigenen Glauben zu tun und hatte auch für ihre Familie keinerlei Bedeutung. Rabbi Gershom erzählte dieser Frau, daß jüdische Frauen überall auf der Welt seit Tausenden von Jahren am Freitag die Sabbatlichter anzünden und sogar versucht hatten, diesen Brauch in den überfüllten Eisenbahnwagen auf dem Weg in die Konzentrationslager aufrechtzuerhalten. Und dann war da dieser Mann, Nicht-Jude, der von seinem Sohn erzählte. Dieser hatte sich als Kleinkind stets geweigert, Milch zu trinken, wenn Fleisch auf dem Tisch stand. Wenn seine Eltern ihn drängten, warf er die Milch auf den Boden. Die Eltern waren sehr verblüfft über dieses Verhalten, besonders weil ihr Sohn so etwas nie tat, wenn es Saft oder Wasser zu trinken gab. Bei den Juden gilt es als nicht koscher, bei der gleichen Mahlzeit Fleisch und Milch zu sich zu nehmen, und Rabbi Gershom äußerte die Vermutung, das Verhalten des Kindes sei ein Relikt aus einem vergangenen Leben.

Er erzählte von den immer wieder auftretenden Alpträumen, unter denen viele der von ihm befragten Leute in ihrer Kindheit gelitten hatten. Diese Träume seien bis in alle Einzelheiten derart authentisch, daß sie eindeutig bewiesen, daß diese Menschen schon früher gelebt und die Ereignisse, von denen sie nun träumten, am eigenen Leib erfahren hatten, sagte er.

Da war Beverly, eine alleinstehende Mutter in den Dreißigern, die träumte, sie sei ein kleiner Junge von sieben oder acht Jahren und stehe mit der Mutter in einer Schlange. Beverly beschrieb, wie sie im Traum zu einem Tisch kamen, an dem ein Mann einigen Leuten befahl nach rechts zu gehen und anderen nach links. Er wies ihnen den Weg, und sie gingen durch eine Tür. Dann veränderte sich die Szene, und der Junge und seine Mutter waren an einem Ort, an dem es furchtbar roch. In ihrem Alptraum sah sie Männer, die lebendige Menschen ins Feuer warfen, und dann wurde schließlich auch der kleine Junge hineingeworfen. Er versuchte, die Flammen zu löschen, indem er auf sich einschlug; dann starb er.

Es gab andere, die sich daran erinnerten, wie sie lebendig begraben wurden. Männer mit Gewehren und schwarzen Stiefeln standen hoch über ihnen am Rand einer Grube, in der sie lagen, und immer mehr Erde wurde ihnen ins Gesicht geworfen. Es gab jene, die Blut im Schnee sahen; andere, die eine unerklärliche Angst beim Anblick von Stacheldraht verspürten; wieder andere, die sich vor Uniformen, Polizei und Sirenen fürchteten. Als er schließlich sein Buch schrieb, hatte Rabbi Gershom etwa 250 Berichte über Holocaust-Reinkarnationen gesammelt, und seither sind noch viele hinzugekommen.

„Ich glaube, es gibt Tausende Fälle. Seitdem das Buch erschienen ist, habe ich mindestens hundert Briefe von überall auf dieser Welt bekommen – von Menschen in Chile, Australien, Frankreich, Deutschland und Kanada. Mit ungefähr 500 Leuten habe ich persönlich gesprochen. Bei jeder Konferenz, die ich besuche, kommen vier oder fünf Leute zu mir und erzählen mir, sie nähmen an, sie seien eine Holocaust-Reinkarnation. Ich habe mittlerweile sogar aufgehört zu zählen. Ich bin der Meinung, daß wir erst die Spitze des Eisbergs entdeckt haben", sagte er.

Das alles war ziemlich beeindruckend, und die von Rabbi Gershom vorgelegten Beweise waren überzeugend. Aber, sagte er, er habe mit seinem Buch noch eine andere Absicht verfolgt als die bloße Berichterstattung über einige Geschichten aus vergangenen Leben – es verbarg sich noch viel mehr hinter der Entdeckung reinkarnierter Holocaust-Opfer. „Es geht mir um eine theologische Interpretation des Holocaust", erklärte er. „Es gibt furchtbar viele Leute, die den Holocaust für eine karmische Vergeltung für irgendetwas halten. Sie betrachten das Judentum nicht als eine Religion, für die es sich zu sterben lohnt, und können den Holocaust nicht als Martyrium für ein höheres Ziel sehen."

Ich hatte solche Theorien mehrfach von westlichen Experten der Reinkarnation gehört. Sie glaubten, die Millionen jüdischer Tode in den Konzentrationslagern seien auf ‚Gruppenkarma' zurückzuführen, durch das in der Vergangenheit begangenes, negatives Gruppenhandeln vergolten wurde. Geschichtliche Ereignisse wie die spanische Inquisition oder die Grausamkeiten der marodierenden Mongolenhorden wurden oft in diesem Zusammenhang erwähnt.

Rabbi Gershom wollte nichts von all dem wissen. „Viele Leute sagen, wir hätten das angezogen – der Holocaust sei eine Strafe für betrügerische Praktiken beim Geldverleihen oder für andere Verbrechen gewesen. Das ist eine durch und durch antisemitische Einstellung. Unter den Menschen, die mir von ihren Erinnerungen an vergangene Leben berichteten, war kein einziger Fall, in dem jemand einen anderen Menschen während der spanischen Inquisition gefoltert hatte und deswegen dann im Holocaust selbst unter Folterungen leiden mußte", sagte er mit einer gewissen Erregung.

Ich mußte zugeben, daß mich das verwirrte. Die Gesetze des Karma, so hatte ich es von den Buddhisten gelernt, waren unumstößlich. Wir selbst trugen die Ursachen für unsere Lebensumstände in unserem Bewußtseinsstrom, niemand anderes hatte etwas damit zu tun. Man konnte niemand anderem die Verantwortung zuschieben, was aber nicht bedeutete, daß man Schuld hatte. Die Lamas hatten gesagt, wir alle hätten in der Vergangenheit viele negative Taten begangen, die in Zukunft zu Leiden führen werden. Schließlich litt jeder von uns unter Verblendungen. Mich persönlich hatte es immer sehr beeindruckt, daß sie auch sich selbst dabei nicht ausnahmen. Ich hatte Lama Zopa mehr als einmal sagen hören, die Tuberkulose, unter der er als junger Mann gelitten hatte, sei eindeutig das Resultat negativen Karmas aus der Vergangenheit gewesen. Selbst der Dalai Lama, der sich jede Woche von neuem die angstvollen Berichte seiner Landsleute über die in Tibet verübten Grausamkeiten anhört, sagte in einer öffentlichen Ansprache, die Ursache für das gegenwärtige Leid seines Volkes sei zweifellos in dessen kollektiven Missetaten der Vergangenheit zu suchen. (Das bedeute aber nicht, so fügte er hinzu, daß man jetzt ruhig zuschauen und die chinesischen Verfolgungen hinnehmen solle.)

„Glauben Sie nicht an Karma?" fragte ich Rabbi Gershom. „Doch, ich glaube daran, aber ich definiere es etwas anders. Karma folgt nicht nur einfach dem Prinzip: ‚Wie du mir, so ich dir'. Wie ich bereits sagte, habe ich unter all den Menschen, die sich an ihre früheren Leben erinnern konnten, niemanden gefunden, der andere während der Inquisition gefoltert hätte und dann im Holocaust selbst gefoltert wurde. Dagegen sind mir viele Leute begegnet, die schon während der Inquisition als Märtyrer starben und auch im Holocaust als Märtyrer ums Leben kamen", sagte er. Das gab der Sache eine völlig neue Wendung.

Rabbi Gershom zufolge waren die Gründe für die Gefangennahme und Verfolgung der Juden im Zweiten Weltkrieg auf einer viel tieferen Ebene als der karmischen zu suchen. Sie waren mystischer und höchst esoterischer Natur und lieferten gleichzeitig eine Erklärung dafür, warum die Juden seit Jahrhunderten verfolgt werden.

„Der Bund am Sinai, als die Zehn Gebote erlassen wurden, hat eine viel weitreichendere Bedeutung als die meisten Menschen glauben. Es war ein kosmisches Ereignis, das alle Inkarnationen transzendiert und das alle Juden in all ihren Inkarnationen zusammenhält, auf daß sie Zeugen der Einheit Gottes sein mögen. Wenn es irgendwo Diktatoren gibt, neigen sie dazu, zuerst die Juden zu verfolgen, weil wir uns niemandem außer Gott beugen. Wir sind Gewährsleute bestimmter Prinzipien, und wenn diese Prinzipien in Gefahr sind, sind wir die ersten, die angegriffen werden."

Das war ein wenig vage. Ich drängte ihn, mir zu erklären, welche die Prinzipien waren, die den Diktatoren, wie zum Beispiel Hitler, Anlaß zur Judenverfolgung gaben. Seine Antwort brachte mich zum Kern des jüdischen Mystizismus, sie war atemberaubend umfassend und voller Implikationen.

„Wir halten Zeit und Raum im Gleichgewicht", sagte er. „Deswegen sagt man, die Juden seien ‚auserwählt'. Wir sind nicht Auserwählte in dem Sinne, daß wir etwas Besonderes sind, Günstlinge oder besser als die anderen, sondern weil wir für eine bestimmte Aufgabe auserwählt wurden. Wenn der Planet eine Gesellschaft ist, kommt den Juden die Priesterschaft für bestimmte Aufgaben zu. Aus kabbalistischer, mystischer Sicht ist das genau das, was wir tun. Allerdings", fügte er hastig hinzu, „der durchschnittliche, reformierte Rabbi wird Ihnen das natürlich nicht so erklären!"

Er führte weiter aus, wie Zeit und Raum im Gleichgewicht gehalten werden. „Aus der Sicht der Chassidim ist der Sabbat zum Beispiel wirklich eine andere Zeit. Die Zeit wurde geschaffen und fließt durch die Gebete des jüdischen Volkes. Auch wurde die Übung der 613 Gebote oder Mitzvahs, besser als Mitvot bekannt, der Gemeinschaft des jüdischen Volkes anvertraut. Diese 613 Mitzvahs entsprechen spirituellen Energien; wenn nun ein Jude eine dieser Übungen durchführt, hat das nicht nur eine körperliche Bedeutung, es hat auch Einfluß auf die kosmische Schwingung des Universums."

Das Ganze basiere auf der mystischen Bedeutung des hebräischen Alphabets, sagte er. Die drei ‚Mutter-Buchstaben' repräsentieren dabei die Elemente Luft, Wasser und Feuer, aus denen Gott die Erde schuf. Die sieben doppelten Buchstaben stehen für die Wochentage und die Duali-tät von Positiv und Negativ, Gut und Böse und so weiter. Die zwölf einzelnen Buchstaben entsprechen den zwölf Monaten des Jahres. Alle diese Komponenten haben auch Entsprechungen bei den Körperteilen, der Zeit und dem Raum.

„Wir bringen also Gedanken, Sprache, körperliches Tun und Zeit zusammen. Das ist die ursprüngliche Schwingung des Universums", erzählte er mir. „Interessanterweise habe ich kürzlich bei einem Seminar erfahren, daß man bei einem der Erkundungsflüge im Weltraum, bei dem die Schwingungsebenen der verschiedenen Planeten gemessen wurden, herausgefunden hat, daß die Hertzfrequenz, in der die Erde schwingt, der der menschlichen Stimme entspricht.

Seit alters her gibt es die Legende, man könne Leben erschaffen, wenn man rein und heilig genug sei und die Zusammensetzung der hebräischen Buchstaben (die die Bausteine des Universums sind) verstehe. Geschichten wie die über den Golem von Prag oder Frankensteins Monster hatten dort ihren Ursprung. Der Golem von Prag wurde erschaffen, um die Juden vor der Verfolgung durch die Christen zu schützen. In Wirklichkeit ist es so: Wenn Menschen unvollkommen sind und versuchen, Leben zu erschaffen, kommen dabei unvollkommene Geschöpfe heraus, die nicht mehr beherrscht werden können und zerstört werden müssen.

In dem kabbalistischen System, das auf Isaac Luria zurückgeht, glaubt man an *Tikkun Olam*, wörtlich ‚Bringe die Welt in Ordnung'. Man könnte es auch als ‚Planetarisches Heilen' übersetzen. Dabei hat man die Vorstellung, wenn die Juden mit ausdrücklicher Motivation die Gebote ausführen, beeinflusse die Schwingungsqualität dieser Taten das Universum und erhöhe und repariere die Schwingung des Planeten."

Zurück zu Hitler und seiner Rolle in diesem mystischen Drama: Rabbi Gershom zufolge war es Hitlers erklärtes Ziel, diese den Juden anvertraute höchste Aufgabe zu zerstören. „Viele Leute glauben, Hitler habe schwarze Magie betrieben und sei ein Medium negativer Energien gewesen. Ganz offensichtlich hätte jeder, der die Welt regieren wollte, die Juden verfolgt, die die Schwingungsqualität des Planeten wiederherstellen. Ich persönlich glaube, dies war der Kampf der Söhne des Lichts gegen die Söhne der Dunkelheit, der in den Essener Schriften vorhergesagt wird", sagte er.

Ich hätte seine Erklärungen vielleicht als völlig absurd und unglaubwürdig abgetan, wenn ich nicht schon früher etwas über Hitlers Beschäftigung mit schwarzer Magie und Okkultismus gehört hätte. Daß der Führer etwas mit der Thule-Gesellschaft, einer der einflußreichsten okkulten Gruppen in Deutschland, zu tun hatte, war weithin bekannt, wie auch die Tatsache, daß er die bewußtseinsverändernde Droge Peyote zu sich genommen und vom Mystizismus fasziniert gewesen war. Alfred Rosenberg, Hitlers offizieller Theologe, der in seinem Buch ‚Mythos des zwanzigsten Jahrhunderts' empfahl, die westliche Zivilisation von allem Jüdischen zu säubern, war ebenfalls Mitglied der Thule-Gesellschaft. Vielleicht war das, was Rabbi Gershom da sagte, gar nicht so abwegig. Was er mir erzählte, war, auf den Punkt gebracht, daß das Gruppenkarma, dessen Auswirkungen die Holocaust-Opfer erfahren hatten, nicht so sehr das Resultat in der Vergangenheit kollektiv begangener negativer und schädlicher Handlungen war, sondern daß es sich um ein im Kollektiv  dargebrachtes Opfer für ein höheres Ziel handelte.

Diese Anschauung unterschied sich völlig von der östlichen, aber ich fand sie faszinierend und vollkommen logisch. Trotzdem muß aber jedes Phänomen eine *Ursache* haben, und man muß persönlich Verantwortung dafür übernehmen. Ich fragte mich, wie der gelehrte Rabbi Gershom in einer Debatte mit den gleichermaßen gelehrten Lamas abschneiden würde – ein Spektakel, das ich mir wirklich gerne angeschaut hätte.

Rabbi Gershom hatte auch noch andere neue Anschauungen zum Thema Reinkarnation, die ich noch in Erfahrung bringen wollte. Ich fragte ihn, ob das Judentum davon ausgehe, daß die Menschen im Reinkarnationsspiel sowohl aufwärts als auch abwärts gehen können, wie es die Weisen des Ostens behaupteten.

„O ja, die Menschen können zurückfallen", antwortete er. „Nach unserer Überzeugung ist es ein Schritt rückwärts, wenn jemand das Judentum verleugnet." Das war ein anderer verblüffender Unterschied; ich hatte noch nie gehört, daß ein Wechsel der religiösen Überzeugung eine schlechte Note im Buch des Karma hinterlasse.

„In unserer Lehre heißt es, daß die Mitglieder der Kerngruppe, jene Menschen, die bei dem Bund am Sinai dabei waren, immer wieder als Juden zurückkommen. Es heißt auch, als Nicht-Jude geboren zu werden komme einem Abstieg auf der spirituellen Leiter gleich. Natürlich gibt es einige Individuen, die einmal dem Judentum angehören und dann wieder nicht, aber es gibt auch jene Seelen, die wie Leuchttürme sind. Sie sind immer da und spezialisieren sich viele Wiedergeburten hindurch auf einen Pfad. Dadurch wird ihr Verständnis immer tiefer. Ich persönlich glaube, daß das Trauma des Holocausts viele Juden von ihrer eigenen Religion abgebracht hat, so daß sie nun auf der Suche nach anderen spirituellen Pfaden sind. Sie starben mit dem Gedanken: ‚Wenn ich wegen meiner Religion verfolgt, gefoltert und ausgehungert werde, möchte ich kein Jude mehr sein.‘ Aufgrund ihres Leidens und weil sie es sehr eilig hatten zurückzukommen, griffen sie nach dem ersten Körper, den sie bekommen konnten. Ihre Seelen sind aber immer noch jüdisch. Viele der reinkarnierten Holocaust-Opfer, die als Nicht-Juden zurückkamen, sind bereits wieder zum jüdischen Glauben übergetreten oder überlegen, es zu tun.

Wissen Sie, der Holocaust war mehr als die Ermordung von Menschen, was natürlich auch für sich allein schon schlimm genug war – es war der Versuch, die spirituelle Kraft des Judentums zu brechen. Traurigerweise ist das auch teilweise gelungen. Besonders in Amerika gibt es so wenig Spiritualität unter den Juden – sie sind äußerst antiorthodox. Ich habe das Gefühl, daß es den Menschen Angst macht, ein gehorsamer Jude zu sein", sagte er.

„Eine Frau, die wieder zum Judentum übergetreten ist, sagte, sie habe den Eindruck, so viele Leute kämen als Nicht-Juden zurück, weil der Holocaust den Geist des jüdischen Volkes so völlig zunichte gemacht habe. Jedes Kind, das in den fünfziger Jahren als Jude aufgewachsen wäre, wäre mit dieser schrecklichen Dunkelheit, mit Tod, Zerstörung, Depression und Trauer konfrontiert worden, also entschieden sie sich dafür, in nicht-jüdischen Körpern wiederzukommen. So konnten sie eine sichere, fröhliche Kindheit erfahren und dann später zum jüdischen Glauben überwechseln, um die Freude dorthin zu bringen.

Ich persönlich glaube, daß alle diese Seelen, die bei dem Bund am Sinai dabeigewesen sind, wieder zu Juden werden. Dort haben sie ihre karmischen Wurzeln", sagte er.

Ich konnte der Versuchung nicht widerstehen, ihn zu fragen, ob er glaube, daß sich auch Nazis reinkarnieren.

„Ja, natürlich glaube ich daran, daß die Nazis zurückkommen. Es wäre ja lächerlich anzunehmen, nur unschuldige Seelen würden wiedergeboren. Ich persönlich hatte noch nie Gelegenheit, reinkarnierte Menschen zu treffen, die immer noch an die Nazi-Ideale glauben, aber wenn wir die jüngste Wiederbelebung der rechten Organisationen in Amerika und überall auf der Welt betrachten, liegt die Annahme recht nahe, daß die Seelen, die in einem Vorleben Nazis waren, auch wieder unter uns sind. Einige haben sicherlich aus ihren Fehlern gelernt und haben den Faschismus hinter sich gelassen. Aber ich glaube, es gibt auch viele Seelen, die dieses Mal wieder die gleichen Fehler machen", sagte er.

Als Rabbi wurde er zwar nicht persönlich von früheren Nazis aufgesucht, erzählte aber von einer christlichen Mutter, die zu ihm kam, weil sie sich große Sorgen um ihre Tochter im Teenager-Alter machte, die sich plötzlich von Nazi-Utensilien angezogen fühlte – eine Neigung, die sicherlich nicht durch ihr friedliebendes, tolerantes Elternhaus stimuliert worden war. Das Mädchen liebte auch Motorräder, schnelle Autos – eigentlich alles, was einen lauten Motor hatte. Sie war allerdings nicht antisemitisch eingestellt. Rabbi Gershom schloß, daß dies sicherlich ein Überbleibsel aus einem vergangenen Leben als junger Mann, vielleicht sogar als Pilot, war, der sich vom äußeren Putz der nazistischen Militärmacht hatte erregen und fesseln lassen.

Eines der vielen Dinge, die ich über Reinkarnation aus der Perspektive des jüdischen Mystizismus lernte, war dessen Erklärung darüber, *was* von einem Leben zum nächsten geht und verschiedene Leben erfährt. Die Erklärung der Juden war genauso komplex und tiefgründig wie die der tibetischen Buddhisten, aber von der Idee und der Bedeutung her vollkommen anders.

Rabbi Gershom zufolge ist das, was von einem Leben zum nächsten geht, eine ‚Seele‘, allerdings hat den hebräischen Definitionen zufolge die Seele viele verschiedene Bedeutungen und Interpretationen. Der Rabbi schreibt der Seele fünf Ebenen zu und definiert diese im Lichte der modernen Psychologie und Metaphysik folgendermaßen:

1. *nefresh*, die biologische Lebenskraft des Körpers
2. *ruach*, der niedere emotionale Geist oder das ‚Ich‘
3. *neshamah*, das individuelle höhere Bewußtsein
4. *chayah*, das kollektive Unbewußte der Gruppe
5. *yechida*, die Ebene der Einheit mit der Schöpfung und mit Gott

Rabbi Gershom nimmt an, daß die ersten beiden Ebenen nach dem Tode nicht weiterleben, da sie sich auf den stofflichen Körper stützen. *Neshamah* aber überlebt und kann bewußt weiterentwickelt werden. Auf dieser Ebene erinnert man sich zwischen den Erdenleben an alle Inkarnationen der Seele – zwar nicht an alle Einzelheiten, aber zumindest an die Lektionen und Wahrheiten, die von Bedeutung für das spirituelle Wachstum der individuellen Seele waren. Darüber hinaus hält *neshamah* auch eine ständige Verbindung zu *chayah* und *yechidah* aufrecht, zu jenen transzendenten Ebenen, auf denen die Seele das Licht des Allwissenden Gottes berührt.

Rabbi Gershom vergleicht *chayah* mit Jungs kollektivem Unbewußten, durch das man in Verbindung mit seiner jeweiligen karmischen Gruppe steht. Auf der höchsten Ebene, *yechidah*, wird die Seele mit der Gesamtheit der Schöpfung vereint und kommt mit ihrem Ursprung im Geist des Schöpfers in Berührung. Im jüdischen Glauben wird nicht davon ausgegangen, daß man selbst Gott werden kann (wohingegen die Buddhisten ja annehmen, jeder könne Buddha werden), man kann sich jedoch an die Quelle des Göttlichen Lichtes und der Schöpfung anschließen, so wie eine Glühbirne an den Stromkreislauf angeschlossen werden kann, der vom Elektrizitätswerk ausgeht.

Das waren differenzierte und intellektuell anspruchsvolle Argumente. Ich hatte das Gefühl, ich müsse später, wenn ich einmal mehr Zeit hatte, zu ihnen zurückkehren, um die Tiefgründigkeit der jüdischen Vorstellung der Seele genauer zu untersuchen. Aber neben all den Unterschieden entdeckte ich schon jetzt viele Ähnlichkeiten zwischen der östlichen und der jüdischen Sicht vergangener, gegenwärtiger und zukünftiger Leben.

Ich hatte herausgefunden, daß die Juden, genau wie die Buddhisten, annehmen, daß wir viele, viele Male als männliche und weibliche Wesen wiederkommen und die genauen Umstände jeder Inkarnation jedesmal andere sind. Negatives Karma oder ‚Sünden' werden ebenfalls in zukünftige Leben projiziert, bis das Karma abgegolten ist. Ich hörte, daß die Chassidim, genau wie die Buddhisten, glauben, jedes Leben stelle eine kostbare Gelegenheit für spirituelles Wachstum dar und dies mache die Essenz des Menschseins aus. Die Probleme und Schwierigkeiten, denen wir im Leben begegnen, sollten daher als Gelegenheit für die innere Weiterentwicklung gesehen werden, nicht als Gründe, in Selbstmitleid zu verfallen. Die ermutigendste Übereinstimmung zwischen Ost und West aber war, daß beide Traditionen ein ausgesprochen ähnliches Endziel verfolgen.

„Was ist der Zweck der Reinkarnation in der jüdischen Tradition?" fragte ich Rabbi Gershom.

„Das Ziel ist, in der spirituellen Welt zu verbleiben – zum Garten Eden zurückzukehren, um unsere Metapher zu benutzen. Hat eine Seele einmal diesen höchsten Gipfelpunkt erreicht, braucht sie nicht mehr zur Erde zurückzukehren, um hier ihre karmischen Lektionen zu lernen. Das Judentum predigt, daß solche hohen Wesen freiwillig wiederkehren – manchmal Tausende von Wiedergeburten lang –, um dem Rest der Menschheit zu helfen. Sie werden Zaddikim genannt, ‚rechtschaffene Heilige'. Einige dieser Zaddikim werden von der Öffentlichkeit als solche anerkannt, manche kommen aber auch als gewöhnliche Menschen auf diese Erde und verrichten ihre Arbeit im Verborgenen. Es heißt, es seien immer mindestens sechsunddreißig im Verborgenen wirkende jüdische Heilige auf dieser Erde, die ihr Leben beispielhaft führen und der Welt helfen, sich um ihre Achse zu drehen."

Waren diese Menschen die jüdische Version der Bodhisattvas – jener Wesen, die ihrem Platz im Nirwana entsagten, um zurückzukommen und anderen Lebewesen zu helfen? Als wolle er meine Vermutung bestätigen, fügte der Rabbi hinzu: „In den östlichen Traditionen gibt es Gurus, die als Gurus zurückkommen. Die jüdische Tradition hat auch ihre erleuchteten Meister, die über das Gesetz von Ursache und Wirkung

erhaben sind. Sie kommen, um unsere Weisheit zu erhalten und weiter-
zuvermitteln."

Fasziniert von all dem, was ich über die Religion der Chassidim und
Rabbi Gershoms herausfordernde Thesen zur Reinkarnation gehört
hatte, ging ich davon. Ich konnte nicht alles akzeptieren, was er gesagt
hatte, aber in einer Sache konnte ich ihm aus vollem Herzen zustimmen:
Wenn die Welt aufhören würde, die Juden zu verfolgen und ihnen
erlauben würde, ihre spirituelle Aufgabe zu erfüllen – in all ihrer Schönheit und Tiefe – und ihre spirituellen Lehren zu verbreiten, würde die Welt
um so viel reicher sein.

7

Eine Verbindung nach Frankreich

Die nächste Station auf meiner Suche nach den neuen Tulkus des Westens war Frankreich. Alle Tulkus sind naturgemäß äußerst interessant, und auch derjenige, den ich hier treffen würde, bildete keine Ausnahme. Der kleine Junge, der mir bald vorgestellt werden sollte, war das erste anerkannte Beispiel für eine Reinkarnation eines Menschen des Westens als Mensch des Westens. Das war wirklich eine Seltenheit, denn bisher hatte ich nur von östlichen Meistern gehört, die ihre Wiedergeburt bewußt bestimmen konnten, und auch nur solche kennengelernt. Ich wußte ja bereits, daß der Reinkarnationsprozeß äußerst schwierig war und Kontrolle über ihn nicht nur ein feines Verständnis und die Meisterschaft über den Geist voraussetzte, wenn er beim Verlassen des stofflichen Körpers immer subtiler wird, sondern auch die Entschlossenheit, in diese Welt zurückzukehren, um den Lebewesen zu helfen. Hatte ein Mensch des Westens tatsächlich eine solche außergewöhnliche Fähigkeit erlangt, wäre das wirklich ein Meilenstein in der spirituellen Geschichte des Abendlandes.

Was diese spezielle Reise noch interessanter machte war, daß es hier um niemanden anderen als um Zina Rachevsky ging, jene Frau, die Lama Yeshes und Lama Zopa Rinpoches erste westliche Schülerin gewesen war. Zinas Geschichte ist genauso faszinierend wie die ihrer Lehrer, ich habe sie in allen Einzelheiten in meinem Buch *Die Wiedergeburt* erzählt. Jeder, der einmal in Kopan gewesen ist, hatte von ihr gehört, und ihre Lebensgeschichte hatte uns alle fasziniert. Allen Berichten zufolge war sie wirklich eine herausragende Persönlichkeit gewesen: eine schöne, eigenwillige, unkonventionelle Frau, die – ganz ihrem märchenhaft anmutenden Leben entsprechend – eigentlich eine Aristokratin russischer Abstammung war, die von den Leuten Prinzessin genannt wurde. Sie war in Kalifornien aufgewachsen und in den sechziger Jahren zu einem Hollywood-Filmsternchen geworden. Als solches kam sie in den Genuß der Reichtümer, des Glamour, der Aufmerksamkeit und der Oberflächlichkeit, die Tinseltown zu bieten hatte, aber auch all der Fallstricke. Man sagte ihr nach, sie sei unsicher und wolle stets die Aufmerksamkeit auf sich ziehen. Es gab Drogenskandale, Liebhaber, mehrere Ehemänner. Sie schien entschlossen, ein Leben am Rand des Abgrundes zu führen und war, was den spirituellen Aspekt ihres Lebens betraf, äußerst unzufrieden. In vieler Hinsicht war sie einfach nur ein Kind ihrer Zeit.

Daher war es nicht verwunderlich, daß Zina wie Tausende andere *Flowerpower*-Kalifornier auf der Suche nach einem Guru nach Indien reiste. Eines Tages im Jahre 1965 stürmte sie in den kleinen Raum, den Lama Yeshe und Lama Zopa in Darjeeling bewohnten, und fragte die überraschten Mönche: „Wie kann ich Frieden und die Befreiung finden?"

Die beiden Lamas werden wohl verwundert gewesen sein: Bis dahin hatte noch kein Mensch aus dem Westen sie aufgesucht, geschweige denn, sie nach den Methoden des Pfades zum Erwachen gefragt. Zunächst willigten sie nur zögernd ein, Zina zu unterweisen, aber nachdem diese sie einige Monate lang täglich besucht hatte, waren beide von ihrer Ernsthaftigkeit überzeugt. In einem Interview, das ich einmal mit Lama Yeshe in London führte, erzählte er mir, wie Zina zunächst auf ihn gewirkt hatte.

„Sie war mit allem unzufrieden. Sie sagte, ihr Leben sei leer und habe keinen ‚Geschmack'. Sie hatte in ihrem Leben schon alles Mögliche gemacht, aber doch keine Zufriedenheit gefunden. Ich konnte verstehen, was sie sagte. Im Vergleich zu ihr hatte ich nichts – keine Heimat, kein Zuhause, kein Geld, keinen Besitz, keine Familie, und doch hatte ich alles. Ich begann, Zina und später andere Menschen aus dem Westen nach ihrem Lebensstil zu befragen. Mir wurde klar, daß Zina etwas fehlte: das Verständnis ihrer selbst, ihres inneren Lebens. Sie wußte nichts von ihrem eigenen Potential glücklich zu sein. Sie dachte, Glück käme von außen, aber so ist es ja nicht. Es kommt von innen", sagte er.

Zina wurde später als erste Frau aus dem Westen zur buddhistischen Nonne ordiniert und ging daraufhin mit Lama Yeshe und Lama Zopa nach Nepal, um in einer Umgebung zu leben, die ihren Gurus ihrer spirituellen Übung zuträglich schien. Dort, in der Nähe der großen Stupa von Buddhanath, die als bedeutendstes buddhistisches Heiligtum außerhalb Tibets betrachtet wird, organisierten sie kleine Lehrveranstaltungen für neugierige Menschen aus dem Westen, die sehen wollten, was dieses seltsame Dreiergespann zu sagen hatte. Die Anzahl der Kursteilnehmer wuchs, und schließlich errichtete man ein Zentrum auf dem sogenannten Kopan-Hügel, von dem aus man vor dem Hintergrund der mächtigen Himalaya-Gebirgszüge Buddhanath und das Kathmandu-Tal überblicken kann. Ohne es zu wollen, hatte die wilde, aber suchende Zina eine Bewegung ins Rollen gebracht, die zu einer weltweiten Organisation heranwachsen und das Leben Tausender beeinflussen sollte.

Wie das bei Märchen üblich ist, endete auch Zinas Geschichte dramatisch. Auf Anraten Lama Yeshes verließ Zina Kopan, um eine lange Meditationsklausur hoch oben im Himalaya zu beginnen. Wie die Yogis früherer Zeiten ließ sie sich in einer Höhle nieder und hielt sich von den Ablenkungen des Lebens in Kathmandu fern, um sich ganz in tiefe Meditation über die tantrische Gottheit Yamantaka zu versenken – eine von Flammen umgebene Gestalt von blauer Farbe mit zornigem Gesichtsausdruck, die ein Schwert schwingt und den zornvollen Aspekt der Weisheit aller Buddhas symbolisiert. Für das Hollywood-Filmsternchen, das früher zu allen Späßen aufgelegt und gesellig gewesen war und sich an das ganze Drum und Dran einer wohlhabenden Existenz im Westen gewöhnt hatte, muß das eine sehr harte Aufgabe gewesen sein. Dort oben in den Bergen sind die Lebensbedingungen hart. Das Wetter ist rauh, das Gelände steil und heimtückisch, Nahrung nur spärlich vorhanden, und die körperlichen Annehmlichkeiten sind gleich null. Andererseits ist die Luft klar und sauber, die Berge strahlen die gesammelte Kraft von Generationen Meditierender aus, und die atemberaubenden Panoramen auf dem Dach der Welt erweitern das Bewußtsein, wie nichts anderes es zu tun vermag. Zina ging und folgte damit pflichtbewußt der Anweisung ihres geliebten Lama Yeshe.

Sie hatte über ein Jahr in ihrer Höhle verbracht, als sie plötzlich im Alter von zweiundvierzig Jahren starb. Zwei Rinpoches, die in der Nähe lebten, berichteten, daß sie in ihrer Meditation Zinas Tod ‚beobachtet' hatten. Sie konnten den Tag und den Zeitpunkt ihres Todes exakt bestimmen. Niemand wußte genau, warum sie gestorben war – einige sagten, sie habe vergiftetes Essen zu sich genommen, andere, sie habe sich mit Cholera infiziert. Gleich, was der genaue Grund ihrer Erkrankung war, sie war offensichtlich plötzlich aufgetreten und hatte fünf Tage gedauert. Am

Morgen des fünften Tages soll sie sich aufgesetzt und verkündet haben: „Ich werde jetzt sterben". Im Sterben soll sie dann fähig gewesen sein, die vollständige Lotushaltung einzunehmen und ihren Geist auf jene spirituelle Übung zu richten, die sie in ihrer Klausur erlernt hatte. Jene, die solche Dinge wahrnehmen konnten, hatten berichtet, Zina sei nun in einem ‚Reinen Land'.

Es sah so aus, als sei sie mit ihrem Tod aus unserem Leben verschwunden. Niemand sprach über die Frau, die erstmals die Flamme jener seither ständig wachsenden Bewegung entzündet hatte. Zumindest nicht bis zu dem Zeitpunkt, an dem bekannt wurde, daß man Zinas Wiedergeburt in Frankreich gefunden hatte. Das Kind war ein Junge, und sein Vater war sogar ein Verwandter Zinas.

Also war ich recht neugierig, als ich mich auf den Weg nach Frankreich machte, um das mittlerweile vierjährige Kind zu besuchen und seine Eltern zu treffen. Sie waren bereit, mir ihre Geschichte zu erzählen, jedoch nur unter der Bedingung, daß der Name des Jungen unerwähnt bliebe. Sie wünschten dies so, weil – so erklärten sie mir – Seine Heiligkeit Sakya Trizin, das Oberhaupt der Sakya-Tradition des tibetischen Buddhismus, der den Jungen offiziell anerkannte, ihnen geraten hatte, die Identität des Jungen zu verbergen, bis er alt genug sei, daß man sich seiner weiteren Entwicklung sicher sein konnte. Ruhm, soviel war mir klar, konnte auf dem spirituellen Pfad zur Falle werden. „Wir wollen auch nicht, daß die Leute ihre Vorstellungen und Phantasien über Zina auf ihn projizieren", fügten seine Eltern hinzu. Ihre Bitte erschien mir vernünftig, und ich ging darauf ein.

Wir trafen uns in einer Wohnung in einem schicken Pariser Vorort und sprachen mehrere Stunden lang über das Phänomen Reinkarnation, so wie sie es aus erster Hand kennengelernt hatten. Pierre, wie ich den kleinen Jungen nennen will, legte währenddessen jenes bemerkenswerte Maß an Energie und Entschlossenheit, zusammen mit einer angeborenen Gutherzigkeit, an den Tag, das mir auch bei Lama Ösel aufgefallen war. Er war ein bewegliches, attraktives Kind mit feinen Zügen, hatte den ganzen Kopf voller dicker, heller Haare und strahlende, lebhafte braune Augen. Sein Gesicht wirkte beseelt, voller Leben und Neugier. Er zeigte mir seine Autos und Lastwagen und sagte mir auf Französisch, wie sie hießen. Er versteht Englisch, weigert sich jedoch, es zu sprechen. Offenbar ist Pierre bereits in seinem jetzigen Alter entschlossen, seine eigenständige und einzigartige Identität unter Beweis zu stellen.

„Er hat einen sehr starken Willen, darin gleicht er Zina", sagte seine Mutter Janine, eine Geschäftsfrau, die ihr eigenes Unternehmen leitet. Als Zinas Verwandte kannten die Eltern die Geschichten über deren Heldentaten schon lange bevor ihr Sohn auf der Bildfläche erschien. Janine und Pierres Vater, Gérard, sind mittlerweile geschieden, treffen sich aber regelmäßig, um die Erziehung ihres ungewöhnlichen Kindes zu besprechen. Wie ich hörte, haben sich auch Lama Ösels Eltern getrennt. Ob wohl die Belastung, eine anerkannte Reinkarnation als Kind zu haben, zu groß für eine Ehe ist? In Tibet heißt es, wenn ein Tulku geboren wird, kommt oft eines der beiden Elternteile kurze Zeit später ums Leben. Was ist wohl der Grund dafür? Vielleicht muß dafür bezahlt werden, wenn ein ‚besonderes Kind' auf die Welt kommt.

Ich fragte Janine und Gérard, ob sie glaubten, ihr Sohn sei tatsächlich die Reinkarnation Zinas, wie man es ihnen gesagt hatte.

„Dies ist ein Fall von Reinkarnation, daran zweifeln wir nicht im geringsten. Aber Pierre ist nicht Zina. Er ist kein Klon. Er hat seine eigene Persönlichkeit. Es ist nicht so, daß Zina in Pierres Körper herumläuft. Zina ist Zina, und Pierre ist Pierre", sagten sie mit Nachdruck. Das erinnerte mich ebenfalls an eine Situation mit Lama Ösel. Ich hatte ihn einmal ganz direkt gefragt, ob er Lama Yeshe sei. Er hatte darauf bestanden: „Ich bin Lama Ösel. Früher bin ich Lama Yeshe, jetzt Tenzin Ösel, ein Mönch." Da zeigt sich offenbar ein feiner, aber äußerst wichtiger Unterschied. Der Buddha sagte, das Bewußtsein sei wie alles andere in diesem Universum ständigem Wandel unterworfen. Es sei ein Strom von Bewußtseinsmomenten, die sich unaufhörlich in Bewegung befinden. Also, folgerte ich, konnte es keine feste, konkrete Zina und keinen konkreten Lama Yeshe geben, der als jemand anderer wiedergekommen war – genausowenig wie eine einmal verwelkte Rose wieder zur gleichen Blume werden kann, die man am gleichen Busch erblühen sieht. Wenn man es ganz genau nimmt, dachte ich, kann man eigentlich nur sagen, der Bewußtseinsstrom, den wir einst ‚Zina' nannten, manifestiert sich nun in einer Form, die wir jetzt ‚Pierre' nennen. So wunderbar und so rätselhaft ist das.

Als ich mit Janine und Gérard sprach, wurde zumindest eines deutlich: Trotz Zinas äußerst exotischer, buntschillernder und kontroverser Vergangenheit achteten beide sie sehr. Keiner von beiden hatte irgendwelche Zweifel daran, daß sie dort in ihrer Höhle zwischen den einsamen, ehrfurchtgebietenden Gipfeln in den letzten Monaten ihres Lebens eine äußerst hohe Stufe spiritueller Verwirklichung erreicht hatte. Nach Pierres Geburt waren sie einem Journalisten begegnet, der Zina während ihrer Meditationsklausur interviewt hatte. Die Bänder, die ihnen auf diese Weise plötzlich in die Hände fielen, waren wie ein Geschenk aus dem ,Reinen Land'. Ihre Stimme und die Worte, die sie sprach, überzeugten sie restlos davon, daß sie es tatsächlich mit einer ganz besonderen Frau zu tun hatten.

„Als ich ihre Stimme hörte, bekam ich Gänsehaut – sie klang wie die eines Engels", sagte Janine. „Ganz gleich, was sie früher getan hatte, sie hatte es geschafft, ihrem Leben eine vollkommen andere Ausrichtung zu geben, dessen bin ich mir sicher. An einer Stelle, als sie von der Versuchung erzählte, die Lamas zu verlassen und zu einem vergnüglicheren Leben zurückzukehren, sagte sie, sie habe sich dagegen entschieden, weil sie aus eigener bitterer Erfahrung wußte, daß ,die Höhen so hoch waren und die Tiefen so tief'. Das waren ihre genauen Worte. Ich erinnere mich auch daran, wie sie sehr deutlich zum Ausdruck brachte, man solle Menschen, die Drogen nehmen, nicht verachten oder schlecht über sie denken, da diese in Wirklichkeit auf der Suche seien – auf der Suche nach einem spirituellen Leben, nach etwas Sinnvollem. Ihre Worte bewegten mich sehr", sagte sie.

Später spielte mir Gérard das Band vor, und obwohl bei dem Interview Französisch gesprochen wurde, konnte ich hören, wie überraschend leicht und poetisch Zinas Stimme klang. Freude schwang in ihren Worten mit, das war nicht zu überhören. In ihrer Klausur in den Bergen mußte ihr etwas Tiefgreifendes und Wunderbares widerfahren sein.

Bemerkenswerterweise bewiesen die Worte auf dem Band schlüssig, daß Zina vorhatte, in der gleichen Weise wiedergeboren zu werden wie die Tulkus des Ostens. Gérard erklärte mir, was auf dem Band zu hören war.

Zina hatte dem Reporter erzählt, sie habe nun ein genaues Verständnis des Bardo, des Zustands zwischen dem Tod und der nächsten Wiedergeburt, erlangt und habe die *Absicht* zu reinkarnieren. Sie war fest entschlossen. Sie wollte den Menschen im Westen unbedingt beweisen, daß auch sie den Verlauf ihrer nächsten Wiedergeburt bestimmen konnten.

Dieser Wunsch und nicht irgendein materieller oder weltlicher Traum war nun zur treibenden Kraft in ihrem Leben geworden. Sie beteuerte, daß alles, was sie sagte, der Wahrheit entspräche. Sie hatte diese Worte ungefähr siebzehn Jahre vor Pierres Erscheinen auf dieser Welt geäußert.

Das Interview mit dem französischen Journalisten, der den Berg hinaufgestiegen war, um sie kennenzulernen, zeigte deutlich, welch weitreichende spirituelle Entwicklung sie gemacht hatte. Es war beeindruckend und für westliche Menschen mit ähnlichen Ambitionen äußerst ermutigend. Wenn Zina es tun konnte, konnten wir es auch.

„Zina sagte, als sie mit der Meditation angefangen habe, habe sie nicht länger als fünf Minuten dabeibleiben können, habe sich aber ganz entschlossen bemüht, diese Zeitspanne zu verlängern", fuhr Gérard fort. Auf dem Band gab sie an, sie könne nun einige Stunden lang meditieren und sagte, daß, wenn sie es in einigen Monaten fertiggebracht hatte, sich von fünf Minuten auf mehrere Stunden zu steigern, es ihr vielleicht in einigen Jahren schon möglich sei, jahrelang in der meditativen Versenkung zu verweilen. Irgendwann sei sie vielleicht fähig, zwanzig Jahre lang in einer Höhle zu bleiben, so wie es Lama Zopa in seinem vorigen Leben getan hatte.

Später fiel mir ein Brief in die Hände, den Zina an Lama Yeshe geschrieben hatte. Mehr als alles andere spiegelt er die bemerkenswerte Transformation, das tiefe Verständnis und den verfeinerten Geisteszustand wider, die Zina vor ihrem Tod erreicht hatte. Er war ein weiterer ‚Beweis' ihrer spirituellen Meisterschaft.

In diesem Brief zeigte sich, wie sehr sich ihre Gedanken dem Leiden der Wesen zugewandt hatten und auf welch wunderbare Weise sich die Klarheit der Aussicht auf ihrer hohen Bergspitze in ihrem Geist widerzuspiegeln begann.

Noch bemerkenswerter war, daß Zina sich recht überrascht darüber äußerte, wie sehr sich ihre Meditation verbessert hatte, seitdem sie in ihrer ‚Höhle' angekommen war. Sie konnte nun, so gab sie an, einige Stunden hintereinander in Stille sitzen, und ihr stand mit wachsender Disziplin ihr Ziel immer deutlicher vor Augen. Dieser Ausblick erfüllte sie mit Ehrfurcht. Es war, sagte sie, nichts weniger als das Erwachen und die Meisterschaft über den Tod.

Im Brief hieß es weiter, obgleich sie ihr letztendliches Ziel gesehen habe, erkenne sie in aller Demut, daß sie immer noch einen langen Weg vor sich habe. Nun aber sei der Pfad vor ihr erkennbar und sie wisse, wo sie gerade stehe. Sie sprach auch darüber, daß sie sich ihrer Fehler immer bewußter wurde: jene geistigen Gewohnheiten, die sie, wollte sie erfolgreich sein, offensichtlich überwinden mußte.

Als ihre besondere Schwäche bezeichnete sie ihre Gereiztheit und deren Steigerung, die Wut, die große Feindin inneren und äußeren Friedens. Aber sie wisse, so sagte sie, daß Mitgefühl das Gegenmittel war, und sie bete immer häufiger um Geduld und Toleranz.

In meinen Augen sprach tiefe Ehrlichkeit und eine fast kindliche Einfachheit aus diesem Brief. Aber was das Dokument so bewegend und absolut überwältigend machte, war vor allem die unübersehbar große Liebe, die sie für ihren Lama empfand.

Sie hatte es mit ihrem tibetischen Namen unterschrieben.

Falls Zina in dem glückseligen Geisteszustand gestorben war, der aus ihrem Brief sprach, könnte sie tatsächlich die Stromschnellen des Bardo, des Zustands zwischen Tod und Wiedergeburt gemeistert und ihr Ziel erreicht haben: genau die Wiedergeburt zu erlangen, die sie wollte, und damit zu beweisen, daß auch ein Mensch aus dem Westen das meistern konnte, was die großen Meditierenden Tibets vollbracht hatten.

In der Zeit vor Pierres Geburt wurden Zinas Gegenwart und Persönlichkeit mit immer größerer Intensität fühlbar. Es ist eine ergreifende Geschichte, die Gérard und Janine immer noch fasziniert. Gérard begann, für mich den seltsamen Strang der Ereignisse zu entwirren, durch den Zina plötzlich in ihr Leben eindrang.

„Es fing alles an, als ich einige Monate vor meiner Hochzeit mit Janine nach Nizza zurückging. Ich wurde wieder einmal an meine Cousine Zina erinnert (genaugenommen war sie die Cousine meiner Großmutter), da das Haus, in dem ich lebte, zu Fuß nur fünf Minuten von dem Haus entfernt lag, in dem Zinas russische Familie gelebt hatte. Zina selbst hatte eine ganze Weile dort gewohnt und war zur Miss Côte D'Azur oder so etwas ähnlichem gekrönt worden. Ich erinnere mich, wie ich es in der Zeitung las. Nachdem ich also damals nach Nizza zurückgegangen war, kam der Dalai Lama nach Südfrankreich, und die Titelseite der Lokalzeitung, des *Nice Matin*, war voller Bilder von ihm. Plötzlich mußte ich dauernd an meine Cousine denken, die eine tibetische Nonne geworden war", erinnerte er sich.

„Obwohl ich damals noch sehr jung war, erinnere ich mich sehr gut an sie. Immer wenn ich sie sah, war sie halbnackt; wenn sie zu Hause war, hatte sie nur ganz wenig an. Sie hatte viele Ehemänner und Kinder. Als sie in Klausur war, schickte sie meiner Großmutter viele Briefe. Meine Großmutter zeigte mir diese Briefe des öfteren. Sie waren ziemlich verrückt, mit vielen Zeichnungen und Gedichten. Ich erinnere mich recht deutlich an einen Tag, an dem meine Großmutter wieder einmal einen Brief bekommen hatte und zu meiner Mutter sagte: ,Ich bin sicher, sie verfällt den Drogen immer mehr.' Das traf natürlich ganz und gar nicht zu. Jedenfalls erinnerte mich der Anblick von Zinas Haus und der Besuch des Dalai Lama an meine Cousine, die 1973 im Himalaya gestorben war."

Die nächste Etappe dieser seltsamen Geschichte ereignete sich, als sich Gérard – gegen den Rat seiner Familie und seiner Freunde – entschlossen hatte, nach Paris zurückzukehren. Er studierte Jura und spürte, daß ihn irgendetwas in die Hauptstadt zurückzog. Eines Tages war er in einem Geschäft, um ein Buch über Steuergesetze zu kaufen. Vor der Kasse war eine lange Schlange, und während Gérard anstand, fiel ihm ein leuchtend orangefarbenes Buch mit schwarzer Aufschrift ins Auge, das neben ihm im Regal stand. Er holte es sich und blätterte darin.

„Bereits nach einer halben Sekunde hatte ich den Namen Zina Rachevsky gesehen. Ich blätterte das Buch noch einmal langsamer durch, aber konnte den Namen nicht wiederfinden. Da die Warteschlange sehr lang war und die Abfertigung recht langsam, suchte ich weiter und fand ihn schließlich auf den ersten Seiten. Das Buch war die französische Ausgabe des *Diamantwasser,* des ersten Buches mit Lehren von Lama Yeshe und Lama Zopa Rinpoche. In der Einführung wurde erwähnt, Zina sei die erste westliche Schülerin dieser beiden Lamas gewesen. Für mich war es etwas Unglaubliches, ihren Namen dort zu finden." Er kaufte das Buch.

„Jetzt kann ich sehen, warum es sehr wichtig für mich war, aus Nizza wegzugehen. Alle meine Freunde hatten gesagt: ,Wie kannst du das nur tun?' Ich beschäftigte mich eingehend mit der japanischen Kampfsportart Aikido und fühlte mich stark von der Philosophie angezogen, die ich darin fand. Aber ganz tief drinnen spürte ich, daß ich nach Paris zurückkehren mußte. Es erschien mir äußerst wichtig, aber damals hätte ich nicht genau sagen können, warum", fügte er hinzu.

Er las das Buch in einer Nacht und fand darin Antworten auf Fragen, die er sich schon lange gestellt hatte. Ganz besonders beeindruckend fand er den Vortrag der beiden Lamas über Karma – das Gesetz von Ursache und Wirkung, welches besagt, daß nichts rein zufällig geschieht. Voller Aufregung über seine Entdeckung rief er seine Großmutter in Nizza an, die ein Buch über die russische Linie der Familie schrieb, um ihr zu erzählen, daß er auf neue Informationen über ihre Cousine gestoßen war. Statt mit den üblichen Verunglimpfungen der exotischen Zina reagierte sie diesmal positiv. Er setzte sich daraufhin nieder und schrieb an den Herausgeber des *Diamantwasser,* um auf diese Weise mehr Informationen über Zina zu bekommen, schickte den Brief jedoch nie ab.

Einige Monate später, als er bereits mit Janine verheiratet war, nahm er sich das Buch nochmals vor, um die darin enthaltenen Thesen mit einem Freund zu diskutieren. Sie diskutierten bis spät in die Nacht hinein, wobei sie die Vorstellungen des tibetischen Buddhismus in ähnlicher Weise abklopften, wie es Zina sicherlich bei ihrer ersten Begegnung mit dieser intellektuell recht anspruchsvollen Religion getan hatte.

Am darauffolgenden Tag hätte Gérard an einer Verhandlung im *Palais de Justice* teilnehmen sollen, aber als er dort ankam, stellte er fest, daß sie abgesagt worden war. Da er nun nichts zu tun hatte, ging er in ein großes Warenhaus namens *La Samaritaine,* um dort ein wenig herumzustöbern. Ironischerweise und recht passend im Lichte dessen, was nun kommen sollte, hieß der Werbespruch dieses Kaufhauses: „Man findet alles in La Samaritaine." Als Gérard wieder gehen wollte und gerade in den Aufzug einstieg, sah er den Bruchteil einer Sekunde lang etwas in den dunkelrot-goldenen Farben der Roben der tibetisch-buddhistischen Mönche. Von etwas angezogen, was er nicht recht deuten konnte, fuhr er wieder mit dem Aufzug nach oben, um die Person zu suchen, die diese Roben trug. Er spürte, dies war ein Zeichen. Nach kurzer Suche fand er den Mönch, der sich gerade Socken kaufte.

„Ich fragte ihn: ,Was machen Sie hier?' Alles, was er sagte, war: 'Sie müssen heute um zwölf Uhr kommen. Sie müssen heute um zwölf Uhr kommen.' Nichts weiter. In aller Eile fragte ich herum und fand heraus, daß an diesem Tag ein großes Treffen all der verschiedenen Gruppierungen innerhalb des Buddhismus stattfand. Die Teilnehmer kamen aus aller Welt: Thailand, Japan, Taiwan, Singapur, Burma, Sri Lanka und Tibet.

Da meine Verhandlung abgesagt worden war, hatte ich nichts zu tun, also ging ich hin. Es war eine riesige Versammlung mit vielen geschäftigen Leuten. In einem Nebenzimmer gab es buddhistische Kunstgegenstände, Poster und Bücher zu kaufen. Ich ging hinein und stieß auf einen Stand, an dem das Buch *Diamantwasser* verkauft wurde. Ich dachte: ,Das ist also meine Verabredung'. Wissen Sie, es war wirklich unglaublich. Die Dinge passierten so schnell, innerhalb einer halben Sekunde."

Er erzählte der Frau, die das Buch verkaufte, daß eine seiner Verwandten im *Diamantwasser* erwähnt wurde. Diese zeigte sich äußerst interessiert, da sie das Pariser Zentrum des FPMT leitete, jener Organisation, die von Lama Yeshe ins Leben gerufen worden war. Er fragte, ob er die beiden Lamas treffen könne, die Zina so viel bedeutet hatten. Sie erzählte ihm, er habe gerade Lama Zopas ersten Frankreichbesuch verpaßt, aber Lama Yeshe stünde direkt hinter ihm. Er drehte sich um und sah ein großes Poster von Lama Ösel an der Wand hängen.

„Ich sagte: ,Das verstehe ich nicht.' Ich wußte überhaupt nichts über den Buddhismus. Sie lachte. Dann erzählte sie mir, Zina habe ein sehr interessantes Leben geführt, und die Leute sagten ihr nach, sie sei nach ihrem Tod ins Reine Land der Dakinis eingegangen. Ich wußte nicht, was all das zu bedeuten hatte, aber ich fand es interessant, denn bisher hatte ich nur von Zinas schlechten Seiten gehört – von ihrem Drogenkonsum und dergleichen. Die Frau sagte: ,Das entspricht nicht der Realität, sie hat Großartiges vollbracht. Sie stand am Anfang einer großen Bewegung, durch die der tibetische Buddhismus in den Westen gelangte. Was sie tat, war wirklich gut und brachte vielen Menschen großen Gewinn. Die Leute achten sie sehr.' Ich rief meine Großmutter an, und sie sagte, das könne ja wohl nicht wahr sein!"

Janine war mittlerweile schwanger geworden, und das Kind in ihrem Bauch machte sich allmählich in ihrem und Gérards Leben mehr und mehr bemerkbar. In dieser Zeit begegneten sie dem Journalisten, der Zina interviewt hatte. Er gab ihnen seine Tonbänder und seine Fotografien von Zina während ihrer Meditationsklausur vor zwanzig Jahren und erzählte ihnen, er habe die Bänder niemals abgehört.

„Wir gingen nach Hause", sagte Gérard, „und hörten uns ihre Stimme an; das bewegte uns sehr. Die Bänder waren von schlechter Qualität, da sie schon so alt waren. Ich begann darüber nachzudenken, wie seltsam es war, daß Zina auf diese Art in unser Leben trat und daß sie uns vielleicht irgendeine Nachricht übermitteln wollte. Auf den Bändern erwähnte sie, sie habe jemandem ein paar Aufzeichnungen für eine Biographie gegeben. Sie sagte, sie könne beim Schreiben nicht vorwärtskommen, da aufgrund ihrer Praxis die Dinge für sie jeden Tag anders aussähen. Also kam ich auf die Idee, ich solle vielleicht versuchen, das Manuskript zu finden und etwas daraus zu machen. Ich dachte, möglicherweise sei das die Botschaft, die sie uns zu geben versuchte.

„Ich dachte viel über Zina nach, jeden Tag. Ihr Leben nahm einen festen Platz in meinem Leben ein. Ich erinnere mich, wie sich einmal, als ich zum Essen ausgegangen war und über meine Cousine sprach, die Person vom Nebentisch herüberbeugte und sagte: ‚Sprechen Sie über Zina? Ich kannte sie!‘ Solche Dinge ereigneten sich alle zwei oder drei Tage. Jemand hatte sie gekannt oder kannte jemanden, der ihr begegnet war. Es war wirklich äußerst seltsam."

Dann hatte Gérard einen Traum – einen langen und gespenstischen Traum, an den er sich bis zum heutigen Tag in allen Einzelheiten erinnert. Darin war er der Wächter eines langen Schwertes, das seiner Großmutter gehörte, ein Schwert, das der Sonne gleich Licht ausstrahlte. Als er das erzählte, mußte ich an Yamantaka mit seinem Schwert, Zinas Meditationsgottheit, denken und auch daran, daß sich die Tibeter, wenn sie einen Tulku suchen, stets bei den in Frage kommenden Eltern nach besonders auffälligen Träumen erkundigen.

Im Traum war es Gérards Aufgabe gewesen, das Schwert vor Dieben zu verstecken, die es des Nachts stehlen wollten. Da der ganze Boden schneebedeckt war, wußte er, daß die Diebe seinen Fußabdrücken folgen konnten, falls er wegginge. Also beschloß er, sich selbst sehr klein zu machen und sich zusammen mit dem Schwert per Post an Lama Zopa zu schicken, dem er bis dahin noch nie begegnet war. Er steckte sich also in einen Umschlag, und als dieser bei Lama Zopa ankam, war der verständlicherweise sehr erstaunt. Er lachte und lachte – wie er das auch im wirklichen Leben tut – und sagte belustigt: „Welch eine seltsame Art herzukommen."

Gérard fuhr mit der Geschichte seines prophetischen Traumes fort: „Er bat mich, ihm in ein sehr eigenartiges Haus zu folgen, das völlig weiß war, keine Fenster sondern nur einen schmalen Gang hatte und von innen heraus leuchtete. Später wurde mir klar: Es war eine Stupa. Lama Zopa ging mir voraus, und in diesem engen Flur war eine kleine Nische mit einer schönen kristallenen Glocke. Der Ort war unglaublich schön, besonders das Licht hatte etwas Vollkommenes – wirklich göttlich, wie aus einer anderen Welt. Als ich an der Glocke vorbeiging, läutete sie mit einem reinen Klang. Es war wunderbar. Dann wurde Lama Zopa ganz ruhig und sagte: ‚Darf ich Ihnen Lama Yeshe vorstellen.' Die Glocke war Lama Yeshe, dem ich natürlich damals auch noch nicht begegnet war."

Zwei oder drei Nächte später weckte Janine Gérard mitten in der Nacht auf. Sie war völlig außer sich und schrie: „Das ist unmöglich! Das ist unmöglich! Es kann nicht Zina sein, weil es ein Junge ist. Wie sollte das möglich sein? Wie sollte es Zina sein können? Es ist ein Junge!" wütete sie. Gérard hatte Angst. Janine war schweißgebadet, und ihre Augen waren nach oben gerollt, als befinde sie sich in Trance.

„Ich dachte, es sei das Beste, sie für eine Weile in Ruhe zu lassen. Als sie sich beruhigt hatte, weckte ich sie auf. Ich fragte sie, ob sie wisse, was sie gerade gesagt habe, und sie sagte, sie erinnere sich an nichts. Also erzählte ich ihr, was sie geschrien hatte, und sie konnte sehen, daß irgendetwas geschehen sein mußte, denn sie selbst und das Bett waren völlig durchnäßt.

An dieser Stelle dachte ich, ich müsse mir Rat von einem Lama oder irgendjemand anderem mit einer gewissen Autorität in diesen Dingen holen. Also rief ich jene Frau an, die ich an dem buddhistischen Büchertisch getroffen hatte und die mittlerweile zu einer Freundin geworden war. Sie rief mich einige Minuten später zurück und sagte mir, ein hoher Lama, das Oberhaupt der Sakya-Tradition des tibetischen Buddhismus, halte sich gerade in Paris auf. Sie hatte mit ihm über mich gesprochen, und er war bereit, mich zu empfangen."

Als es soweit war, sprudelte Gérard vor Sakya Trizin die ganze seltsame Reihe von Geschehnissen hervor, die sich bis dahin ereignet hatten, und verschwieg auch Janines ‚Alptraum'-Botschaft nicht, daß der Junge, den sie in ihrem Bauch trug, Zina war. „Er erzählte mir, Meditierende kämen manchmal in der gleichen Familie zurück, um weiterzuwirken, das sei aber sehr selten und werde als gutes Omen gedeutet. Er versicherte mir, er werde nachprüfen, ob dies der Fall sei, und bat mich, am nächsten Tag zurückzukommen. Das tat ich, und dann gab er mir zu verstehen, der kleine Junge, den Janine in sich trug, sei Zina. Er sagte, er habe die Sache mehrere Male geprüft, weil dies seine erste Begegnung mit einer Reinkarnation eines westlichen Menschen als westlicher Mensch sei – das Resultat sei aber immer gleich geblieben. Er fügte hinzu, er sei Zina bereits in Darjeeling begegnet. Sie war etwas Besonderes gewesen, denn sie war als erste westliche Frau Nonne in der Gelugpa-Tradition geworden."

Trotz der enormen Bedeutung dieser Neuigkeit war Gérard eigentlich nicht überrascht. „Ich hatte es gewußt. Für mich war diese Aussage damals nur noch eine Bestätigung. Monatelang war ich vollkommen in Zinas Geist gewesen. Ich hatte die Bänder abgehört, ich hatte versucht zu verstehen, und nun hatte ich die Antwort. All das war aus diesem Grund geschehen", sagte er.

Auch Janine nahm die Nachricht mit Gleichmut auf: „Ich war ein wenig überrascht, aber ich hielt die Sache nicht für etwas völlig Verrücktes. Ich dachte: ‚Das ist etwas, aber ich weiß nicht, was.' Ich habe es keinesfalls von mir geschoben. Ich war offen für alles mögliche – nicht mehr und nicht weniger", sagte sie.

Später bestätigte Sakya Trizin in einem Brief an Lama Zopa, was er herausgefunden hatte. Er lautete:

Lieber Lama Zopa Rinpoche,

mit diesem Brief möchte ich den Erhalt Ihres Briefes vom 2. August 1990 bestätigen und die Reinkarnation Ihrer ersten westlichen Schülerin ‚Zina' offiziell anerkennen.

Da es hier um die Anerkennung einer Reinkarnation geht, hat es einige Zeit in Anspruch genommen, die Sachlage mehrfach zu überprüfen und die Echtheit der Reinkarnation festzustellen. Ja, das Kind (mit dem Namen …) ist die Reinkarnation Ihrer ersten westlichen Schülerin Zina. Wie damals in Frankreich habe ich mehrfach geprüft und kam jedes Mal zum gleichen Ergebnis.

Mit meinen besten Wünschen und Gebeten. Ihnen im Heiligen Dharma verbunden (Unterschrift:) Seine Heiligkeit Sakya Trizin (15. September 1990).

Nichts hätte jedoch Janine und Gérard auf die eigentliche Geburt des besonderen Kindes vorbereiten können, das sie als seine Eltern ausgewählt hatte. Janine war bei der Geburt der Babys einiger ihrer Freundinnen dabeigewesen und glaubte zu wissen, was auf sie zukommen würde.

Von Anfang an sollte diese Geburt jedoch zu etwas völlig anderem werden als all das, was sie bis zu diesem Zeitpunkt gesehen oder gekannt hatte. Es war, als ob das neue Wesen, das einmal Zina gewesen war, das ganze Ereignis steuere.

Als die Wehen einsetzten, fuhren Janine und Gérard ins Krankenhaus. Die Hebamme, die Janine in der Zeit vor der Geburt betreut hatte, war jedoch nicht dort, und die diensthabende Hebamme war nicht besonders freundlich. Erfreulicherweise hörten die Schmerzen auf, und Janine ging nach Hause. Zwei Tage später begannen die Wehen aufs Neue, und obgleich sie dachten, dies könne ein weiterer falscher Alarm sein, machten sie sich erneut zum Krankenhaus auf. Wieder war die richtige Hebamme nicht da, und wieder hörten die Schmerzen auf. Dann kam die Hebamme, die Wehen setzten ein, und die Geburt begann.

Nun geschah etwas ganz Außergewöhnliches: Janine spürte keine Schmerzen und keinerlei Unbehagen oder Angst. Im Gegenteil – sie erfuhr einen Zustand äußerster Glückseligkeit, so daß sie sogar mehrfach in Lachen ausbrach. „Ich lachte so sehr, daß Pierre, als er schließlich herauskam, einen Ring um seinen Kopf hatte, der fünfzehn Tage lang blieb. Ich dachte immer wieder: ‚Ich wünschte, alle Frauen, die ich kenne, könnten Geburten dieser Art erleben‘ “, sagte sie.

Pierre hatte gewartet, bis es Mitternacht schlug. Als er dann in dieses Leben kam, gab er einen Ton von sich, der wie ein religiöser Gesang klang. Er war so laut, daß die Ärzte im anderen Flügel des Krankenhauses ihn hörten. „Es war eine Art Summen, eine Melodie, etwas ganz Unheimliches, ein Klang, der aus einer anderen Welt zu kommen schien“, erinnert sich Gérard und versucht, ihn nachzuahmen. „Ich erinnere mich ganz genau daran. Wissen Sie, es war wirklich seltsam. Alle waren ein bißchen erschrocken. Er kam heraus, ohne zu schreien. Überhaupt kein Schrei. Nur dieser laute Ton. Es war seltsam, aber ergreifend.“

Dann stand Pierres Herz einige Sekunden lang still. Das Krankenhauspersonal brachte es wieder zum Schlagen und beruhigte die Eltern, dies könne manchmal passieren. Nun schrie Pierre wie ein normales Kind. Er wurde gewaschen und seiner Mutter übergeben.

An dieser Stelle geschah zum zweiten Mal etwas Erstaunliches. Als die Hebamme Pierre auf Janines Bauch legte, schlug er seine Beine übereinander, so daß er in die Lotushaltung kam, und saß ohne jede Hilfe aufrecht da. Mit seinen Händen machte er eine sehr komplizierte Geste, so etwas wie eine buddhistische *mudra,* bei der er alle seine Finger miteinander verflochte, und sah seine Mutter an wie ein alter Mann. So saß er einige Minuten lang, ohne sich zu bewegen. Das Ganze ist auf Video festgehalten. Gérard, der Janines Gesichtsausdruck beobachtete, sah blankes Entsetzen.

„Ich war bei vielen Geburten dabeigewesen und wußte, daß die Säuglinge, wenn sie herauskommen, ihren Kopf nicht selber halten können und sehr schwache Körper haben", sagte sie. „Aber da war jemand in meinem Alter, der mir direkt in die Augen sah, einfach dasaß und mich ungefähr fünf Minuten lang anstarrte. Ich dachte, ich hätte ein Monster produziert, und hatte regelrecht Angst. Gérard befürchtete, ich würde das Baby nicht in die Arme nehmen."

Der Arzt kam hinzu und konnte nicht glauben, was er da sah. Die Krankenschwester, die keine Ahnung von all dem hatte, was vorausgegangen war, platzte ganz unwillkürlich heraus: „Sehen Sie sich das an! Ein tibetischer Mönch." Als der Arzt das Kind hochnahm, bemerkte er, daß Pierres Augen folgen und seine Hände zugreifen konnten, was für ein Neugeborenes ebenfalls äußerst ungewöhnlich war.

Pierre kam nach Hause und war ein vorbildlicher Säugling. Als er begann, sich auszudrücken, gab er Töne von sich, die wie Mantras klangen. „Vor dem Einschlafen nahm er seinen Daumen und murmelte vor sich hin, wie ein Mönch, der Mantras rezitiert", erinnerte sich Gérard. „Janine und ich standen hinter der Tür und hörten zu. Es war sehr schön. Er war ein sehr einfaches Baby, er war nie krank und schrie nie. Alle, die ihn sahen, fühlten sich froh. In seiner Entwicklung war er stets seinem Alter voraus."

Trotz der ungewöhnlichen Dinge, die sich gleich zu Anfang seines Lebens ereigneten, versuchten Janine und Gérard stets, Pierre ein möglichst normales Dasein zu ermöglichen. Er sollte nicht als anerkannter Tulku im Rampenlicht der Öffentlichkeit stehen, wie es Lama Ösel zugedacht worden war. Pierre geht in eine örtliche Schule, wo ihm niemand besondere Aufmerksamkeit schenkt, und das ist genau das, was seine Eltern wünschen.

„Sobald mir Pierre selbst sagt: ‚Das ist nicht mein Leben, ich muß etwas anderes tun‘, werde ich es ihn tun lassen", sagt Janine. „Aber ich möchte ihn nicht im geringsten beeinflussen. Es steckt so viel in ihm, und wenn es in ihm steckt, wird es herauskommen." Ich fragte mich, ob es tatsächlich so sein würde – ohne die besondere Erziehung, die sonst Tulkus zuteil wird. Dann fiel mir Jetsünma ein, die Frau in Amerika, die ihre außergewöhnliche Weisheit und ihr umfassendes Mitgefühl ganz ohne fremde Hilfe entwickelt hatte.

Gérard und Janine zweifeln keinesfalls an dem, was ihnen Sakya Trizin gesagt hat – daß ihr Sohn die Reinkarnation von Zina ist. Sie haben auch keinerlei Antipathie oder Vorbehalte gegen den tibetischen Buddhismus. Ganz im Gegenteil. Obwohl Janine keine Buddhistin ist, empfindet sie große Hochachtung für Lama Zopa und sagt von sich selbst, sie begegne der Philosophie dieser Religion mit völliger ,Offenheit'. Ohne Zögern hängt sie die religiösen Bilder in Pierres Schlafzimmer auf, die Lama Zopa ihm schickt. Als ich Gérard traf, half er bei der Organisation des ersten Besuchs des Dalai Lama in Paris. Ihren eigenen Worten zufolge sind die beiden einfach nur vorsichtig und schützen ihren Sohn vor unerwünschter Aufmerksamkeit und den Projektionen anderer. Das war, dachte ich, eine typisch westliche Herangehensweise. In der Zwischenzeit warten sie und sehen zu, was so geschieht.

Sie beobachten viele Dinge, die sie aufhorchen lassen. „Seine Anteilnahme am Schicksal anderer ist bemerkenswert", berichtete Janine. „Als er zwei Jahre alt war, war er zum Beispiel einmal mit anderen Kindern auf dem Spielplatz und machte sich große Sorgen, daß sich ein kleines Mädchen, das seine Schuhe ausgezogen hatte, erkälten oder verletzen könnte. So etwas ist bei einem Kind seines Alters nicht üblich. Er macht sich auch Sorgen, weil ich rauche und sagt mir, ich solle damit aufhören. Er hat einen ausgeprägten Sinn für Moral. Er verbessert uns, falls wir etwas Negatives über eine andere Person sagen. Er unterscheidet sehr genau zwischen Richtig und Falsch. Ich lerne von ihm. Er bringt mir dauernd irgendetwas bei."

Sie sagen, er lerne sehr schnell und habe ein ausgezeichnetes Gedächtnis. „Wenn ich ihm beispielsweise eine Geschichte vorlese und sie eine Woche später noch einmal lese, merkt er genau, wenn ich eine Seite überspringe. Er erinnert sich an die Namen von Personen, die er vor einem Jahr oder vor noch längerer Zeit einmal gehört hat – ich dagegen habe sie dann schon längst vergessen", sagte seine Mutter.

In der Schule zeigen sich seine angeborenen Führungsqualitäten. Er besitzt, genau wie Lama Ösel, eine enorm kraftvolle Energie. „Man muß sie in bestimmte Bahnen lenken, denn er will alles gleichzeitig machen. Ich muß ziemlich streng mit ihm sein; manchmal muß er einen Klaps bekommen. Es ist eine schwere Aufgabe. Er hat eine solch starke Persönlichkeit, daß man ihn nicht dazu bringen kann, irgendetwas zu tun, was er nicht tun will." Er schläft auch nicht gerne. „Es ist verrückt. Ich muß mich immer mit ihm streiten, wenn er sich ausruhen soll. Er kann abends lange aufbleiben, aber am nächsten Tag ist er nie müde. Er geht um 8.30 Uhr ins Bett und ist oft zwei Stunden später wieder wach", sagte Janine.

Auffällig findet Janine auch, daß er gerne Verantwortung übernimmt. Er macht sich mit Freuden selbst das Frühstück und liebt es, es allein zu sich zu nehmen. Er genießt auch, wenn man ihm zeigt, wie eine Maschine funktioniert und er sie dann selbst bedienen kann. Er kann eventuelle Gefahren bestens einschätzen. Er haßt Streit und geht nie irgendwelche Risiken für seinen Körper ein. „Er springt nie vor offenen Garagen umher und spielt auch nicht mit den Flaschen im Badezimmer. Ich glaube, ich brauche mir keine Sorgen zu machen, daß er einmal Skateboardfahren möchte", sagte Janine. Ich bemerkte, daß ihn dieser Charakterzug sehr von der wilden, risikofreudigen Zina unterschied. „Vielleicht hat er sich gewandelt", antwortete Janine.

Das Auffälligste an Pierre ist jedoch seine Art sich auszudrücken. Er spricht wie ein Erwachsener, benutzt komplexe Begriffe und schwierige Wörter an der richtigen Stelle. Er ist entwaffnend, und die Leute machen Bemerkungen darüber. „Er unterhält sich genauso, wie wir beide das tun. Unseren buddhistischen Freunden zufolge ist das wirklich die Eigenschaft, die ihn von anderen unterscheidet. Ich bemerke alle diese Dinge, aber habe mich von Anfang an dazu entschlossen, ihnen in Pierres Anwesenheit nicht zu viel Aufmerksamkeit zu schenken. Ich möchte ihn nicht verziehen", fügte sie hinzu.

Kurz nachdem Sakya Trizin Pierre anerkannt hatte, mußte dieser eine weitere Prüfung bestehen. Lama Zopa lud ihn und seine Eltern nach Kopan ein. Falls Pierre Zinas Reinkarnation war, bedeutete das für ihn wahrlich eine Rückkehr nach Hause, denn Zina hatte ihre ersten Tage als buddhistische Nonne, die voller Inspiration gewesen waren, in Kopan verbracht. Verglichen mit jener Zeit in den Sechzigern, in der Zina und ihre Lamas hierhergezogen waren und mit den Unterweisungen für jene frühen westlichen Suchenden begonnen hatten, hatte sich Kopan radikal verändert. Neue Gebäude waren hinzugekommen, Wasserleitungen waren den Hügel hinauf gelegt worden, ein Speisesaal und eine herrliche neue Gompa waren errichtet worden – selbst Duschen und Waschräume waren nun vorhanden.

Sofort nach seiner Ankunft veränderte sich Pierres Verhalten. Er lief zu einer Kiste und fing an, religiöse Objekte und verschiedene Arten von Roben herauszuziehen. Seine Eltern erhoben Einspruch, aber Lama Zopa lachte nur und sagte, Pierre führe nur seine eigene ‚Praxis‘ aus. Er bemerkte auch, Pierres ‚Energie‘ gleiche der Zinas. Man zeigte ihm die Gompa, aber er bestand darauf, daß sie sein ‚Haus‘ sei. Jeden Tag, wenn sie an der Gompa vorbeigingen, sagte er aufs Neue, dies sei sein ‚Haus‘. Später fanden seine Eltern heraus, daß die heutige Gompa auf dem Platz errichtet worden war, auf dem früher Zinas Wohnstatt gestanden hatte.

Bei einer anderen Gelegenheit besuchten sie den berühmten buddhistischen Tempel Swayambuth in der Nähe von Kathmandu. Plötzlich kam es Gérard und Janine sehr ruhig vor. Pierre war nicht mehr da. Sie begannen sofort, ihn zu suchen und fanden ihn schließlich, wie er an einem wenig frequentierten Ort vor einer Buddhastatue Niederwerfungen machte. Als er merkte, daß er entdeckt worden war, wurde er wütend – man hatte hinter seine Fassade geschaut! Damals war er erst zweieinhalb Jahre alt.

Auch weiterhin verhielt er sich so, als ob er nichts mit dem äußerlichen Drum und Dran des tibetischen Buddhismus zu tun haben wollte. „Er wollte die Katags, die weißen Schals, die die Leute ihm überreichten, nicht annehmen. Er mochte auch nicht neben Lama Zopa sitzen. Wenn die Mönche wollten, daß er etwas tue, sagte er stets ‚Nein‘ – laut und nachdrücklich. Schließlich nannten sie ihn ‚Mister No‘.

Eines war faszinierend: Er wollte zwar nichts mit den Mönchen zu tun haben, aber den Nonnen fühlte er sich offensichtlich sehr nahe. Er hatte eine sehr gute Beziehung zu ihnen und nannte sie seine Freundinnen. Mir persönlich ist nicht klar, wie er sie unterscheiden konnte“, war Janines Kommentar.

Während Pierres Besuch in Kopan wurde eine offizielle Anerkennungszeremonie abgehalten, zu der dreihundert Gäste geladen worden waren.

Man brachte Pierre Lama Ösels Roben, aber er weigerte sich prompt, sie anzuziehen. Nach einer Weile überlegte er es sich anders. „Er sagte ‚O.K.‘. Und plötzlich war er verwandelt – die Art und Weise, wie er die Roben trug, wie er sich darin bewegte. Es war wirklich schön. Plötzlich sah ich mein Kind ganz und gar“, sagte Janine.

Aber obwohl Janines Hochachtung für Lama Zopa und einige der Leute, denen sie in Kopan begegnete, zunahm, war es ihr wichtig, ihre Einstellung deutlich zu machen. „Ich sagte zu Lama Zopa, wenn mir Pierre selbst erzählt, daß er lehren möchte, dann kann er ihn haben. Bis dahin möchte ich, daß mein Sohn ein normales Leben mit uns in Frankreich führt.“

Lama Zopa war einverstanden. „Er ist Ihr Kind. Ich möchte ihn Ihnen nicht wegnehmen. Passen Sie auf ihn auf, achten Sie darauf, mit wem er zusammenkommt und welcher Umgebung Sie ihn aussetzen“, war alles, was er sagte.

Für Janine und Gérard, die nicht als Buddhisten erzogen und auch nicht (wie die Eltern anderer Tulkus) selbst zum Buddhismus gekommen waren, war es eine große Herausforderung, sich mit einem Kind wiederzufinden, das zu einem Tulku erklärt worden war. Seit Pierres Geburt bemühen sie sich sehr darum zu verstehen, was Reinkarnation ist und was sie, insbesondere für ihren Sohn, bedeutet.

„Ich bin wirklich überzeugt, daß Pierre irgendeinen Teil von Zina hat“, sagte Janine. „Ich kann es aus seinem Verhalten schließen. Aber ich glaube nicht, daß Zina zu Pierre ‚wurde‘. Ich konnte es absolut nicht leiden, wenn Leute zu ihm kamen und sagten: ‚O, Zina.‘ Er wurde zu einem Kuriosum. Das Ganze wurde zu sehr zu einer Show, also habe ich es unterbunden. Lama Zopa sagte, Pierre habe die gleiche Energie wie Zina, aber da ich Zina nie getroffen habe, kann ich nicht beurteilen, ob es so ist. Ich habe aber überhaupt kein Problem mit der Situation und auch keinerlei Befürchtungen“, fügte sie hinzu.

Gérard mit seinem Rechtsanwalt-Verstand hatte sorgfältig untersucht, was Wiedergeburt vom Gesichtspunkt des tibetischen Tulku-Systems und dem der modernen Physik aus bedeutet. Es fasziniert ihn, wie sich die beiden Ansätze treffen, und er verfolgt jede neue Entwicklung auf diesem Gebiet genauestens. Für ihn ist es äußerst wichtig, sicher zu sein, wer sein

Sohn ist. Folglich hat er seine eigenen Überzeugungen in bezug auf dieses Thema entwickelt.

„Reinkarnation bedeutet nicht, daß eine Person im Körper einer anderen lebt. Das ist ganz und gar nicht damit gemeint. So etwas entspräche der westlichen Ansicht, der christlichen Sichtweise, nach der es einen Körper gibt und eine Seele, die in diesem Körper lebt. Das ist aber nicht die Realität. Der Geist ist überall im Körper und auch sonst überall. Die Vorstellung, man ziehe in ein Haus ein und lebe dort, vereinfacht die Sache zu sehr.

Als die Leute anfingen zu sagen: ‚O, das ist Zina‘, dachte ich, es sei meine Pflicht herauszufinden, was da vor sich ging. Ich wollte Bescheid wissen, um Pierre schützen zu können. Ich las viele Bücher und entdeckte, daß es selbst unter den Tibetern verschiedene Gruppierungen gibt, die das Phänomen unterschiedlich interpretieren. Außerdem liefern auch wissenschaftliche Nachforschungen, besonders aus dem Bereich der Physik, einige gute Erklärungsansätze.“

Am Ende beugt er sich vor der Größe und Bedeutsamkeit des Phänomens, dem er sich gegenübersieht: „Die Kontinuität des Bewußtseins ist etwas, das völlig außerhalb unseres ‚Kanals‘ liegt. Wir können nicht so darüber nachdenken, als sei es in unserem ‚Kanal‘, denn es ist wirklich ‚draußen‘“, sagte er.

Soweit all die intellektuellen Debatten. Aber – und das gesteht Gérard auch sofort ein – sein Sohn ist aus Fleisch und Blut, und seine eigene Erfahrung mit Pierre ist etwas, was sich nicht in Büchern finden läßt. Die beiden haben eine liebevolle und sehr lebendige Beziehung.

„Seit er zwei Monate alt ist, liegt in seinem Blick eine gewisse Anerkennung. Ich will nicht sagen, daß er uns verehrt, aber ich lese in seinen Augen eine gewisse Dankbarkeit für irgendetwas: ‚Ich bin Pierre, und ich danke euch.‘ Noch bevor er sprechen konnte, habe ich das oft bei ihm beobachtet. Man hat das Gefühl, als bringe er seinen Eltern großes Vertrauen entgegen. Zina hatte versprochen zurückzukehren, und ich glaube wirklich, daß sie ihr Versprechen eingelöst hat. Vor Pierres Geburt verband ich ein ganz bestimmtes Gefühl mit der Zina, die auf den Photos zu sehen war. Ich spürte ihre Gegenwart. Als Janine dann ihren ‚Alptraum‘ hatte, verschwand dieses Bild völlig. Und als dann Pierre kam und nur durch seine Augen sprechen konnte, fand ich durch ihn zu dem gleichen Bild, zum gleichen Gefühl, zurück.“

Alles hörte sich so überzeugend an, aber eine Frage, die ich persönlich für äußerst wichtig hielt, war noch nicht beantwortet worden. Warum hatte sich Zina in einer männlichen Form reinkarniert? Die Feministin in mir sträubte sich bei dem Gedanken, daß Zina, die exotische, wilde, starke, entschlossene und mutige Frau, die als Frau so viel erreicht hatte, ihr Geschlecht aufgegeben hatte, um ihre spirituelle Befähigung als Mann unter Beweis zu stellen. In der patriarchalischen Welt des tibetischen Buddhismus brauchten wir dringend Frauengestalten, zu denen wir mit Verehrung und Hochachtung aufschauen und deren Vorbild wir nacheifern konnten. Daß sie ein Junge geworden war, erschien mir als schrecklicher Betrug an ihrem Geschlecht.

„Wenn Sie die Schriften oberflächlich durchlesen, können Sie sehen, daß Nonnen eine Verpflichtung haben, in ihrem zukünftigen Leben Mönche zu werden. Ich persönlich glaube, daß es dabei um die Ebene der Energie geht, nicht um die körperliche", war Gérards Kommentar.

„Aber wenn Sie dann die tibetische Gesellschaft erforschen, werden Sie auf hochentwickelte Nonnen stoßen, die sich als hochentwickelte Nonnen reinkarniert haben. Jeder hat also seinen eigenen Weg. Zina war, wenn sie es genau betrachten, einfach nicht hundertprozentig glaubwürdig. Viele der Leute, die sie kannten, können einfach nicht verstehen, wie sie eine hochentwickelte Nonne werden und eine sehr fortgeschrittene spirituelle Praxis haben konnte. Sie glauben nicht, daß sie sich so schnell verändern konnte. Die Tatsache, daß sie jetzt kein Mädchen ist, sondern ein Junge, macht den Unterschied so deutlich", sagte er.

Die Erklärung klang logisch, meine Enttäuschung nahm sie mir allerdings nicht.

Was wird die Zukunft wohl bringen? Akzeptieren, daß dein Kind die Reinkarnation eines hochentwickelten Meditierenden ist, ist eine Sache, die Frage, was man mit dieser Gewißheit tun soll, eine andere. Ein Kind wie Pierre in bezug auf Ausbildung und Spiritualität auf die rechte Bahn zu bringen, ist eine besonders schwere Aufgabe. Und mehr noch als andere Eltern haben Janine und Gérard Grund, sich zu fragen, was wohl aus Pierre werden wird, wenn er heranwächst.

Janine hat keinerlei vorgefaßte Meinung. „Alles mögliche kann geschehen. Ich habe keine Angst. Ich bin offen für alles, was kommt", sagte sie. Gérard dagegen hat sich praktische Ratschläge eingeholt, wie er mit der riesigen Verantwortung umgehen soll, die er auf sich ruhen spürt.

„Ich habe viele verschiedene Lamas befragt, welchen Weg Pierre wohl einschlagen könnte und was ich tun sollte. Sieben Stunden lang habe ich mit Lama Zopa darüber gesprochen und dabei viel Interessantes gehört. Aber die Antwort ist immer die gleiche: ‚Warten und sehen, was auf Sie zukommt'. Ein hoher Lama sagte, Pierre könne, weil er ein Tulku ist, 'verrückt' werden, wenn wir uns nicht gut genug um ihn kümmerten. Ein anderer sagte, Pierre werde viel Gutes zum Wohl der Wesen bewirken. Alle sagten, die Dinge würden klarer werden, wenn Pierre sieben oder acht Jahre alt sei, und diese Klärung werde von ihm selbst ausgehen."

Manchmal macht Pierre jedoch kleine Bemerkungen, die Gérard aufhorchen lassen. „Vor einigen Tagen sprach seine Großmutter mit ihm und fragte ihn, wo ich sei. Pierre sagte, ich sei in meinem Büro, welches er sehr gut kennt. Sie fragte ihn dann: ‚Wo ist das?', und er antwortete ‚Kathmandu'. Manchmal fragt er mich, wann ich nach Kopan zurückkehre. Man weiß also nie", schloß er lachend ab.

In der Zwischenzeit versuchen Janine und Gérard, genau wie alle Eltern, nach Kräften das Beste für ihr Kind zu tun, indem sie ihm alle Möglichkeiten geben, sich rundum zu entwickeln. „Ich versuche auch so viel wie möglich über den tibetischen Buddhismus in Erfahrung zu bringen, so daß ich ihm Anleitungen geben kann, falls es nötig sein sollte. Meine Erfahrung mit diesen uralten Traditionen – den Kampfsportarten und nun dem Buddhismus – hat mich darauf gebracht, wie wichtig es ist, erst einmal zu verstehen, warum und zu welchem Zweck wir hier sind und wer wir sind. Später lernt man, zum Wohle der Wesen zu handeln. Das ist die andere Seite. Eigentlich geht es vor allem um die Erkenntnis der wahren Natur der Dinge.

Es gibt keinen Druck. Warum sollte es Druck geben? Druck gibt es nur bei den Dingen, die jetzt an der Reihe sind: Erziehung, Grenzen setzen, lernen, wie man ‚Danke' sagt – ganz grundlegende Dinge.

Ich persönlich glaube, daß alles seinen Gang gehen wird – aber nicht den eines Mönches. In Kopan hat er uns gezeigt, daß er mit den Mönchen nichts zu tun haben will – er wollte nicht auf dem Thron sitzen und wollte sich nicht die Roben anziehen lassen.

In Zukunft wird er selbst bestimmen, was er machen wird. Letztlich geht es nicht darum, welcher Arbeit er nachgeht oder welche Lebensweise er wählt. Es geht um Wissen. Meine Aufgabe besteht daher meiner Meinung nach darin, ihm die Möglichkeit zu geben, sein selbstgestecktes Ziel zu erreichen – was immer das auch sein mag", sagte Gérard.

Und wir anderen, die etwas über die bemerkenswerte Zina gehört haben, können nur warten.

8

Trinley Tulku

Nachdem ich mich in Paris von Pierre und seinen Eltern verabschiedet hatte, brach ich mit dem Zug zu einer weiteren Reise ins Rätselhafte auf. Ich hatte gehört, in einem tibetischen Kloster in den Bergen lebe ein französischer Tulku, der jede Art öffentlichen Aufsehens scheue. Ich hatte seinen Namen, Trinley Tulku, von Anhängern der Nyingma-Tradition erfahren und war – weil es das Schicksal wohl so wollte – in Paris einem Mann begegnet, der mir freundlicherweise die Telefonnummer des Tulku gab. Eine angenehme, junge Stimme war am anderen Ende der Telefonleitung gewesen und hatte, sehr zu meiner Freude, gesagt, ich könne zumindest vorbeikommen und ihn kennenlernen.

Meine Erfahrung hat mich gelehrt, daß man auf allen Reisen, die man aus einer ernsthaften spirituellen Intention heraus unternimmt, mit überdimensionalen Hindernissen konfrontiert wird – als solle überprüft werden, wie ernst es einem ist. Diese Pilgerreise bildete keine Ausnahme.

Der Pariser Freitagabendverkehr war furchtbar. Während mein Taxi im Stau stand, fuhr der Zug ab, den ich eigentlich nehmen wollte. Dann wartete ich über eine Stunde in der Schlange am *Gare de Lyon,* denn bei der neumodischen, computergesteuerten Fahrkarten-Ausgabe dauerte es zwanzig Minuten, bis das Fahrgeld jedes Gastes berechnet und die Fahrkarte verkauft worden war. Als ich schließlich an die Reihe kam, war nur noch ein Sitzplatz in dem von mir gewünschten Zug übrig – und zwar im Raucherabteil. Ein Alptraum. Aber ich kaufte die Karte.

Der Rauch und die Schwierigkeiten nahmen glücklicherweise ab, als der Zug weiter in die ländlichen Gebiete Frankreichs vordrang. Schließlich tauschte ich den blitzschnellen TGV gegen einen klapperigen Vorortzug, und dieser brachte mich zu einem malerischen Bahnhof in einer kleinen Stadt in der Nähe von Grenoble. Ich saß vor dem Café auf dem gepflasterten Bahnhofsvorplatz und wartete auf das Auto, das mich zu Trinley Tulku bringen sollte. Zwischen Blumentöpfen mit Geranien trank ich mein Glas Wein, lauschte dem abendlichen Vogelgezwitscher, schaute zu, wie die Sonne hinter den ländlichen, ockerfarbenen Gebäuden versank, und sinnierte, daß dies genau die Atmosphäre war, von der ich träumte, wenn ich aus der Ferne an Frankreich dachte. Pünktlich kam ein alter Deux Chevaux, und sein Fahrer chauffierte uns, wie ein Verrückter buchstäblich auf zwei Radkappen dahinflitzend, eine kurvenreiche und steile Bergstraße hinauf, völlig hinweggetragen von den entweichenden Auspuffgasen und der lauten Jazzmusik, die aus seinem Autoradio kam. Er war einer der regelmäßigen Besucher des Klosters, und er kam wegen dessen friedlicher Atmosphäre, so erzählte er mir.

Als wir schließlich ankamen und er Motor und Radio abgestellt hatte, mußte ich ihm recht geben. Dieses französisch-tibetische Kloster, das am Rande eines hohen Berges gelegen war, beeindruckte tatsächlich durch seine kraftvolle Stille und seine atemberaubende Schönheit. Überall auf dem Boden wuchsen wilde Blumen – blaue, weiße, rote und gelbe –, und in allen Richtungen konnte man die erhebendsten Panoramen erblicken. Später erzählte man mir, auf den bewaldeten Berghängen lebten Rehe – was mir als höchst glückverheißendes Zeichen erschien, da Rehe das Wahrzeichen der Tibeter sind. Im Kloster selbst spiegelten sich die beiden Kulturen wider, denen es angehörte. An manchen Orten waren die ursprünglichen Gebäude erhalten geblieben – hübsche alte Steinhäuschen mit baufälligen Schieferdächern, die wie die Behausungen französischer Kuhhirten aussahen. Sie wurden von einem neuerbauten großen, weißen Tempel überragt, der mit seiner soliden Bauweise und seiner viereckigen Form wahrhaft tibetisch wirkte.

Trinley Tulku kam mir entgegen. In der Abenddämmerung sah ich einen großgewachsenen, schlanken jungen Mann in dunkelrot-goldenen Roben mit einem der freundlichsten, gütigsten Lächeln, das ich je gesehen hatte. Aus seinen Augen leuchtete mir ein herzliches Willkommen entgegen, als er mich hereinbat und in die Klosterküche mitnahm, um mir eine Tasse Tee anzubieten. In unserer Unterhaltung erwähnte er beiläufig, daß er gerade das Autofahren erlerne und bald seine Prüfung ablegen werde. Er freute sich darauf, hinters Steuer zu klettern. Mir ging durch den Kopf, daß die Spuren des modernen westlichen Lebens nie weit entfernt waren, egal wie fremd die Lebensweise und wie entlegen ein Ort auch sein mochte. Er sprach gutes Englisch mit französischem Akzent, ab und zu konnte man amerikanische Töne heraushören. Das spiegelte ganz seinen familiären Hintergrund wider: Sein Vater war Franzose, seine Mutter Amerikanerin. Das war auch schon alles, was ich über Trinley Tulku, den geheimgehaltenen Rinpoche, wußte.

Am nächsten Morgen saß ich im Schneidersitz auf dem Fußboden seines Zimmers im oberen Stockwerk des Tempels, von dem man eine wunderbare Aussicht auf die umliegenden Täler und Berge hatte, und Trinley Tulku erzählte mir so viel von seiner Geschichte, wie er preisgeben wollte. Er war 1975 geboren worden. Seine Eltern waren bereits Anhänger des tibetischen Buddhismus, und so kam er in Kontakt mit den Lamas.

„Als ich sehr klein war, wollte ich unbedingt Mönch werden. Ich bat meine Mutter immer wieder, mich ins Kloster zu bringen. Ich zog sehr gerne Mönchsroben an. Es gibt Fotos von mir, auf denen ich lächele, ein kleines Kind in Mönchsroben, immerzu lächelnd. Aber ich erinnere mich auch, daß ich sehr traurig war, als mich meine Mutter schließlich im Kloster zurückließ. Ich weinte mehrere Tage lang. Das war ganz natürlich. Ich war noch so klein und zum ersten Mal von meiner Mutter getrennt. Sie kam aber recht häufig vorbei. Dann habe ich mich daran gewöhnt, im Kloster zu sein – und war auch sicher, daß sie wiederkommen würde."
Die gleiche Wärme und ausgesprochene Nettigkeit, die ich einen Abend zuvor beobachtet hatte, fanden sich immer noch in diesem achtzehnjährigen Rinpoche mit seinem offenen Gesicht und den sanften, lächelnden Augen. Er erzählte mir, er sei seit seinem dritten Lebensjahr Mönch.

Wie bei den meisten anderen westlichen Tulkus war Trinleys Anerkennung dadurch zustandegekommen, daß seine Eltern sich mit dem Buddhadharma beschäftigten. Mit achtzehn Monaten sprach er Tibetisch. Dieses wertvolle Hilfsmittel für das Leben, das ihm bestimmt war, hatte ihm sein tibetisches Kindermädchen beigebracht. Während er im Buddha-Zentrum spielte, hatte er Kalu Rinpoches Aufmerksamkeit auf sich gezogen, und dieser hatte ihn nach den normalen Prüfungen offiziell als die Reinkarnation einer Person namens Khashap Rinpoche anerkannt. Diese Anerkennung wurde dann noch von seiner Heiligkeit dem Karmapa bestätigt, also von einer Person, die von tibetischen Buddhisten, besonders denen der Kagyü-Tradition, fast so verehrt wird wie der Dalai Lama.

„Man sagte mir, ich sei die Reinkarnation dieses Lamas namens Khashap Rinpoche, der in Tibet ein Kloster gehabt habe. Ich weiß nicht allzuviel über dessen Geschichte, nur daß er in Indien recht jung an Tuberkulose starb. Er starb während einer Meditationsklausur, und ich soll seine Reinkarnation sein", sagte Trinley. Er sprach nicht viel. Ob das so war, weil er nichts wußte oder weil er nichts erzählen wollte, oder vielleicht auch, weil er zögerte, die spirituellen Fähigkeiten preiszugeben, die er möglicherweise besaß, war schwer zu sagen. Ich drängte ihn, ein wenig mehr von sich zu erzählen.

„In meinem vorigen Leben wollte ich in den Westen gehen und soll zu den Leuten in meiner Umgebung gesagt haben, wir würden uns alle im Westen wiedertreffen. Ich erinnere mich nicht mehr an vieles aus meiner Jugend – höchstens noch daran, daß der Karmapa und Kalu Rinpoche mich mochten. Der Karmapa gewährte mir sofort Zuflucht", sagte er, was bedeutet, daß er sogleich in die buddhistische Gemeinschaft aufgenommen worden war.

Seine frühen Jahre hatte er an der Seite Kalu Rinpoches verbracht, der das in ihm schlummernde spirituelle Potential nährte und förderte. Für den kleinen französisch-amerikanischen Jungen muß es ein außergewöhnliches Leben gewesen sein, wie der Sohn eines großen spirituellen Meisters zu leben und von ihm die kostbaren und komplexen Lektionen und Rituale des tibetischen Buddhismus zu erlernen. Die Leute, die ihn damals erlebt haben, erzählen, wie er während der Zeremonien hinein- und hinauslief und sich offensichtlich völlig zuhause fühlte. Kalu Rinpoche ging äußerst liebevoll und zärtlich und manchmal zu nachgiebig mit ihm um – ganz wie ein in seinen Sohn vernarrter Vater. Einige erzählen, es sei wirklich bemerkenswert gewesen, wie Trinley Tulku Kalu Rinpoche bei den Ritualen geholfen habe, andere berichten, er sei recht wild und eher unbeherrscht gewesen.

„Sieben Jahre lang war ich mit Kalu Rinpoche zusammen und reiste mit ihm durch Europa und Südostasien", erzählte er mir, „wo wir die Karmapa Zentren besuchten. Als ich zehn Jahre alt war, kam ich hierher nach Frankreich."

Dort begann der ernsthafte Teil seiner Ausbildung. Acht Jahre lang hatte er nun schon das disziplinierte Leben eines tibetischen Mönches geführt, und war damit in die Fußstapfen der Millionen Mönche getreten, die in den straff organisierten Orten spirituellen Lernens hoch oben im Himalaya gelebt hatten. Zu sagen, sein täglicher Terminplan sei anstrengend, wäre eine Untertreibung.

Er steht um 6 Uhr morgens auf und beginnt mit seinen individuellen Übungen. Um 7 Uhr geht er zur Puja, dem morgendlichen Gebetsritual mit den anderen Bewohnern des Klosters. Das Frühstück wird um 8 Uhr eingenommen. Dann studiert er bis zum Mittagessen um 12.30 Uhr mit seinem Lehrer. Von 3 bis 5 Uhr nachmittags folgen weitere Studien in englischer Sprache. Um 5 Uhr beginnt er mit seinen Hausaufgaben, und das nimmt seine Zeit bis zur nächsten Puja um 7 Uhr in Anspruch. Um 8 Uhr ißt er zu abend, und von 9 bis 11.30 Uhr macht er weitere rituelle Übungen und Hausaufgaben. Dann geht er schlafen.

Auch Samstage und Sonntage stellen keine Unterbrechung dar, denn die Tibeter kennen kein Wochenende. Diese strenge Routine des Lernens, Betens und Meditierens geht das ganze Jahr über weiter – ohne Pausen! Und Trinley Tulku ist fest entschlossen, damit so lange weiterzumachen, bis er den Rang eines Geshe erreicht hat. Und das könnte weitere zehn Jahre dauern.

Ihm macht das nichts aus. Obgleich er ein Mensch aus dem Westen ist, schlägt dieser Tulku den traditionellen tibetischen Weg ein, nur seine Französisch- und Englisch-Studien kommen noch hinzu. „Ich werde noch lange weiterstudieren. Ich möchte meine Studien abschließen. Es wäre dumm, damit aufzuhören. Ich glaube, mir bietet sich hier eine wirklich gute Gelegenheit", erklärte er sanft.

Ich fragte ihn, welche Pläne er für sein Leben habe.

„Zunächst einmal möchte ich Seiner Heiligkeit dem Karmapa und Kalu Rinpoche helfen. Das ist meine Hauptaufgabe – schließlich haben sie mich anerkannt", antwortete er, wobei er sich sehr wohl bewußt war, daß diese bedeutenden tibetischen Lamas, die ihn anerkannt hatten, mittlerweile verstorben waren und nun in neuen Körpern als herausragende junge Meister ungefähr den gleichen Ausbildungsweg durchliefen, den er absolvierte. Ich fand seine Antwort allerdings etwas enttäuschend. Trinley Tulku schien wie ein gehorsamer tibetischer Mönch zu sprechen, der ganz der östlichen Gepflogenheit folgte, die Ehrfurcht des Sohnes vor dem Vater über alles zu stellen. Hatte man ihn so bearbeitet, daß er das System einfach nur so weiterführen wollte, wie es war? Waren seine westliche Fähigkeit zum kreativen, lateralen Denken und der uns eigene Hang zur Individualität völlig verschwunden? War das alles, für das er geboren worden war? Er fuhr fort:

„Und dann würde ich vielleicht gerne den Europäern behilflich sein, den Buddhismus zu verstehen, falls ich dazu in der Lage bin. Er ist hier neu, und die meisten Leute verstehen das wahre Dharma nicht. Sie mögen die fremdartigen Dinge, die Gemälde, die Throne, die religiösen Objekte. Ich aber würde ihnen gerne die buddhistische Philosophie erklären, denn sie kann das eigene Leben grundlegend verändern", sagte er.

Meine Enttäuschung war verschwunden. Hier war es wieder, laut und deutlich formuliert: Die Aufgabe des neuen westlichen Tulkus, der Grund, aus dem ein tibetischer Heiliger beschloß, sich in einem fremden Land und einem fremden Körper zu reinkarnieren. Warum sollte so etwas passieren, wenn nicht, um der Welt von den Geheimnissen jenes hochentwickelten, mystischen Pfades zu berichten, der verspricht, alle Wesen für immer von den Ketten des Leidens zu befreien, und dessen bisherige Hochburg das eisige Tibet war?

Wenn also Trinley Tulkus Leben auch auf den ersten Blick nicht mehr zu beinhalten schien als eine Rückkehr zum althergebrachten Leben eines Lamas, waren doch seine eigenen Ziele viel weiter gesteckt. Später sah ich in einer Broschüre, daß er in Wahrheit bereits begonnen hat, im Kloster zu lehren. Er leitet Meditationssitzungen und erklärt die grundlegenden Übungen der wichtigsten tibetischen Gottheiten. Aber, das sagt er selbst, er lernt auch weiterhin von seinem tibetischen Lehrer und hat noch einen langen Weg vor sich.

Seit zehn Jahren ist Trinley Tulku nun auf seinem Berg in Frankreich und befolgt diesen äußerst strengen Tagesablauf – ein isoliertes und asketisches Dasein für einen Knaben, der gerade zu einem jungen Mann geworden ist. Vermißt er nicht Partybesuche, Fußballspielen oder die anderen Dinge, an denen sich die Leute seines Alters normalerweise erfreuen? Steigt er überhaupt jemals von seinem Berg hinab?

„Ich treibe keinen Sport", antwortete er. „Nach dem Mittagessen gehe ich spazieren, um ein bißchen an die frische Luft zu kommen. Manchmal mache ich einen Ausflug zum Haus meines Vaters, und manchmal gehe ich mit meinen Freunden, die auch hier wohnen, ins Kino. Ich habe einfach nicht viel Zeit! Sie wissen ja, daß ich diese Art von Leben begann, als ich noch sehr klein war. Ich führe ein glückliches Leben. Das einzige, was ich mir wünsche, ist, daß ich noch mehr lernen kann und noch mehr erfahre. Ich will damit nicht sagen, daß mir das Lernen besonderen

Spaß macht, aber ich möchte mehr wissen, also mache ich weiter. Wissen ist wichtig – nicht, damit man besser ist als die anderen, sondern um ein glücklicheres Leben zu führen. Weisheit ist hilfreich – ganz gleich, wie alt man ist", sagte er. Mir fiel das Buch ins Auge, das neben ihm lag: ein dicker Band mit dem Titel *L'Art de Penser*, der, so sagte er mir, die Grundlagen der europäischen Philosophie erklärte. Ein Pariser Professor, der sich für ihn interessiert, hatte es ihm empfohlen. „Es ist ein gutes Buch", fügte er hinzu. Er liest auch viele mathematische Bücher sowie französische und englische Literatur.

Später bestätigte mir ein Bewohner des Klosters, der bereits seit einigen Jahren dort war, daß Trinley Tulku in der Tat sehr intelligent war. „Als er als kleiner Junge hier ankam, war er sehr wild und unbeherrscht. Aber der Lama, der sich hier um ihn kümmert, ist sehr streng und zugleich sehr liebevoll. Diese beiden Dinge zusammen haben ihn verändert. Der Lama sagte, wir sollten den Tulku ignorieren und mit dem Kind umgehen. Das ist eine sehr gesunde Einstellung. Das war es, was er brauchte, nicht unsere Verehrung.

Aber von Anfang an wurde sehr deutlich, daß er äußerst klug und ausgesprochen reif war. Ihm ist eine tiefe Hingabe ans Dharma zueigen, und er besitzt die Dharma-Qualitäten eines ganz natürlichen liebreizenden und gütigen Charakters. Er war schon immer so."

Schließlich stellte ich Trinley die Frage, die ich allen westlichen Tulkus stellte, ob er sich mit seinem Vorgänger verbunden fühle? Die Antwort fiel überraschend ähnlich aus.

„Ich glaube nicht, daß ich genau die gleiche Person bin. Es ist so: Alles ändert sich ständig. Beispielsweise werde ich nicht an meinem Geburtstag älter. Man kann nicht sehen, daß ich Tag für Tag älter werde, aber in zehn Jahren werde ich älter aussehen. Aber eigentlich werde ich jeden Tag, jede Sekunde, älter. Alles ist unbeständig. Selbst das ‚Ich' existiert nicht. Die Art und Weise, wie die Dinge existieren, ist sehr vielschichtig", sagte er. Ich erinnerte mich an die Unterweisungen, die ich über die Jahre erhalten hatte. Es hieß, daß nichts aus sich selbst heraus bestehe und daß unsere Vorstellung eines ‚Ich' genauso immateriell sei wie alles andere in unserem Universum. Was Trinley Tulku sagte, stimmte damit überein. Er konnte nicht genau die gleiche Person wie Khashap Rinpoche sein. Khashap Rinpoche war genauso vergänglich wie dieser junge Mann, der vor mir saß.

Er fuhr fort: „Wir alle werden von unserem Karma getrieben, aber Tulkus werden oft geboren, um fühlenden Wesen zu helfen. Ihre Wiedergeburt erfolgt nicht nur aufgrund der Kraft des Karma."

Mehr wollte er nicht sagen. Aber es war auch genug. Er spielte auf das an, was aus den heiligen Schriften hervorgeht: daß der Bodhisattva nicht zur Erde zurückkommen muß, um seine karmische Schuld zu begleichen und die Erfahrungen zu machen, die er in unzähligen anderen Leben gesät hat. Er hat bereits den Ausweg gefunden. Der einzige Grund für seine Rückkehr in diese Welt voller Leid ist der, anderen zu dienen.

Ich war in die ausgesprochen abgeschiedene Welt von Trinley Tulku eingelassen worden und war dankbar für den Einblick, den er mir gewährt hatte. Als ich mich in einem anderen nicht gerade verläßlich aussehenden Auto anschickte, den Berg hinunterzufahren, winkte mir der fleißige, sanfte Rinpoche mit dem außergewöhnlich stark ausgeprägten Verantwortungsgefühl und dem offenen Lächeln zum Abschied zu. Ich fragte mich, wie wohl sein Leben verlaufen würde, wenn oder falls er jemals vom diesem Berg herunterkäme.

9

Dr. Hazel Denning

Ich hörte zum ersten Mal von Dr. Hazel Denning, als ich an einem öden Nachmittag während der Woche in Sydney den Fernsehapparat einschaltete und auf Oprah Winfrey, die Gastgeberin einer amerikanischen Talk-Show, stieß, die gerade eine hitzige Diskussion über vergangene Leben moderierte. Unter ihren Zuschauern war eine intelligente, äußerst wortgewandte, ältere Dame, die eine ganze Reihe akademischer Titel innehatte und die Gründerin der Gesellschaft für Reinkarnationsforschung und -therapien war. Sie war eine Pionierin auf ihrem Gebiet und hatte überall in der Welt Vorträge und Seminare zu diesem Thema abgehalten.

Hazel Denning interessierte mich nicht nur, weil sie mit beeindruckender Klarheit und Integrität über vergangene Leben und deren Einfluß auf das gegenwärtige Leben sprach, sondern auch, weil sie eine hochqualifizierte klinische Psychologin war. Ihr Beitrag zum ständig wachsenden Dossier der Informationen über Reinkarnation und deren Implikationen für das moderne westliche Leben würde, so nahm ich an, von unschätzbarem Wert für mich sein.

Ich wurde nicht enttäuscht. Auf einem kleinen Flugplatz in Kalifornien traf ich eine schlanke, aufrechte und lebhafte Frau, die mich trotz ihres fortgeschrittenen Alters (sie war etwa Mitte Achtzig) mit beunruhigendem Selbstvertrauen nach Riverside, der Heimat der kalifornischen Orangen, fuhr, wo sie wohnte und ihre Hauptgeschäftsstelle hatte. An den Wänden ihres Bungalows hingen die vielen Zertifikate und Diplome, die sie während ihres langen, vom Wissensdurst geprägten Lebens angesammelt hatte: die beiden Doktorate der Philosophie, die beiden Magistertitel, die Bakkalaureate sowie zahlreiche Dokumente, die ihre Fähigkeiten im Bereich der Hypnose und der parapsychologischen Studien bestätigten.

Während der beiden Tage, die ich mit ihr verbrachte, erklärte mir Hazel Denning ihre Arbeit und erzählte mir, wie sie dazu gekommen war, sie zu tun. „Schon als ich noch sehr klein war, suchte ich nach dem ‚Warum‘, nach dem Grund für Leid und Schmerz. Ich konnte nicht glauben, daß Gott sie ‚uns einfach so auferlegt'. Ich fand, das ergab keinen Sinn."

Das erste Buch über Reinkarnation fiel ihr mit Mitte Zwanzig in die Hände. „Ich dachte: ‚Wie wunderbar, jetzt habe ich die Antworten auf meine Fragen gefunden!' Ich war überglücklich. Ich dachte: ‚Endlich habe ich etwas gefunden, was einen Sinn ergibt, was die ganze Verschiedenartigkeit erklärt.'

Zuerst zögerte ich, mir diese Vorstellungen ganz und gar zu eigen zu machen. Also las ich alles, was ich in die Finger bekam, um herauszufinden, ob es Reinkarnation tatsächlich gibt. Ich las all die alten Schriften und fand heraus, daß alle großen Religionen Reinkarnation lehrten. Selbst das Christentum ging von dieser Lehre aus, bis sie 533 von einem römischen Kaiser und dessen Frau verboten wurde. Zwei Päpste, die sich für die Beibehaltung dieser Idee eingesetzt hatten, wurden sogar deswegen umgebracht! Wenige Leute wissen das. Sie wissen auch nicht, daß frühe Kirchenväter wie zum Beispiel Origen und der Heilige Augustus ebenfalls an Reinkarnation glaubten. Die Leute, die sagen, Reinkarnation widerspreche dem Christentum, haben keine Ahnung, wovon sie sprechen!" versicherte sie.

„Dann habe ich gelesen, daß einige der ganz großen Denker aller Zeiten ebenfalls an Reinkarnation glaubten – Leute wie Plato, Aristoteles und Sokrates ebenso wie Henry Ford, Gladstone, Thomas Edison, General Patton und viele andere. Das machte es mir leichter, die Vorstellung zu akzeptieren", sagte sie. Es war nur eine Frage der Zeit, bis Hazel Denning ihre ausgedehnten Studien über Reinkarnation mit ihrer Praxis als ausgebildete Psychotherapeutin verband, um so den Menschen zu helfen, sich wohler zu fühlen.

Eine der brennendsten Fragen, die mir auf der Seele lagen, war die, wie sie die beiden scheinbar so gegensätzlichen Ansätze in ihrem beruflichen Leben – als konventionelle Psychotherapeutin und als jemand, der Rückführungen in vergangene Leben macht – unter einen Hut brachte. Wie konnte sie die gängige psychotherapeutische Regel, die besagt, daß Ereignisse in *diesem* Leben die Hauptursache für unsere Probleme sind, mit den althergebrachten Gesetzen des Karma vereinbaren, nach denen wir im Grunde alles selbst verursachen? Diese Fragen beschäftigten mich immer noch, das mußte ich zugeben.

„Ich habe nie geglaubt, daß die Umgebung der ausschlaggebende Faktor für das Verhalten der Menschen ist – obgleich die Umgebung natürlich einen gewissen Einfluß hat!" sagte sie mit Nachdruck. „Ich glaube, der Sinn unseres Lebens hier auf Erden ist in unserer spirituellen Entwicklung zu suchen. Wenn wir in dieses Leben kommen, bringen wir bestimmte Dinge mit, an denen wir arbeiten müssen, Probleme, die wir in unseren früheren Leben nicht gelöst haben. Ein Kind kann wütend oder voller Freude auf die Welt kommen. Durch die Dinge, die uns in diesem Leben widerfahren, wird das, was bereits da war, vielleicht modifiziert. Man könnte es auch so ausdrücken: Ich glaube, das Schicksal oder der Lebenszweck einer Person kann nicht verändert werden; Eltern und die Umgebung können es jedoch leichter oder schwerer für die Person machen, an ihren Problemen zu arbeiten.

Hazel Denning ließ sich ordnungsgemäß zur Hypnosetherapeutin ausbilden und führte die Menschen fortan mittels dieser Methode zu den Erfahrungen früherer Leben zurück. Sie ging bei ihrer Wahrheitssuche hier ebenso gründlich vor, wie sie das in all ihren anderen Unternehmungen tat. Sie war entschlossen, das Bewußtsein der Leute nicht im geringsten zu beeinflussen.

„Früher hat man uns posthypnotische Suggestionen beigebracht, Sie wissen schon, zum Beispiel: 'Sie werden nicht essen. Sie finden Nahrung abstoßend', aber ich wollte so etwas nicht tun. Das war ganz und gar gegen meine Prinzipien. Ich fand einen Vorgehensweise, durch die ich die Methode anwenden konnte, ohne diese Art von Manipulation auszuüben. Ich ziehe es auch vor, von ,verändertem Bewußtseinszustand' statt von ,Hypnose' zu sprechen", erklärte sie.

1980 gründete sie die Gesellschaft für Reinkarnationsforschung und -therapien und beobachtet seitdem, wie die Bewegung weit über ihre Erwartungen hinauswächst, während das Interesse und der Glaube an Reinkarnation allgemein in bemerkenswerter Weise zunehmen. Sie ist felsenfest davon überzeugt, daß die Reinkarnationstherapie heutzutage eines der stärksten Mittel der Transformation im Bereich der ganzheitlichen Medizin (die sich die Behandlung des ganzen Menschen, Körper und Geist, zum Ziel setzt) und der Psychologie ist. „Die Bewegung wuchs sehr schnell, nicht nur hier, sondern auch auf anderen Kontinenten. Man lud mich mehrfach ein, Vorträge zu halten – in Asien und an der Utrechter

Universität in Holland, die eine der ältesten Universitäten der Welt ist und eine der ersten, die einen Lehrstuhl für Parapsychologie errichtete", sagte sie.

Zuhause kommen Menschen aller Art zu ihr. Sie arbeitet mit einer Mischung aus herkömmlicher Therapie und Reinkarnationstherapie. „Wenn ein Problem mit Hilfe der herkömmlichen Therapiemethoden nicht gelöst werden kann, kann ein kurzes Eintauchen in die Vergangenheit helfen", sagte sie. Ihre Klienten kommen aus allen Bereichen der amerikanischen Gesellschaft. „Priester kommen zu mir, Geschäftsleute, viele Lehrer, Leute, die beim Militär arbeiten, sowie ganz gewöhnliche Frauen und Männer. Viele wollen wissen: ‚Welchen Sinn hat mein Leben?' ‚Was mache ich hier?' ‚Warum bin ich dieses Mal auf die Erde gekommen?' "

Die meisten ihrer Klienten sind zwischen dreißig und vierzig, sie hat aber auch schon eine Rückführung mit einem Kind gemacht, das erst neun Jahre alt war. „Es war ein Mädchen. Sie hatte selbst den Wunsch entwickelt herzukommen und dann die Erlaubnis ihrer Eltern eingeholt. Sie war ein außergewöhnlich reifes Kind. Sie kam zu mir, weil sie etwas über ihre Angst vor Blut herausfinden wollte. Gleich zu Beginn unserer Sitzung sah sie sich dann als einen alten Mann, der sehr schwach und zittrig auf seinem Totenbett lag. Offenbar starb er gerade an einem Herzschlag. Dann hielt sie inne und sagte: ‚Nein, ich sterbe an gebrochenem Herz.' Sie beschrieb, wie sie als jener Mann in ihrem Vorleben, mit ‚ihrer' Frau zum Abendessen ausgegangen war. An jenem Abend war dann ein Mann mit einer Schußwaffe in das Restaurant gekommen und hatte mehrere Leute niedergemäht, auch ‚ihre' Frau. Sie sah die Frau in einer Blutlache sterben – und hatte dieses grauenhafte Erlebnis in ihr jetziges Leben mitgenommen, zusammen mit dem Schuldgefühl, daß sie vielleicht nicht gut genug auf ‚ihre' Frau aufgepaßt hatte", erzählte Hazel Denning.

Ihre Ansichten, die sie klar und ausgesprochen überzeugend vortrug, waren das Fazit ihrer Arbeit, bei der sie buchstäblich tausende Stunden lang Zeuge der Dramen aus den früheren Leben anderer Leute geworden war. Während meines Besuchs in ihrem Haus erzählte sie mir zu meiner großen Freude eine Geschichte nach der anderen über die Leute, die durch ihre Arbeit verwandelt worden waren, und erklärte die Theorien, die sie daraus entwickelt hatte. Unsere Gespräche waren, so fand ich, nicht nur informativ, sondern auch höchst unterhaltsam.

VM: Warum werden Menschen wiedergeboren?

HD: Wenn ich eine Person mit einem bestimmten Problem in diesem Leben in einen veränderten Bewußtseinszustand überführe, bitte ich sie, in die Zeit vor ihrer Geburt zurückzugehen und zu erforschen, warum sie diese speziellen Eltern ausgewählt hat und aus welchem Grund sie wiedergekommen ist. All die Jahre hindurch erhalte ich fast immer die gleiche Antwort: „Ich möchte eigentlich nicht zurückkommen. In einen Körper schlüpfen heißt ins Gefängnis gehen. Es ist wirklich beengend." Ich sage dann: „Aber warum kommen Sie dann zurück, es zwingt Sie schließlich niemand dazu?" Die Antwort ist stets die gleiche: „Die Erde ist ein Klassenzimmer, eine Schule, in der wir als Persönlichkeiten etwas lernen müssen. Wenn ich mich spirituell weiterentwickeln möchte, muß ich zurückgehen. Und ich möchte in spiritueller Hinsicht wachsen." Das ist die Antwort, die ich von Menschen in veränderten Bewußtseinszuständen bekomme.

VM: Wenn Sie Ihre Erfahrungen betrachten – wieviele Male leben die Menschen Ihrer Ansicht nach hier auf dieser Erde?

HD: So lange, bis sie die Lektionen gelernt haben, an denen sie arbeiten. Selbst in diesem Leben brauchen die Leute ja manchmal Jahre, um den Sinn ihres Problems zu begreifen.

Ich kenne zum Beispiel eine Frau, die mir bei ihrem ersten Besuch sagte: „Ich bin gekommen, weil ich lieben lernen will." Wie bringt man als Psychologin jemandem das Lieben bei? Einfach nur zu sagen, man müsse lieben, um geliebt zu werden, hilft jemandem wirklich nicht weiter.

Ich habe ungefähr achtzehn Jahre lang mit dieser Frau gearbeitet, bis sie die Liebe fand. Natürlich gab es dabei Unterbrechungen. Es gab Jahre, in denen ich sie nicht gesehen habe. In diesem Zeitraum heiratete sie, lebte dann mit jemandem zusammen, heiratete ein zweites Mal und lebte anschließend wieder mit fünf oder sechs Partnern nacheinander zusammen! Eines Tages rief sie mich an und sagte, sie könne es nicht mehr aushalten. Sie habe vor, von nun an jeden Tag zu kommen, bis sie die Antwort gefunden habe. Schließlich sah sie sich als ein etwa vierzehnjähriges Mädchen in Griechenland, das sich in einen Jungen verliebt hatte, der im Haushalt ihrer Eltern beschäftigt war. Ihr Vater, ein sehr wohlhabender Mann, fand das heraus und wurde wütend. Er schickte den Jungen auf eine entlegene Insel und verkaufte seine Tochter an einen älteren

Mann. Sie war so zornig und aufgebracht, daß sie Selbstmord beging. Als sie starb, sagte sie: „Ich werde niemals, niemals, niemals wieder lieben."

In meiner Arbeit hat sich gezeigt, daß wir, wenn der letzte Gedanke vor dem Sterben negativ ist, damit zurückkommen. Wenn wir zum Beispiel voller Wut, Haß und Rachsucht sterben, kommen wir zurück und müssen nun beginnen, daran zu arbeiten.

Nach ihrer Entdeckung fand diese Frau einen wunderbaren Mann, heiratete ihn und bekam zwei nette Kinder. Sie ist auch jetzt noch verheiratet und sagt, sie habe nicht einmal im Traum daran geglaubt, so viel Glück erfahren zu können.

Aus meiner Erfahrung mit diesem Fall schloß ich, daß einige Leute nicht bereit sind, etwas auf der Stelle zu lösen. Sie müssen sich durch vieles durcharbeiten, bevor sie auf die Antwort stoßen. Ich habe auch gelernt, daß man seinen eigenen Geist nicht zum Narren halten kann. Solange man nicht das Richtige findet, funktioniert es nicht. Oft muß ich mehrere Male zurückgehen, bevor wir das finden, was ich ‚Kernthematik' nenne und was der Schlüssel zum Problem ist.

VM: Skeptiker würden sagen, Ihre Patienten beschwörten lediglich Bilder und Geschichten aus dem Unterbewußtsein herauf, um ihren Schmerz und ihr Unglücklichsein zu erklären und zu rechtfertigen.

HD: Warum bleibt die Psychotherapie dann bei diesen Menschen wirkungslos? Denn das ist der Fall. Ich habe viele Klienten, die jahrelang in psychotherapeutischer Behandlung waren, deren Probleme aber dadurch nicht im geringsten gelindert wurden. Und wenn das so kluge Köpfe gewesen wären, daß sie sich so etwas ausdenken, hätten sie es meiner Meinung nach schon lange zuvor getan.

VM: Glauben Sie, daß wir uns bewußt die Art von Leben aussuchen, die wir leben?

HD: Zweifellos! Ich möchte Ihnen eine wirklich haarige Geschichte erzählen. Eine Frau kam zu mir und erzählte: „Meine Mutter liegt im Sterben, mein Vater ist schon tot, und beide haben mich im Alter von drei bis dreizehn Jahren sexuell mißbraucht." Sie verfiel sofort in einen veränderten Bewußtseinszustand und begann, ihr Trauma noch einmal zu durchleben. Sie fing an zu schreien: „Papa, bitte, bitte, tu' mir nicht mehr weh, Papa!" Und dann sagte sie: „Ich möchte nicht, daß meine Mutter stirbt, bevor ich ihr verziehen habe. Aber es fällt mir so schwer, weil ich sie beide gehaßt habe."

Wenn jemand vergeben möchte und nicht mehr länger hassen will, hat er oder sie bereits eine ziemlich hohe Stufe der spirituellen Entwicklung erreicht. Solch einer Person kann man helfen. Wenn jemand dagegen sagt: „Erzählen Sie mir nicht, ich solle diesen verfluchten Schweinen vergeben – ich werde ihnen nie verzeihen, ich hasse sie", hat es keinen Sinn weiterzumachen. Sie sind nicht bereit.

Aber bei dieser Frau war es anders, ich dachte: „Wie soll ich jemandem vergeben helfen, deren Eltern ihr *so etwas* angetan haben?" Sie ging dann in ein vergangenes Leben zurück und sah sich als Kind, als Straßenkind in Deutschland, das zum Mörder an einem anderen Kind geworden war. Man hatte sie daraufhin nach Auschwitz gebracht, und sie mußte dort sicherstellen, daß die im Lager umgebrachten Kleinkinder auch wirklich tot waren. Am Anfang kam sie gut mit dieser Arbeit zurecht, aber irgendwann konnte sie es nicht mehr ertragen, versuchte zu entkommen und wurde erschossen.

Sie sagte: „Als ich wiederkam wählte ich Eltern aus, die mich mißhandeln würden, um mein Karma möglichst schnell loszuwerden." Sie fügte hinzu, eigentlich sei sie beiden zu Dank verpflichtet, da sie mit ihrer Hilfe ihre karmische Schuld abtragen konnte.

VM: Haben Sie jemals versucht, den Wahrheitsgehalt dieser Geschichten aus früheren Leben zu überprüfen?

HD: Wenn es mir möglich war, habe ich nachgeforscht. Ich kannte eine Frau, die stets zwanghaft reagierte, wenn ihre Kinder Jahrmarktvorführungen besuchen wollten. Sie bestand darauf, daß die Kinder sich fernhielten, obwohl es, wie sie auch selbst eingestand, eigentlich keinen Grund dafür gab. In einem veränderten Bewußtseinszustand ging sie in ein Leben zurück, in dem sie in einer solchen Vorführung eine ‚fette Frau' gewesen war und es gehaßt hatte. Sie erinnerte sich auch an den Namen der Frau und an den der Stadt. Zufällig kannte ein Mann aus der gleichen Gruppe die Stadt und erklärte sich bereit, die Sache bei seinem nächsten Besuch dort nachzuprüfen. Und siehe da: Zu Anfang des Jahrhunderts hatte es in dem von ihr genannten Zirkus tatsächlich eine ‚fette Frau' mit diesem Namen gegeben. Übrigens hatte die Frau auch in ihrem jetzigen Leben ein Gewichtsproblem.

Ich traf auch einmal eine Frau, die sich daran erinnerte, wie sie mit der *Titanic* untergegangen war. In jenem Leben war sie ein Geschäftsmann gewesen. Sie erinnerte sich an seinen Namen und suchte ihn später in den offiziellen Aufzeichnungen. Dort fand sie ihn tatsächlich. Sie erzählte, welch seltsames Gefühl das in ihr hervorgerufen habe.

Man kann die äußeren Begebenheiten überprüfen, aber abgesehen davon halte ich es für einen wirklichen Beweis, daß die Geschichten meiner Klienten ganz offensichtlich ‚passen‘ und tatsächlich eine Veränderung hervorbringen, wenn sie entdeckt werden.

VM: Gibt es auch Leute, die sich schuldig statt befreit fühlen, wenn sie sehen, welch negative Taten sie in der Vergangenheit begangen haben?

HD: Nicht, wenn sie den Ablauf und den Sinn dahinter verstehen. Ich erzähle den Menschen, es sei egal, was ihnen früher widerfahren sei, es sei nicht wichtig. Es kommt nur darauf an, was man daraus lernt. Für mich ist das der springende Punkt bei meiner Arbeit.

Ich hatte einmal einen sehr interessanten Fall. Eine Frau kam in meine Sprechstunde. Sie setzte sich hin, begann auf die Armlehnen des Stuhles zu schlagen und schrie so laut, daß ihr fast die Lungen barsten: „Ich hasse Gott! Jesus ist ein Betrüger! Ich habe alles getan. Ich habe Therapie gemacht. Ich habe die Bibel ganz durchgelesen. Aber nichts hilft." Im Leben dieser Frau war alles fehlgeschlagen, obgleich sie viele Fähigkeiten besaß. Sie hatte Unternehmen aufgebaut, aber alle waren in Konkurs gegangen. Ihre Ehe war eine Katastrophe. Sie sah aus wie eine alte Frau, und ihr Arzt hatte ihr gesagt, ihr Körper sei um zwanzig Jahre älter als er es ihrem Alter entsprechend sein sollte.

Wir begannen mit der Arbeit. Schließlich sah sie sich als Kardinal während der Inquisition Folterungen veranlassen. Sie war völlig durcheinander deswegen. Sie wußte, daß es falsch war, aber die Kirche verlangte es von ihr. Ich bat sie, sich einmal anzuschauen, warum sie zu solch einem mächtigen Instrument der Inquisition geworden war. Zu ihrer eigenen Überraschung antwortete sie: „Ich tat es, um die katholische Kirche zu revolutionieren, denn sie war durch und durch korrupt. Diese Verantwortung war mir übertragen worden." Im Laufe der Jahre habe ich festgestellt, daß die Menschen mit vielen der furchtbaren Dinge, die sie tun, einen Zweck verfolgen.

VM: Karma wird zu etwas sehr Kompliziertem, wenn man es unter solchen Gesichtspunkten betrachtet, nicht wahr? Ich will damit sagen: Sind die Täter bei sogenannten grausamen Handlungen nicht im Grunde schuldlos, wenn man bedenkt, daß sie eigentlich nur das Mittel sind, durch das eine andere Person ihre karmische Vergeltung erfährt?

HD: Meiner Ansicht nach ist das System so komplex und funktioniert so perfekt, daß wir uns gegenseitig unsere Bedürfnisse erfüllen. Man kann das am einfachsten am Beispiel des Sadisten und des Masochisten erklären. Bekanntlich muß ein Sadist mit einem Masochisten zusammen sein, denn das ist das emotionale Bedürfnis beider.

Es gibt keine Fehler. Jede Erfahrung ist eine Unterweisung. Man entdeckt, daß man in einem Leben der Täter ist und in einem anderen das Opfer. Bei einigen Leuten geht das viele Leben lang so, bis sie den entscheidenden Punkt verstanden haben.

Ich glaube, daß wir uns alles aussuchen – selbst die schmerzerfüllten Leben, die wir manchmal haben. Wenn wir den Zweck unserer Art von Leben herausfinden und akzeptieren können, können sich die Dinge ändern. Wenn eine Person die Verantwortung übernehmen kann, kann sie fast alles lösen. Ich kann Leuten nicht helfen, wenn sie anderen die Schuld zuweisen oder nicht die Ich-Stärke haben, die Verantwortung auf sich zu nehmen. Sie sind noch nicht bereit. Ein Therapeut muß das erkennen können.

Auf der letztendlichen Ebene weiß die Seele um den ganzen Prozeß – weiß, wer man ist, warum man hier ist, was man getan hat, was man tun wird und alles andere auch. Aber die Persönlichkeit muß die Lektionen lernen – den Grund dafür kenne ich allerdings auch nicht. Ich mache die Regeln nicht, ich interpretiere sie nur.

Einige Leute entscheiden sich dafür, sich nicht zu verändern. Eine Frau, die extrem schlechte Augen hatte und eine Brille mit sehr dicken Gläsern trug, erkannte, daß sie es gewählt hatte, schlecht zu sehen, um nicht allzu materialistisch und selbstbezogen zu werden und um anzufangen, nach innen zu schauen. Nach dieser Einsicht fühlte sie sich in ihrem halb-blinden Zustand wohl und wollte ihn nicht aufgeben.

VM: Zeigt es sich, daß die Leute immer wieder von den gleichen Leuten angezogen werden?

HD: Ja. Und die Beziehungen verändern sich. Manchmal kommen die Leute zusammen zurück, um bestimmte Dinge zu lösen. Manchmal kommen wir auch einfach nur zurück, weil wir anderen helfen wollen. Ich glaube, einige der großen Märtyrer haben es sich ausgesucht, Märtyrer zu sein – und damit das Bewußtsein der Menschheit zu heben. Viele Leute haben eine falsche Vorstellung von Karma – sie glauben, es ginge dabei nur um Bestrafung. Aber das ist nicht der Fall. Es geht um Ursache und Wirkung.

Ich kannte eine Frau, eine Ärztin, eine wirklich nette Person, die mit dem griesgrämigsten Mann verheiratet war, dem ich je begegnet bin. Andauernd beschuldigte und kritisierte er sie. Man konnte kaum glauben, wie grausam er war, ohne es eigentlich zu wollen. Sie hatte sich allmählich gefühlsmäßig von ihm zurückgezogen, aber hätte ihn nie verlassen. Eines Tages sah sie während einer Rückführung, wie sie diesen Mann in einer anderen Zeit getroffen hatte. Damals war er eine verlorene Seele. Sie hatte versprochen, ihn in ihrem nächsten Leben zu heiraten und ihm zu helfen, sich zu finden.

Danach ließ sie ihre Liebe wirklich zu ihm hinfließen. Sie entwickelte ein völlig anderes Gefühl ihm gegenüber, und innerhalb eines Jahres war er wie verwandelt: Er ging mit ihr in die Kirche, er fuhr in einem roten Sportwagen in der Stadt umher, wurde zu einem recht angenehmen Zeitgenossen und entwickelte einen Sinn für Humor.

Ich mag diese Geschichte sehr. Oft erzähle ich sie den Frauen und Familien von Alkoholikern, die die Trunksucht zwar tolerieren, aber sich gefühlsmäßig ganz zurückgezogen haben. Ich sage ihnen: „Wenn Sie die Gereiztheit aus ihrer Stimme nehmen, wenn Sie wirklich Anteil nehmen und das auch ausdrücken, wird er sich ändern." Ich kenne einige Frauen, die stark genug waren, das zu tun.

VM: Ist die Zeitspanne zwischen dem Tod und der Rückkehr festgelegt?

HD: Einige Leute kommen schon nach Stunden zurück. Menschen, die auf dem Schlachtfeld sterben, können es zum Beispiel nicht ertragen, außerhalb ihres Körpers zu sein. Meiner Meinung nach ist das der Grund für die Zunahme der Bevölkerung nach Kriegen. Andere bleiben Hunderte von Jahren weg. Ich glaube, viele Leute, die heute zurückkommen, sind seit der Zeit von Atlantis nicht dagewesen – sie mußten warten, bis ihr Wissen hier akzeptabel wurde. Sie kamen zurück, um zu helfen, hier das Neue Zeitalter herbeizuführen.

VM: Sind Sie jemals Menschen begegnet, die auf anderen Planeten oder in anderen Dimensionen gelebt haben?

HD: Ja, ich hatte solche Begegnungen. Viele glauben, die Erde sei der unterste Planet auf dem Totempfahl! Einige meiner Klienten sagten, sie kämen von einem anderen Planeten. Ein Mann schrieb in einer anderen Schrift und übersetzte sie dann. Ich fand das sehr interessant. Er kam aus einer völlig anderen Kultur. Er verstand auch das Prinzip der Gleichzeitigkeit, das besagt, daß sich die Vergangenheit, die Gegenwart und die Zukunft alle in diesem Augenblick ereignen. Mir fällt es schwer, das zu verstehen.

VM: Haben Sie eines oder mehrere Ihrer eigenen früheren Leben entdeckt?

HD: Ja, natürlich. Mein Leben vor diesem war von äußerster Gefühlskälte geprägt. Ich war eine Frau in England, die mit einem Diplomaten verheiratet war. Ich stand einem dieser netten Haushalte mit vielen Dienstboten, Parties und dergleichen vor. Aber in meinem Leben gab es keine Liebe. Ich erinnere mich, wie ich starb. Meine Dienstboten schlichen auf Zehenspitzen um mich herum, und ich lag mit meiner starren Halskrause im Bett, hielt die Hand meiner Schwester und sagte: „Wenn ich mein Leben noch einmal leben könnte, würde ich mehr lieben."

In meinem jetzigen Leben verlor ich eine Schwester, als ich elf Jahre alt war und sie neun. Ich trauerte zwei Jahre lang. Das war nötig für mich, damit ich wieder fühlen konnte.

Meine dramatischste Erfahrung hatte ich unter der Dusche. Ich hatte seit meinem achten Schuljahr ein Problem mit meiner Leber. Ich bekam diese furchtbaren Gallenkoliken, die mit schrecklichen Kopfschmerzen und Übelkeit einhergingen. Ich litt sehr darunter. Außerdem war ich äußerst jähzornig. Vor lauter Wut platzten mir als Erwachsene zweimal Blutgefäße am Hals. Ich wurde manchmal so zornig, daß ich dachte, meine Schädeldecke würde im nächsten Augenblick explodieren! Aber niemand wußte etwas davon, denn ich verlor nie die Selbstbeherrschung.

Eines Tages vor etwa zehn Jahren stand ich mit Kopfschmerzen unter der Dusche und sagte ganz entschlossen und laut: „Bei Gott, ich will den Grund für meine Leberprobleme wissen. Warum habe ich sie?"

Und sofort passierte etwas. Ich sah mich als Kreuzritter mit Panzerhandschuhen auf dem Schlachtfeld liegen. Ein Speer durchbohrte meine

Leber. Ich war schrecklich wütend, weil ich für eine Sache sterben sollte, an die ich nicht mehr glaubte. Ich verabscheute unsere Taten – das Verbrennen und die Zerstörung schöner Tempel –, aber ich konnte nichts daran ändern. Ich lag im Sterben und würde meine Frau und meine beiden Söhne nie mehr wiedersehen. Ich starb voller Wut – und meine Leber wurde zu einem Symbol dieser Wut.

Als ich damals unter der Dusche stand, sagte eine leise Stimme: „Deine Wut kommt von damals." Seitdem hatte ich keine einzige Gallenkolik mehr.

VM: Hat Ihr Glaube an vergangene Leben Ihnen bei der Bewältigung dieses gegenwärtigen Lebens geholfen?

HD: Weil ich bestimmte Dinge weiß, habe ich nie getrauert. Die andere Dimension ist für mich so wirklich wie diese. Meine Mutter, mein Mann und mein Sohn starben ganz kurz hintereinander, und ich habe um keinen von ihnen getrauert. Als mein Sohn bei einem Motorradunfall ums Leben kam, hielt ich noch am gleichen Tag einen Vortrag an einer Universität, den man organisiert hatte. Der Professor zeigte sich hinterher zutiefst schockiert und fragte mich, wie ich denn dazu fähig gewesen sei. Ich antwortete: „Sie halten das für eine Tragödie, ich tue das nicht. Das ist der Unterschied."

Ich kannte die Vergangenheit meines Sohnes – er war in drei vorangegangenen Leben Mönch gewesen und war dieses Mal gekommen, um etwas über die Welt herauszufinden. Er lebte sehr gefährlich. Ich wußte, daß er so nicht mehr weiterleben wollte. Also hatte er sich entschlossen, sich zu verabschieden, bevor er etwas wirklich Schlimmes anstellen würde. Einerseits tat mir leid, was geschehen war, denn auch ich hatte die ganz normalen Hoffnungen gehegt, daß er heranwachsen und ein guter Bürger werden würde und so weiter. Andererseits war ich froh, daß er weggegangen war, denn er hatte viel gelitten.

So ähnlich war es auch mit meinem Mann. Er starb eines Morgens auf dem Tennisplatz. Nachdem ich es erfahren hatte, ging ich ins Arbeitszimmer, um die Familie anzurufen – und ich hatte in meinem ganzen Leben keine transzendentalere Erfahrung. Das ganze Zimmer war voller Licht, voller Energie. Die Haare auf meinen Armen richteten sich auf, und ich fühlte mich völlig euphorisch. Es war mir, als hülle er mich in seine Liebe ein und sage: „Ich habe es genau so gemacht, wie ich es wollte, Liebling." Und wieder ging ich am gleichen Abend zu einer Vorstandssitzung.

Nachdem alles Geschäftliche erledigt war, erzählte ich es den anderen, und sie waren sehr betrübt. Ich mußte herumgehen und sie trösten.

Ich kann trauernden Menschen helfen, aber es quält mich, wenn sie übermäßig trauern. Wenn das geschieht, sind oft irgendwelche Schuldgefühle im Spiel.

VM: Sie sagen also, alles habe seinen Grund. Glauben Sie, alles komme letztlich zu einem guten Ende?

HD: Ohne jeden Zweifel. Ja, das ist meine Überzeugung. Ich glaube, das ist der göttliche Plan. Ich glaube, daß wir Gottes Ausdruck sind. Meiner Ansicht nach sind wir nicht von Gott getrennt oder außerhalb Gottes. Ich glaube auch nicht, daß Gott irgendwo da draußen ist und uns herumschubst. Ich glaube, daß Gott (oder was immer die Quelle dieses weiten, wunderbaren Universums ist) sich ausdrücken will – in Form von Myriaden intelligenter, schöpferischer Funken. Meiner Überzeugung nach sind wir im Vergleich zu Gott wie ein Tropfen des Ozeans im Vergleich zum ganzen Ozean. Ich glaube, daß wir diesen wunderbaren Geist erhalten haben, um schöpferisch wirken zu können; wir haben aber unsere Fähigkeiten weggeworfen, zerstört und vergessen. Aber in diesem Zeitalter kommen wir zurück.

Es war ein inspirierendes Interview gewesen – wie alle meine Gespräche mit den westlichen ‚Gurus‘ der Reinkarnation. Die Erkenntnisse, die mir Hazel Denning und die anderen Reinkarnationsforscher vermittelt hatten, bestätigten vieles, was die Lamas des Ostens gesagt hatten. Die Einzelheiten des ‚Zurückkommens‘ werden ein wenig unterschiedlich beschrieben, die Grundprinzipien aber erschienen mir überraschend ähnlich. Wenn man die Grundprinzipien betrachtete, bestätigten die westlichen Forschungsergebnisse genau, was Lama Yeshe und Lama Zopa mir in jenem Zelt auf den Hängen des Kopan-Hügels gesagt hatten: daß das Leben nach dem Tod weitergeht; daß dieses Leben von den in früheren Leben angelegten Taten und Wünschen geformt wird; daß der Zustand, in dem wir sterben, äußerst wichtig ist; daß wir immer wieder auf Menschen treffen, mit denen wir ‚karmische‘ Verbindungen haben; daß unsere schmerzhaften Erfahrungen letztlich von uns selbst verursacht sind; daß man niemandem die ‚Schuld‘ zuweisen kann und daß wir ganz ohne Zweifel, die Autoren unseres Lebensdrehbuches sind.

10

Lama Thubten Yeshe → ## Lama Ösel

Und was war aus Lama Ösel, dem berühmtesten Tulku aus dem Westen geworden? Ich hatte ihn zum letzten Mal 1988 auf den Stufen der Kopan-Gompa gesehen, als ich gerade mein Buch über ihn und seine vorherige Inkarnation als Lama Yeshe zum Abschluß brachte. Er war damals gerade drei Jahre alt und hatte unmißverständlich angekündigt, er werde bald zu einem ,weit, weit entfernten' Ort gehen, wo es hohe Berge und Kühe gäbe. Ich wußte nicht, was er damit meinte. Niemand hatte irgendwelche Reisepläne für ihn. Entsprang die Vorstellung nur seiner Phantasie, war es eine aktive Imagination von Ösels Seite? Und in der Tat erklärte die nepalesische Regierung einige Wochen später die Visas aller in Nepal lebenden Ausländer für ungültig, und Lama Ösel, dessen Geburtsland Spanien ist, mußte in aller Eile abreisen. Er fuhr nach Dharamsala in Nordindien, ein Ort, der einstmals der britischen Regierung als Sommersitz gedient hatte und nun zur Heimat des vierzehnten Dalai Lama, seiner Exilregierung und einer blühenden tibetischen Flüchtlingsgemeinschaft geworden war. Wenn man die Reisezeit auf dem Subkontinent betrachtet, war er tatsächlich weit weg. Mit den mächtigen Himalaya-Bergen im Hintergrund und den immer wieder einmal vorbeispazierenden Kühen hatte Lama Ösel offenbar eine Vorahnung von seiner nächsten Heimat gehabt.

Das war das bemerkenswerte Kind, das in seinen ersten Lebensjahren vom Dalai Lama und von Lama Zopa Rinpoche als Reinkarnation von Lama Thubten Yeshe anerkannt worden war. Gelehrte des tibetischen Buddhismus hatten ihn genauestens unter die Lupe genommen, man hatte ihn den traditionellen Prüfungen für Tulku-Kandidaten unterworfen, und er hatte alle Tests bestens bestanden. Im Alter von zwei Jahren war er inthronisiert worden – mit so viel Prunk und Zeremonie wie ein britischer Monarch – und hatte seinen Platz als einer der herausragendsten und ungewöhnlichsten spirituellen Führer unserer Zeit eingenommen. Von da an wurde das spanische Lama-Kind von den früheren Schülern

Lama Yeshes und einer zunehmenden Zahl interessierter ‚Außenstehen-
der' nicht mehr aus den Augen gelassen, man hielt Ausschau nach Zeichen
seiner Authentizität und wartete auf Ausrutscher.

Lama Ösel war schließlich zum bekanntesten Beispiel der Wiedergeburt in unserer Mitte geworden. Während die anderen westlichen Tulkus
ihrer Bestimmung im Stillen nachkamen, hatte Lama Ösel offenbar noch
eine zusätzliche Aufgabe auf dieser Welt zu erfüllen. In der Öffentlichkeit
nahm Reinkarnation sein Gesicht an; schon bald nach seiner Geburt
stand er im Rampenlicht des öffentlichen Interesses. Er nahm das mit
bemerkenswertem Gleichmut hin. Seit als Baby seine Identität bekannt
geworden war, war er der Öffentlichkeit und der Presse, Menschenmen-
gen und Schülern mit einer Anmut und einer Gelassenheit begegnet, die
ihm offensichtlich ganz natürlich zukamen.

Ich sann über die Tatsache nach, daß Lama Yeshe zweifellos einer der
bedeutendsten und frühesten Vermittler des tibetischen Buddhismus im
Westen gewesen war. Mit bemerkenswertem und ungewöhnlichem
Geschick faßte er die alten Weisheiten seiner Religion in westliche Begriffe, und das hatte, zusammen mit seiner charismatischen Persönlichkeit, eine große Anzahl Anhänger angezogen und schließlich eine weltweite Organisation ins Leben gerufen. Man folgerte daraus, daß auch
seine Reinkarnation herausragend, gesellig, entspannt im Umgang mit der
Öffentlichkeit und bereit sein würde, seine Botschaft weiten Kreisen
bekannt zu machen.

Das schien mir jedoch eine enorme Belastung für jemanden zu sein, der
noch so klein war, und ich machte mir manchmal Sorgen, daß mein Buch
ihn noch berühmter gemacht haben könnte. War das richtig? Ich fragte
Lama Zopa Rinpoche. War es gut für ihn? Lama Zopa antwortete, dies sei
alles Teil von Lama Ösels Aufgabe hier auf der Erde.

Ein wenig beruhigt, verfolgte ich die Geschichte des kleinen Lamas
weiter: wie er den ganzen Globus bereiste, seine früheren Schüler besuchte und durch sein bloßes Dasein demonstrierte, wie das außergewöhnliche
neue Phänomen des Tulkus in der westlichen Welt zur Wirkung kam. Das
nächste Mal sah ich Lama Ösel in Pomaia, einer ländlichen Kleinstadt in
den Hügeln der Toskana, wo die italienischen Schüler von Lama Yeshe ein
Zentrum gegründet hatten. Das *Istituto Lama Tzong Khapa* war in einem
beeindruckenden, großen Landsitz untergebracht, der im Sommer 1989

voller Besucher war, die den Lehren von Lama Zopa zuhörten und auf Lama Ösels Ankunft warteten.

Ein Jahr war vergangen, und Lama Ösels körperliche Erscheinung hatte sich verändert. Er hatte seinen Babyspeck verloren, der seiner kleinen Gestalt eine seltsame Ähnlichkeit mit Lama Yeshes rundlicher Figur verliehen hatte, und sah nun recht knabenhaft aus. Er wuchs heran.

Auch sein Leben verlief jetzt in ernsteren Bahnen. Lama Ösel hatte in diesem Leben eine Bestimmung, er sollte das heilige Buddhadharma in den Westen bringen, und nun kam die Ausbildung für diese große Aufgabe auf ihn zu. Seine Laufbahn hatte in Dharamsala begonnen, als Seine Heiligkeit der Dalai Lama ihm die ersten Buchstaben des tibetischen Alphabets beigebracht hatte. Dadurch wurde dieser große Mann zu Lama Ösels Wurzellama, denn nach tibetischer Überzeugung ist die Person, die einer anderen die Mittel zum Verständnis des kostbaren Dharma an die Hand gibt, die Grundlage aller späteren Erkenntnisse und Fähigkeiten. Damals erhielt Ösel auch täglich Unterweisungen von Lama Zopa Rinpoche und von einem ausgesprochen hochgewachsenen und stattlichen Mönch namens Yangtse Rinpoche, der als die Reinkarnation eines früheren Lehrers von Lama Yeshe galt. Lama Ösel war diesem sanften, jungen Mann sehr ergeben. Alles in allem waren die spirituellen Talente, die sich um Lama Ösels Ausbildung bemühten, wirklich beeindruckend.

Nun war er vier Jahre alt und wirkte ausgesprochen reif für sein Alter. Er sprach Englisch und Spanisch und hatte täglich Tibetischunterricht, wo er die Grundlagen der Schrift und die gesprochene Sprache erlernte. Maria, seine Mutter, war mit einigen ihrer anderen Kinder von Spanien nach Italien gefahren, um Lama Ösel zu besuchen. Zusammen schlichen wir uns an das Zimmer heran, in dem er seine täglichen Unterweisungen in tibetischen Gebeten von Basili Llorca, seinem ständigen Begleiter, erhielt und warteten vor der offenen Tür. Lama Ösel wandte uns den Rücken zu und war offenbar ganz in seine Studien vertieft. Wir sahen und hörten zu, wie Basili Zeile für Zeile die Gebete vorsprach, die Lama Ösel auswendig lernen sollte. Das Kind kam bis zu einem gewissen Punkt, dann blieb es stecken. Geduldig wiederholte Basili die Zeilen. Wieder hielt Lama Ösel an der gleichen Stelle inne. Das passierte mehrere Male – dann schlug sich Lama Ösel mehrmals mit der Faust auf den Kopf und sagte im Ton äußerster Entschlossenheit: „Ich muß das in meinen Kopf bringen."

Maria und ich sahen uns überrascht an. Er hatte das völlig ohne äußeren Druck gemacht. Hier war ein sehr kleiner Junge, der fest entschlossen war, ein schwieriges Gebet in einer fremden Sprache zu lernen. Der Eifer kam von seiner Seite. Er wiederholte die tibetischen Wörter immer wieder, um seine Aussprache zu verbessern. Er war weder gelangweilt noch frustriert; geduldig nahm er es mit der Aufgabe auf, die ihm gestellt worden war. Er drehte sich um, sah seine Mutter, grinste – und wandte sich sofort wieder seinen Studien zu. Er hatte sie vielleicht monatelang nicht gesehen, aber seine Unterweisung ging vor. Wie immer war seine Konzentrationsfähigkeit bemerkenswert.

Maria zeigte sich sehr überrascht darüber, daß ihr kleiner Sohn seine Studien so ernst nahm. „Es ist ungewöhnlich, ein Kind seines Alters zu sehen, das so viel Verantwortung für seine Studien übernimmt", sagte sie. Es hatte wirklich etwas sehr Ergreifendes an sich.

Als ich so beobachtete, mit welcher Sorgfalt man sich um Lama Ösels Ausbildung bemühte, stellte ich mir wieder einmal die Frage: Wenn Lama Ösel die Reinkarnation von Lama Yeshe war, warum mußte er dann die Gebete von neuem erlernen? Später hatte ich Gelegenheit, diese Frage an Ribur Rinpoche, einen sehr hochgestellten reinkarnierten Meister, zu richten. Dieser Lama war einmal Abt von fünfzehn Klöstern in Tibet gewesen. Er war dann von den Chinesen fünfzehn Jahre lang gefangengehalten worden und hatte monatelange Folterungen erleiden müssen. Man hatte ihm beispielsweise die Hände Tag und Nacht hinter dem Rücken zusammengebunden. Es wird erzählt, er sei aber selbst unter solch extrem harten Bedingungen stets gelassen gewesen und habe sogar seinen Kameraden im Gefängnis noch Mut gemacht. Er schien mir die geeignete Person für meine Fragen nach den subtilen Zusammenhängen bei der Funktionsweise des Geistes zu sein. „Wenn reinkarnierte Lamas ihren Geist so hoch entwickelt haben, warum werden sie dann nicht mit genau den gleichen Eigenschaften wiedergeboren?" fragte ich.

„Das Entscheidende ist", sagte er, „daß sie nicht als Erleuchtete herkommen. Sie kommen als gewöhnliche Wesen und müssen sich daher auf einen Lehrer stützen. Das gilt für alle, auch für den Dalai Lama. Sie müssen lernen – sie müssen ihre Fähigkeiten hervorholen. Das ist sehr wichtig. Die Tulkus kommen durch die Kraft ihrer Güte, ihres Mitgefühls und ihres Altruismus zurück, während gewöhnliche Menschen aufgrund der

Kraft ihres Karmas wiedergeboren werden. Das bedeutet, daß sie allein zum Wohle der Lebewesen zurückkommen. Sie kommen nicht als Erleuchtete, weil sie zeigen müssen, wie eine Person üben sollte."

Lama Ösels eigentlicher Test würde allerdings der Nutzen sein, den er anderen bringt. Schließlich, so hatte man uns erzählt, war das der einzige Grund für seine Geburt.

Ohne Zweifel zeigten sich schon in seinem jetzigen Alter Anzeichen besonderer Güte und Anteilnahme. Sie waren bereits im Krabbelalter dagewesen, als er meine Mückenstiche mit einer Lotion behandelte und sich Sorgen über die Tiere machte, die man tötete, um sie zu verzehren, und waren auch jetzt keinesfalls weniger geworden. Kurz nach ihrer Ankunft erzählte Maria, ihr Bruder sei erkrankt und in Spanien ins Krankenhaus eingeliefert worden. Diese Nachricht traf Lama Ösel wie ein elektrischer Schlag. Er unterbrach, was er gerade tat, lief zu Basili hinüber, zog ihn am Ärmel und sagte, er wolle sofort abreisen! Er müsse nach Valencia gehen, um seinen Onkel zu besuchen und für ihn zu beten. Es war nicht leicht für Basili, ihn von der Undurchführbarkeit seines Vorhabens zu überzeugen. Wie ich später herausfand, wollte Ösel immer die Kranken besuchen.

In den nächsten Tagen beobachtete ich Lama Ösels wachsendes Verständnis für seine Rolle im Leben. Als Baby war er ganz von selbst, fast schon automatisch, ein winziger Lama gewesen; nun wurde er sich dessen bewußt. Er hatte stets ein Lächeln für die Leute auf den Lippen, das von Herzen zu kommen schien. Er hielt inne, mit dem was er gerade tat, um Neuankömmlinge zu begrüßen und ihnen seinen Segen zu geben. Wenn er mit dem Auto ankam oder abfuhr, winkte er wie ein artiges Königskind. Voller Anmut nahm er eine fotogene Pose ein, wann immer man ihn darum bat. Wenn er Gäste in seinem Zimmer empfing, bot er ihnen freundlich Tee und Kekse an. Eigentlich war er genau wie Lama Yeshe – warmherzig, gastfreundlich, aufmerksam, gesellig und kommunikativ; er ging auf die Leute zu, wann immer und wo immer es ihm möglich war.

Die interessanteste Entwicklung war aber meiner Ansicht nach, daß er immer mehr in die Rolle des Anführers schlüpfte. Früher hatte es ihm Spaß gemacht, allein oder mit anderen Leuten zu spielen, jetzt organisierte er Spiele und versammelte die Jugendlichen des Zentrums um sich. Sie gesellten sich ganz von selbst zu ihm, angezogen von seiner magnetischen

Ausstrahlung und seinem ansteckenden Sinn für Humor. Er war zweifellos 'der Boss'. Würden diese Kinder zur neuen Generation seiner Schüler werden? Eine meiner lebendigsten Erinnerungen aus dieser Zeit war der Anblick Lama Ösels, wie er einen Karren mit kleinen Kindern belud und ihn, mit Hilfe der größeren Kinder, die von hinten anschoben, auf dem Grundstück herumzog. Dabei führte er sie bei der Rezitation des berühmtesten tibetischen Mantras *Om mani padme hung* an, das sie lauthals herausschrien!

Immer noch war es sehr auffällig, wie frühreif er in spirituellen Dingen war. Eines Nachmittags griff er nach einem Anhänger am Hals seiner Mutter, der Chenrezig, den Buddha des Mitgefühls darstellte. „Nimm ihn ab", befahl er. „Er ist nicht gesegnet. Nur die Buddhas können ihn segnen", sagte er und legte den Anhänger auf seinen Altar vor seine diversen Buddhastatuen. Wer weiß, woher er wußte, daß er nicht gesegnet worden war?

Die gleiche frühreife Haltung zeigte sich während der Puja, jener langen, ritualisierten religiösen Zeremonie, die zu Ehren Ösels als dem Guru abgehalten wurde. Wie immer blieb Ösel überraschend gelassen, während er, prächtig eingekleidet wie ein hoher Lama, etwa drei Stunden lang ohne Unterbrechung auf dem Thron saß und immer wieder aus den Augenwinkeln zu Lama Zopa hinüberblickte, der ihm Zeichen gab, wann Damaru und Glocke zum Einsatz kamen. Ab und zu grinste er einige Mönche an und zwinkerte anderen zu (ein Trick, den er gerade erst erlernt hatte) – er verband das Spirituelle mit dem Komischen, genau wie Lama Yeshe es getan hatte. Auf seinem Kissen wiegte er sich im Einklang mit einem inneren Rhythmus vor und zurück, während er die tibetischen Gebete rezitierte, die er gelernt hatte. Er bemühte sich sehr, all die komplizierten Hand-Mudras auszuführen; die Ernsthaftigkeit, mit der er versuchte, seiner Rolle gerecht zu werden, war ergreifend.

Dann, als die auserwählten Mönche und Nonnen aufstanden, um ihm Speisen und Räucherwerk als Gabe darzubringen, sah ich eine tiefe Wandlung in ihm. Sein ganzes Auftreten veränderte sich. Eine Atmosphäre vollkommener, heiterer Gelassenheit umgab ihn. Es herrschte eine fast greifbare Stille im Raum, als Lama Ösel, die Augen nach unten gerichtet und mit einer Aura seltsamer uralter Weisheit um seinen jungen Körper, den Gesängen der stehenden Mönche und Nonnen lauschte, in denen er gebeten wurde, lange zu leben und allen fühlenden Wesen zu helfen. Das war in Italien, im Jahr 1989, aber einige Minuten lang schien es, als hätten wir, wie es T. S. Eliot nennt, ,den zeitlosen Augenblick gekreuzt'. Dann war es vorüber. Die Puja war zu Ende. Lama Ösel gähnte mit weit offenem Mund, stand vom Thron auf, ballte eine Faust über dem Kopf und winkte mit dem Siegesgruß Pende zu, dem amerikanischen Mönch, der ihm einiges über die Baseballkultur beigebracht hatte. Alles war wieder normal.

Als ich später sein Fotoalbum betrachtete, gewann ich einen kleinen Einblick in das ungewöhnliche Leben, das Lama Ösel im vergangenen Jahr geführt hatte. Seine Reise rund um die Welt hatte fast zwölf Monate gedauert. Da segelte er in Hongkong, da war er bei der Kalachakra-Initiation des Dalai Lama in Los Angeles, da in Disneyland in den Armen von Micky Maus, da wieder in Hongkong, wo er einen kleinen chinesischen Jungen, die Reinkarnation eines seiner engsten Freunde aus seinem vorigen Leben, umarmte – die liebevolle Beziehung zwischen den beiden kleinen Jungen war nicht zu übersehen. Da fertigte er zusammen mit Lama Zopa kleine Buddhafiguren an; da war er in Frankreich, wo er mit einem Mönch Computerspiele machte; da war er in Madison, USA, mit seinem früheren Lehrer Geshe Sopa; da war er in Holland und imitierte eine meditierende Person; da war er in Deutschland… und so weiter. Es war das ausgefallene Leben eines Weltbürgers, aber eines, in dem er, wie sein Begleiter Basili Llorca versicherte, nicht verzogen wurde.

„Er verkraftet das Reisen leicht, nur das unterschiedliche Essen bringt ihn manchmal aus dem Gleichgewicht", sagte der spanische Mönch, der für Lama Ösel Mutter, Vater, Freund und Lehrer zugleich geworden war. „Er bekommt sehr viel Aufmerksamkeit, er ist aber zu nett und zu intelligent, um sich dadurch verderben zu lassen."

Basili war wohl die Person, die am meisten Zeit mit Lama Ösel verbrachte. Hatte er irgendwelche anderen Zeichen bemerkt, daß Lama Ösel ein reinkarnierter Lama und vielleicht Lama Yeshe war?

„Es kommt ganz auf die Situation an. Er läßt sich sehr von seiner Umgebung beeinflussen. Lama Ösel nimmt – vielleicht mehr als andere Kinder – sofort die Atmosphäre auf, in der er sich bewegt, und lernt, indem er schaut, wie die anderen sind. Wenn er mit ungestümen Kindern zusammen ist, wird er auch laut. Wenn er anderen Rinpoches, wie zum

Beispiel Ling Rinpoche, begegnet, kann die Beziehung sehr gut sein.

In Dharamsala, wo er inmitten von Lamas und Gelehrten lebte, war er eher ein Lama als ein kleines Kind. Er machte kluge Sachen und gab Antworten, die ein Kind normalerweise nicht geben würde. Natürlich reden Tulkus nie deutlich darüber, wer sie sind", sagte er.

„Einmal kam in Dharamsala ein sehr hochgestellter Lama, ein alter Rinpoche, um eine Meditationsklausur zu machen. In diesem Zeitraum wachte Ösel eines Morgens auf und sagte den Namen dieses Meisters – vielmehr sang er ihn vor sich hin. Er wollte ihn besuchen gehen und ein Katag mitnehmen. Er bestand darauf. Also gingen wir. Als wir vor diesem heiligen Mann saßen, bat er, eine Frage stellen zu dürfen. Der Rinpoche sagte: „Ja". „Können Sie den Geist aller fühlenden Wesen sehen?" fragte Lama Ösel. Der Rinpoche zeigte sich sehr überrascht über eine solche Frage aus dem Mund eines kleinen Kindes. „Ich wünschte sehr, ich könnte es. Ich versuche, diese Fähigkeit zu entwickeln", antwortete er. Lama Ösel sah dann ein Bild des Dalai Lama im Zimmer des Rinpoche und bemerkte, der Dalai Lama sei auch sein Guru."

„Aber eigentlich sehe ich in kleinen Dinge die größten Zeichen", fuhr Basili Llorca fort. „Eines nachts, nachdem ich ihn gewaschen hatte, seine Kleider gewaschen hatte, ihm Abendessen gegeben und ihn zu Bett gebracht hatte – was der ganz normale Ablauf war – sagte er: ‚Ich danke dir, Basili, für alles, was du für mich tust. Danke. Du bist so gütig.' Solch ein Verhalten ist nicht normal für ein Kind", sagte er.

Jeder, der Lama Yeshe kannte, kann sich daran erinnern, wie gut er es verstanden hatte, Leuten zu danken. Mir fiel wieder ein, wie er in Kopan mit zusammengelegten Händen in das Meditationszelt zu kommen pflegte, sein strahlendes Lächeln nach rechts und links austeilte und sagte: „Danke, danke, ich danke euch sehr." Dankbarkeit, das wurde mir später klar, ist ein Merkmal wahrer spiritueller Verwirklichung. Lama Yeshe hatte sie. Er dankte den Leuten nicht nur für die offensichtlichen Dinge, er empfand aus den seltsamsten Gründen Dankbarkeit: zum Beispiel, wenn jemand in der Sonne lag oder wenn ein Verkehrspolizist ihm wegen überhöhter Geschwindigkeit einen Strafzettel überreichte! Bei einem kleinen Kind war es in der Tat sehr ungewöhnlich, sich der Güte der anderen bewußt zu sein und sie anzuerkennen.

Nicht, daß er stets ein Musterbeispiel an Tugendhaftigkeit gewesen wäre. Er war im Unheilstiften ebenso gut wie in spirituellen Dingen. Maria, Basili und ich beobachteten ihn, wie er gelegentlich nach einem Kind schlug, das ein Spielzeug haben wollte, mit dem er gerade spielte. Oft wollte er beim Spielen unbedingt gewinnen und konnte manchmal auch extrem herrschsüchtig sein. Aber das war wohl normal.

„Ich muß recht streng sein. Er ist eigensinnig und braucht eine feste Hand", sagte Basili.

‚Feste Hand' bedeutete für ihn soviel wie ‚Schläge'. Lama Ösel spürte Basilis Hand des öfteren auf seinem Hinterteil. Während viele von uns die vielen körperlichen Züchtigungen Lama Ösels nicht mochten, hatte er selbst seine eigene bestürzende Art damit umzugehen. Oft drehte er sich zu Basili um und sagte: „Ich bin nicht mein Körper" oder: „Danke für die Schläge, Basili."

Wenn man Basili gegenüber in Frage stellte, ob es richtig sei, den Jungen so zu schlagen, zeigte er sich uneinsichtig. Lama Zopa hatte ihm gesagt, dies sei das richtige Mittel, Lama Ösel einen Verweis zu erteilen – das Mittel, mit dem allen tibetischen Kindern beigebracht wurde, richtig und falsch zu unterscheiden. Es war auch die spanische Methode. „Der Dalai Lama, Lama Zopa, Lama Yeshe und alle anderen großen Lamas haben Schläge bekommen. Das ist normal. Wichtig ist nur, daß dabei kein Ärger im Spiel ist", sagte er.

Der andere strittige Punkt im Umgang mit Lama Ösel war die Tatsache, daß er von seiner Familie getrennt wurde. Für Tibeter ist es ein anerkannter Teil ihrer Kultur, daß Tulkus, einmal aufgefunden, in ihre früheren Klöster zurückgebracht werden, um weiterzulehren und andere anzuleiten, so wie sie es in ihrem früheren Leben getan haben. Das Kind selbst (meistens war es ein Junge) war normalerweise nur zu gerne zur Rückkehr in sein früheres Zuhause bereit, selbst wenn einige Eltern sich dagegen aussprachen. Menschen aus dem Westen regen sich dagegen leicht darüber auf, wenn ein kleines Kind wie Ösel getrennt von Mutter und Vater lebt.

Maria und Paco waren außergewöhnliche Eltern. Maria hatte sich stets zu der für eine Mutter recht ungewöhnlichen Überzeugung bekannt, daß man Kinder nicht einengen sollte, sondern ihnen ‚Raum' geben müsse. Sie klammerte sich ganz und gar nicht an sie. Sie liebte ihre Kinder, aber brauchte sie nicht, um sich selbst ausgefüllt zu fühlen. Obwohl sie sehr leicht Babys bekommen hatte, hatte sie eigentlich nie eine Familie gewollt. Die Kinder kamen einfach, wobei wohl auch ihre angeborene Abneigung gegen Empfängnisverhütung oder alles ‚Unnatürliche' eine Rolle spielte. Außerdem waren beide, Paco und Maria, ergebene Schüler Lama Yeshes. Inspiriert von seiner Botschaft der universellen Liebe und Weisheit hatten sie auf dem höchsten Berg Südspaniens ein Klausurzentrum errichtet, das Praktizierenden aller Glaubensrichtungen offenstand. Mit der Verehrung und Hingabe, die sie für Lama Yeshe empfanden, und ihrem Vertrauen in Lama Zopa war es ihnen nicht schwergefallen, ihren außergewöhnlichen Sohn in Lama Zopas Obhut zu geben.

Sie waren mit der ganzen Familie nach Nepal gereist, weil sie in Lama Ösels Nähe sein wollten, als er in Kopan war, sahen sich aber gezwungen, nach Spanien zurückzukehren, als die nepalesische Regierung die Visas aller Ausländer für nichtig erklärte. Maria hatte Lama Ösel ein Jahr nicht gesehen und jetzt, hier in Pomaia, fragte ich sie, wie sie die Trennung verkraftet hatte.

„Ich weiß, daß wirkliche Liebe nicht mit Anhaftung gleichzusetzen ist, und ich versuche, dieses Gefühl meinem Sohn gegenüber zu entwickeln. Ich muß ihn mit allen teilen", sagte sie. „Wenn ich zwei Stunden mit Lama (Ösel) zusammensein kann, macht mich das wirklich glücklich. Daß ich hierher nach Italien kommen konnte und ein paar Tage in Lamas Nähe verbringen kann, erfüllt mich mit unbeschreiblicher Freude. Wenn er immer bei mir wäre, wäre es genauso wie mit meinen anderen Kindern: Wir werden ärgerlich aufeinander und sind frustriert, wir verbringen niemals wirklich ruhige Momente zusammen. Daher mag ich es, wie es ist.

Er ist in besten Händen. Er ist glücklich, gesund, sauber, und er ist nett zu allen Leuten. Ich bin sehr froh darüber.

Nachdem wir nun seit einem Jahr getrennt voneinander leben, sehe ich zudem, daß Lama sehr gut ohne uns auskommt. In Lamas Gefühlswelt hat vieles Platz. Er ist nicht wie andere Kinder, die nur Beziehungen zu ihren nächsten Familienangehörigen haben. Lama hat Lama Zopa Rinpoche und eine weltweite Familie. Er hat auch keine Zeit, sich aufzuregen. Sein Leben ist total vollgepackt."

Während Maria die Loslösung von ihrem Sohn leicht nahm, litt Paco unter heftigem Trennungsschmerz.

„Paco vermißt ihn mehr als ich. Ich kann die Situation intellektuell verstehen und sie annehmen, aber Paco reagiert eher emotional. Es trifft ihn mitten ins Herz", gab sie zu.

Sie hatte recht, wenn sie sagte, Lama Ösel vermisse sie nicht. Wie in anderen Dingen auch, hatte er eine unheimlich anmutende Unbekümmertheit an den Tag gelegt, als es darum ging, sich von der Familie zu trennen, um ins monastische Leben einzutreten. Als er zwei oder drei Jahre alt war, war das besonders augenfällig gewesen: Ein Kind dieses Alters wäre normalerweise völlig niedergeschmettert, wenn es plötzlich ohne seine Familie und insbesondere ohne seine Mutter auskommen müßte. In Kathmandu hatte ich fasziniert beobachtet, wie er reagierte, wenn er, nachdem er einige Zeit mit ihnen verbracht hatte, gehen mußte. Niemals sah ich ihn zögern, wenn es darum ging, sich zu verabschieden und sich ins Auto zu setzen und wegzufahren. Es schien ihm sogar zu gefallen, daß er dem Tumult des Lebens in dieser großen Familie entkommen und zum klösterlichen Frieden zurückkehren konnte. Jetzt in Italien fiel mir die gleiche Art leidenschaftsloser Liebe auf.

Nicht, daß er nichts für seine Familie empfunden hätte. Er spielte gerne mit seinen Geschwistern und war insbesondere seinem kleinen Bruder Kunkyen (Maria und Paco hatten allen ihren Kindern tibetische Namen gegeben) gegenüber stets sehr aufmerksam. Er brachte ihm Obst und Getränke und nahm allgemein sehr viel Rücksicht auf ihn. Wenn ich nach einem Besuch in Pacos und Marias Haus nach Kopan zurückkehrte, fragte mich Lama Ösel stets: „Hat Kunkyen dich gesegnet?" Gerüchte waren im Umlauf, auch er sei ein ‚besonderes Kind‘, von offizieller Seite war man jedoch nicht auf ihn zugekommen.

Ein Jahr später hatte sich an Lama Ösels Zuneigung zu Kunkyen nichts geändert. „Er fragt immer zuerst, wie es ihm geht", berichtete Maria. Kunkyen war nun drei Jahre alt und Maria zufolge äußerst eigensinnig. „Er redet viel. Er ist wie ein Schauspieler, wirklich ulkig – er verbiegt seine Ohren und macht alle möglichen Faxen." Hier war ein anderes Kind, das man beobachten sollte, dachte ich…

Ich fragte Maria, was ihr an Lama Ösels Entwicklung in den zwölf Monaten, in denen sie ihn nun nicht gesehen hatte, auffalle.

„Mir fällt auf, daß er stets eine positive Einstellung hat. Er scheint aus jeder Situation ein Fest machen zu können", antwortete sie. Und dann beschrieb sie eine Eigenschaft, die auch ich bemerkt hatte, nämlich daß

Lama Ösel offenbar nicht so stark von seinen Gefühlen bestimmt wurde wie die meisten von uns. Wenn er unglücklich war oder traurig, dauerte das ein paar Sekunden – dann war es schon wieder vorbei. Es schien fast so, als trage er zu unserem Wohle eine Maske – um normal zu wirken.

„Leiden ist für ihn nicht das gleiche wie für uns", sagte Maria. „Er lebt ganz und gar im gegenwärtigen Augenblick. Er wacht sofort auf. Wenn man ihm sagt, er solle mit dem Spielen aufhören, sagt er ‚in Ordnung'. Wenn es Zeit ist schlafen zu gehen, sagt er ‚in Ordnung'. Wenn er irgendwo weggehen muß, ist das für ihn in Ordnung. Er kann problemlos von einer Situation zur anderen überwechseln. Das ist etwas sehr Ungewöhnliches."

Über die Identität ihres Sohnes ist sich Maria im Klaren: „Ich zweifle nicht im geringsten daran, daß Lama Ösel Lama Yeshes Geist besitzt, aber er ist noch in der Entwicklungsphase. Ich denke immer noch an Lama Yeshe, wenn ich an meinen Guru denke. Vielleicht werde ich Lama Ösel als meinen Guru betrachten, wenn ich richtige Unterweisungen von ihm bekomme. Im Moment aber nenne ich ihn immer noch *cariño!*" sagte sie.

Ein weiteres Jahr verstrich, bevor ich Lama Ösel das nächste Mal sah. Die dazwischenliegenden Monate hatte er in der Abgeschiedenheit eines tibetischen Klosters in der Schweiz verbracht. Das Kloster hieß Tharpa Chöling und war von dem mittlerweile verstorbenen Geshe Rabten errichtet worden. Die Hochgebirgsluft, die gesunde Ernährung und die Stille und Routine des klösterlichen Lebens waren ihm gut bekommen. Im August 1990 aber kam Lama Zopa zu Unterweisungen nach Holland ins Maitreya-Institut, ein von Lama Yeshes holländischen Schülern gegründetes Zentrum in den wunderschönen Wäldern von Emst. Lama Ösel und Basili waren gekommen, um etwas Zeit mit ihm zu verbringen.

Lama Ösel war um einiges gewachsen und übernahm nun mehr Verantwortung als je zuvor. Bei meiner Ankunft begann gerade eine Puja, und ich beeilte mich dabeizusein. Diesmal wartete er nicht auf das Einsatzzeichen. Er stürzte sich direkt hinein und rezitierte mit beeindruckender Geschwindigkeit ein tibetisches Gebet nach dem anderen. Ich sah ihn mit ganz neuen Augen und hatte den Eindruck, er sei nun Lama Zopa in gewisser Weise ebenbürtig geworden. Glücklicherweise hatte er seinen Sinn für Humor nicht verloren. Einmal bekam er einen Kicheranfall, den er erfolgreich unter Kontrolle brachte. Er grinste, schnitt Gesichter und äffte eine Meditationshaltung nach, wobei er lustigerweise Lama Zopa sehr ähnlich sah. Er wußte es, aber lachte interessanterweise selbst nicht.

Die Disziplin und Konzentrationsfähigkeit, die man bereits ein Jahr zuvor an ihm bemerken konnte, hatte sich weiterentwickelt. Man hatte ein Glas Orangensaft vor ihn hingestellt, aber er ließ eine Stunde verstreichen, bevor er den ersten Schluck nahm. Am hinteren Ende des großen Raumes war einigen Kindern die Zeremonie langweilig geworden, und sie hatten begonnen zu spielen. Er machte keine Anstalten, zu ihnen zu gehen und warf ihnen auch keine neidischen Blicke zu. Stattdessen segnete er sie alle, als sie am Ende zu ihm nach vorne kamen und ihm den weißen Schal darbrachten.

Zu Abschluß der Pujas hielt Lama Zopa eine Rede. Wie immer verbarg sich eine kraftvolle Botschaft hinter seiner ruhigen Vortragsweise: „Heute haben wir eine ‚Langlebens-Puja' dargebracht, für Lama, der in seiner alten Form verschieden und in seiner neuen Form als unser Führer zurückgekommen ist. Obgleich ich nur wenig Dharma-Wissen besitze, reise ich rund um die Welt, von einem Land zum anderen. Aber ich habe vor, so weiterzumachen, bis Lama Tenzin Ösel Rinpoche bereit ist, die fühlenden Wesen im Westen und an anderen Orten zu unterweisen", sagte er.

„Wir laden hochqualifizierte Meister als Gastlehrer in unsere Zentren ein, und wenn sie dann kommen, empfangen wir sie und nehmen ihre gütige Hilfe entgegen. Aber wir sollten niemals, niemals vergessen, daß dies Lamas Reinkarnation ist. Lama, der in seiner neuen Form zu uns zurückgekommen ist. Wir dürfen denjenigen nicht vergessen, der alle diese Zentren geschaffen hat.

So viele fühlende Wesen sind mit dem Dharma in Berührung gekommen, aber wir sollten Lama, der in einer neuen Form zurückgekommen ist, nicht vergessen, während wir das Glück haben, andere befähigte Lamas zu treffen.

Ich glaube, ich habe die Verantwortung, diese Dinge anzusprechen, weil Lama mich in der Vergangenheit so oft in den Westen gebracht hat, um diese Organisation für seine westlichen Schüler zu schaffen."

Diese Rede enthielt, so schien es mir, nicht nur das Versprechen, daß Lama Ösel tatsächlich eines Tages lehren wird, wir wurden auch ermahnt, in der Zwischenzeit nicht zu vergessen, wer letztlich unser Lehrer war. Lama Zopa unterstützte das weltweite Netz der von Lama Yeshe gegründeten Zentren, damit es intakt bleibt, bis Lama Ösel das Ruder übernehmen kann. Wenn man den kleinen Jungen betrachtete, der neben Lama Zopa saß und auf seine reizende Art seine Hand ans Ohr legte, als lausche er Worten, die er nicht hören sollte, wurde einem bei dem Gedanken an dieses Vorhaben schwindelig. Ösel war erst fünf Jahre alt. So viele Dinge konnten geschehen.

Bei meinem Wiedersehen mit Maria wurde ich recht deutlich an die buddhistische Grundaussage erinnert, daß nichts gleich bleibt. Im Leben von Lama Ösel war zwar im letzten Jahr alles glatt gegangen, sie aber hatte einen schweren Schicksalsschlag hinnehmen müssen. Maria hatte in einer ihrer Nieren einen großen Tumor entdeckt. Sie beschrieb seine genauen Ausmaße: 8 cm x 7 cm x 6 cm. Das hörte sich riesig an. Der Arzt hatte ihr empfohlen, ihn sofort herausoperieren zu lassen. Aber mit der für sie so typischen Abneigung gegen medizinische Eingriffe, die sich auch schon in ihrer Abneigung gegen Empfängnisverhütung gezeigt hatte, hatte Maria beschlossen, mit ihrer Entscheidung noch abzuwarten. In der Zwischenzeit hatte sie, wie üblich mit größter Leichtigkeit, ein weiteres Kind geboren, ihr siebtes. Sie hatte außerdem in ihrem Heimatort Bubión ein Touristikunternehmen gegründet, das Angebote für die zunehmende Anzahl von Besuchern bereithielt, die das liebliche kleine Städtchen entdeckten.

Lama Zopa war dann nach Spanien gekommen, und Maria hatte ihn aufgesucht, um ihm von ihrer Krankheit zu erzählen und seinen Rat einzuholen. „Wenn mein Guru mir gesagt hätte, ich solle mich operieren lassen, hätte ich es getan, obwohl ich Ärzte und Krankenhäuser nicht mag. Aber Lama Zopa sagte, diese Krankheit sei äußerst segensreich für mich. ‚Sie wird dir bei deiner Übung helfen. Jetzt ist es Zeit, eine Meditationsklausur zu machen – um die Krankheit unter Kontrolle zu bringen‘, hatte er gesagt.“ Seine Worte fielen auf fruchtbaren Boden, und Maria hatte zum ersten Mal in ihrem Leben vor, sich ernsthaft auf Meditation einzulassen.

Im Grunde war das ganze Jahr schwierig für Maria gewesen. Am zurückliegenden Heiligen Abend hatte sie einen Autounfall gehabt. Sie fuhr gerade Lama Ösel und Basili im Auto von Madrid nach Bubión, als ein Auto aus einer Seitenstraße schoß und ihren Wagen rammte. Der Fahrer hatte zuvor mehrere Stunden auf einer Feier zugebracht. Maria prallte auf das Steuerrad, Basili fiel nach vorne und verletzte sein Knie und Lama, der auf dem Rücksitz geschlafen hatte, fiel auf den Boden – er hatte sich überhaupt nicht wehgetan. Trotzdem beschlossen sie, ins Krankenhaus zu fahren, um sich untersuchen zu lassen.

Dort geschah etwas Ungewöhnliches. Der vierjährige Lama Ösel übernahm die Kontrolle. Er ging zum Arzt und sagte: „Bitte kümmern Sie sich um meine Mutter, die Schmerzen auf der Seite hat, und um Basili, dessen Knie verletzt ist. Bei mir ist alles in Ordnung, aber die beiden müssen Sie untersuchen." Der Arzt, ziemlich verdutzt darüber, daß ein solch kleiner Patient ihm Anweisungen gab, antwortete, er selbst müsse sich auch untersuchen lassen. „Nein, das ist nicht nötig. Aber bitte kümmern Sie sich um meine Mutter und Basili", insistierte er.

Ein wenig später hörte der Arzt ein Klopfen an der Tür des Zimmers, in dem er die Röntgenbilder von Maria und Basili betrachtete. Ösel kam herein. „Kann ich bitte hereinkommen, denn ich interessiere mich sehr für diese Dinge", gab er zu verstehen. Der Arzt sah ihn nun etwas genauer an und erkannte das Kind, dessen Gesicht überall in Spanien bekannt war. Plötzlich wurde ihm dessen ungewöhnliches Verhalten verständlich.

Lama Ösel konnte immer noch selbst die Leute, die ihm am nächsten standen, mit plötzlichen „Enthüllungen" überraschen. Eines Tages, als er in der Schweiz war, führten ihn sein Vater Paco, ein italienischer Mönch und Basili zum Mittagessen aus – in ein Restaurant mit einem Balkon, von dem aus man ein Tal überblickte. Lama Ösel saß da und beobachtete ein paar Vögel, die auf der Suche nach Krümeln zum Balkon herunterflogen. Mitten in die alltägliche Unterhaltung hinein begann Ösel in einer Tonart zu sprechen, die sie alle innehalten und zuhören ließ. „Vorher", sagte er, „kamen viele, viele Buddhas in meinen Körper, dann wurde ich winzig klein und ging in den Bauch meiner Mutter ein. Dann kam ich heraus." Nach einer kurzen Pause fügte er hinzu: „Vorher war ich Lama Yeshe. Jetzt bin ich Lama Ösel."

Die anderen waren sprachlos. Der Anblick der Vögel, die sich auf dem Balkon scharten, hatte ganz offensichtlich Erinnerungen aus der Zeit vor seiner Geburt geweckt. Niemand konnte mit Sicherheit sagen, was er im einzelnen ansprach. Alle Anwesenden wußten aber, daß Lama Yeshe sich im Sterben tief in eine Meditation versenkt hatte, bei der er mehrfach visualisierte, wie der Buddha Heruka, seine persönliche Gottheit, sich in ihm auflöst. Den esoterischen Anweisungen des tantrischen Buddhismus zufolge müssen spirituell Praktizierende diese höchst komplexen Meditationen gemeistert haben, damit sie die genauen Bedingungen ihrer nächsten Wiedergeburt bestimmen können. Spielte Lama Ösel darauf an, wenn er sagte, viele Buddhas hätten sich in seinem Körper aufgelöst?

Ich hatte ihn schon vorher einmal sagen hören, er sei früher Lama Yeshe gewesen und sei nun Lama Ösel. Das war damals in Kathmandu gewesen, als er erst drei Jahre alt war. Er hatte gerade mit seinem Bruder Kunkyen gespielt, und ich hatte ihn ganz ohne Umschweife gefragt, ob er die Reinkarnation von Lama Yeshe sei. „Ich bin Tenzin Ösel, ein Mönch", hatte er feierlich erwidert. „Früher war ich Lama Yeshe. Jetzt bin ich Tenzin Ösel." Damals wunderte ich mich sehr darüber, wie er es in seinem zarten Alter fertiggebracht hatte, die rechten Worte für den komplizierten Prozeß der Reinkarnation zu finden. Es gab eine Kontinuität zwischen den beiden Wesen, aber die beiden Persönlichkeiten waren unterschiedlich. Jetzt wunderte ich mich wieder, als ich von den bemerkenswerten Worten hörte, die Ösel beim Anblick der Vögel geäußert hatte.

Einige Monate später sah ich ihn bei einem Zwischenaufenthalt in London wieder, als er auf dem Weg zur nächsten Station seines außergewöhnlichen Lebens war. Er war unterwegs ins Kloster Sera in Südindien, wo er mit seiner formalen tibetischen Ausbildung beginnen sollte. Als ich ihn herumführte und ihm einige Sehenswürdigkeiten zeigte, ließ er seine Hand in meine gleiten. Die Taubenschar am Trafalgar Square schien ihn nicht im mindesten zu beeindrucken, die Kriech- und Krabbeltier-Ausstellung im Naturkundemuseum dagegen sehr. Die vielen kleinen Einzelheiten im Reich der Insekten zogen seine ganze Aufmerksamkeit auf sich – hätten wir es ihm erlaubt, hätte er die Tiere wohl noch stundenlang betrachtet.

Er hatte auch Pflichten zu erfüllen. Er war der Gastgeber einer Kinderparty mit heißer Schokolade im Jamyang-Zentrum in Finsbury Park, wo er zweimal ganz hingerissen einer Videoaufnahme von *The Snowman* zuschaute. Obwohl er sich eine schwere Erkältung zugezogen hatte, dankte er den Fotografen dafür, daß sie ‚sich die Mühe gemacht hatten zu kommen' und war trotz seiner schlechten Verfassung gerne bereit, eine

Puja anzuleiten. Bei dieser Gelegenheit bemerkte ich zum ersten Mal, wie Erwachsene, besonders Neuankömmlinge, ihre eigenen Kindheitserfahrungen auf Ösel projizierten.

Eine Frau, mit der ich sprach, sagte, es sei grausam, ein kleines Kind einer solch langwierigen ‚Tortur' auszusetzen, wenn es eigentlich ins Bett gehöre. Sie selbst war mit fünf Jahren ins Internat geschickt worden, was eine traumatische Erfahrung für sie gewesen war. Ein anderer Mann bemerkte, Lama Ösel habe die ganze Zeit über einen recht gelangweilten Eindruck auf ihn gemacht – und fügte dann hinzu, er habe einen großen Teil seiner eigenen Kindheit in einem ähnlichen Zustand verbracht. Eine weitere Frau verstand kein Wort von dem, was da vor sich ging, fühlte sich aber unerklärlich glücklich, als sie das Zentrum verließ. Da Ösel unmöglich in all diesen verschiedenen Zuständen gleichzeitig sein konnte, begann ich mich zu fragen, ob er wohl eine Art Spiegel war, der den Betrachtern jene Geisteszustände und Emotionen zurückwarf, die sie selbst besaßen. Wenn das so war, erfüllte er wahrhaft die Rolle des Guru – denn die Funktion des wirklichen Guru, des würdigen, ehrenwerten Guru ist es, die innere Natur des Schülers offenzulegen und damit zu zeigen, welche Dinge erkannt, bearbeitet und angenommen werden müssen.

Mehrere glückliche Stunden lang schaute ich ihm beim Spielen zu – ein faszinierendes Schauspiel. Jemand hatte ihm ein Modellflugzeug für Siebenjährige gegeben. Er setzte sich allein hin, um die Teile mit Hilfe der Anleitung und Zeichnungen zusammenzusetzen. An einem bestimmten Punkt kam er nicht weiter. Zu meiner Überraschung reagierte er nicht mit einem Wutanfall oder mit Frustration, wie es wohl die meisten Fünfjährigen getan hätten: Ruhig nahm er alles wieder auseinander und fing von vorne an. Er hatte wirklich eine hochentwickelte und ungewöhnliche Konzentrationsfähigkeit. Ich erinnerte mich, daß Konzentration durch stundenlanges Meditieren erlernt wird. Die Fähigkeit, die eigene Aufmerksamkeit stundenlang auf eine Aufgabe zu richten, gehört zur Domäne der Yogis. Konnte das, was ich da beobachtete, das Resultat der früheren Anstrengungen Lama Yeshes sein? Beim Zusammensetzen des Flugzeugmodells kam Ösel nochmals bis zum gleichen Punkt und konnte wieder nicht weitermachen. Er nahm es erneut auseinander. Zweimal baute er das Flugzeug zusammen, und zweimal nahm er es wieder auseinander. Bei seinem dritten Versuch gab er schließlich auf, die Aufgabe war einfach zu schwierig für ihn. Er drückte es Basili in die Hand. „Mach du es!" befahl er.

Später hörte ich, wie ein paar Leute mit ihm sprachen. „Was möchtest du machen, wenn du erwachsen bist?" fragten sie.

„Unterweisungen geben." Die Antwort kam wie aus der Pistole geschossen. Dann fügte er ernst hinzu: „Aber nicht jetzt, später."

Sie fragten weiter, ob er den Dalai Lama kenne und wenn ja, was er von ihm halte.

„Er ist mein Guru", sagte Ösel kurz angebunden, als ob das so offensichtlich sei, daß sich die Frage im Grunde erübrige.

Später stand er auf, nahm mich an der Hand und führte mich nach oben. Er wollte mir eine Fotografie von Lama Yeshe zeigen, die dort an der Wand hing. „Das bin ich früher", sagte er ganz sachlich. „Dann wurde ich krank." Er imitierte jemanden, der schwächer und schwächer wird und schließlich umsinkt. „Dann starb ich. Sie legten mich in eine Stupa und zündeten diese an", sagte er und ließ seine Zunge heraushängen. „Und jetzt bin ich hier", fügte er fröhlich hinzu. Es war beeindruckend. Aber in seinem jetzigen Alter konnte man nicht sicher sein, wieviel er aus Erzählungen kannte und was er intuitiv wußte. Von nun an, dachte ich, würden seine Erinnerungen an vergangene Leben niemals mehr so überzeugend sein, wie sie es in seinem Babyalter gewesen waren.

Über Weihnachten sah ich ihn in Varanasi wieder, jener alten verfallenden Stadt an den Ufern des Ganges, die auch Benares genannt wird. Ich war auf dem Weg nach Australien, Lama Ösel war auf dem Weg ins Kloster Sera, und eine riesige Menschenmenge von 150.000 Tibetern war auf dem Weg zu einer Kalachakra-Initiation, die der Dalai Lama in Sarnath geben würde, jenem Ort, an dem der Buddha nach seinem Erwachen seine ersten Lehrreden gehalten hatte. Die Kalachakra-Initiation war eine der esoterischsten und schwierigsten Übungen Tibets, bei der der Initiierende die inneren Elemente des Körpers und Geistes ins Gleichgewicht brachte, um Harmonie und Frieden in der äußeren Welt zu bewirken. Der Dalai Lama hatte diese Zeremonie bereits überall in der Welt abgehalten – ein Versuch, die destruktiven Tendenzen der Menschheit zu stoppen. Nun war es Lama Ösels kleine Gestalt, die voller Selbstvertrauen vor der riesigen Menschenmenge auf die Bühne schritt und dem großen Mann die symbolische Gabe darbrachte.

Später verkleidete er sich als Weihnachtsmann, um den Leuten im Hotel Geschenke zu geben, und bestellte heiße Milch bei einem Stand, die den draußen herumstreunenden, herrenlosen Hunden gegeben werden sollte. Einen eher offiziellen Charakter hatte eine Lunch-Party, zu der er alle die hochgestellten jungen reinkarnierten Lamas eingeladen hatte, die zur Kalachakra-Initiation gekommen waren. Es war eine beeindruckende Versammlung. Alle waren da: Ling Rinpoche (der frühere erste Lehrer des Dalai Lama); Trijang Rinpoche (dessen früherer zweiter Lehrer); Song Rinpoche, der Lama Yeshe sehr nahegestanden und dessen Bestattungsrituale geleitet hatte; Serkong Dorje Chang und Serkong Rinpoche, jener wunderbare Lama, dessen zerfurchtes Gesicht und große, spitze Ohren angeblich das Vorbild für die Figur Yoda im Film *Star Wars* abgegeben hatte.

Seltsamerweise waren die ‚Vorgänger‘ dieser Tulkus alle etwa um die gleiche Zeit verschieden. Man sagte ihnen nach, sie hätten gewählt ‚zu sterben‘, um ernsthafte Hindernisse zu beseitigen, die damals das Leben des Dalai Lama bedroht hatten. Sie hatten in der Gelugpa-Hierarchie ganz oben gestanden, sie waren die Träger der Überlieferungslinie und allesamt überragende Meister der Meditation und der Gelehrsamkeit gewesen. Sie waren auch alle ungefähr zur gleichen Zeit wiedergeboren worden. Nun hatten sich ihre Reinkarnationen auf dem Rasen dieses feinen indischen Hotels versammelt.

„Das ist die ganze Zukunft des Dharma“, sagte ein aufmerksamer Zuschauer. Lama Ösel war unter ihnen, nur seine weiße Haut und seine westlichen Gesichtszüge unterschieden ihn von den anderen. Würden sie ihn so einfach aufnehmen, wenn sie einmal alt genug waren, den Unterschied erkennen zu können, und würde er sie akzeptieren?

Maria war auch angekommen – um in Bodhgaya ihre Klausur zu beginnen. Sie sah gut aus, sagte mir aber, sie habe neben ihrem Nierentumor nun noch einen zweiten im Gehirn. Da sie sich geweigert hatte, sich operieren zu lassen oder Medikamente zu nehmen, hatten ihr die Ärzte gesagt, sie habe nur noch sechs Monate zu leben. Das hatte sie aber keineswegs aus der Fassung gebracht. Sie setzte ihr ganzes Vertrauen in die spirituellen Übungen, die sie nun aufnehmen würde. Lama Zopa hatte ihr geraten, ihre Krankheit zu opfern, ihre Tumore als Mittel zu benutzen, um das Leiden der anderen auf sich zu nehmen.

Als ich von diesem Ratschlag hörte, mußte ich unwillkürlich an Medjugorye denken, jene Kleinstadt im ehemaligen Jugoslawien, wo die Jungfrau Maria einige Jahre lang sechs jungen Leuten täglich erschienen war. Fasziniert von diesem Phänomen war ich als Touristin dorthingegangen, um es mit eigenen Augen zu sehen. Ich hatte die Menschen, denen die Jungfrau erschienen war, interviewt und Vicka, eine lebhafte Vierundzwanzigjährige, erzählte mir von einem Gehirntumor, der sich bei ihr entwickelt hatte. Seit Monaten fühlte sie sich krank und wurde dauernd bewußtlos – trotzdem hatte sie sich ihr heiteres Naturell bewahrt und bestand darauf, weiterhin mit den Pilgern zu sprechen, die ihrer Botschaft wegen gekommen waren.

Sie hatte mir erzählt, daß die Jungfrau Maria, oder Gospa, wie sie in Medjugorye genannt wurde, sie aufgefordert habe, ihren Gehirntumor den Krankheiten in der Welt zu opfern und ihr versichert habe, er werde zu einem bestimmten Datum geheilt werden. Vicka hatte daraufhin das Datum, zu dem ihr ihre Heilung versprochen worden war, auf ein Stück Papier geschrieben, es in einen versiegelten Umschlag gesteckt und diesen dem Priester des Ortes zur sicheren Aufbewahrung gegeben. In der Zwischenzeit hatte sie ein Angebot für eine kostenlose Behandlung durch einen Spezialisten der Harley Street in London abgelehnt.

Ihr Vertrauen wurde belohnt. Genau an dem Tag, den sie niedergeschrieben hatte, verschwand ihr Tumor ganz plötzlich. Heute erfreut sich Vicka bester Gesundheit und besitzt jene innere Freude, die ein untrügliches Zeichen wahrer spiritueller Erfahrung ist. Ich fragte mich, wie es wohl Maria, der Mutter von Ösel und sechs weiteren Kindern ergehen wird.

Während unseres Aufenthaltes in Varanasi erhielten wir unsere eigene Unterweisung über Tod und Vergänglichkeit. Lama Zopas Mutter verschied, und zwar buchstäblich in unserer Mitte. Das berührte uns alle zutiefst – besonders Maria, die Mutter des anderen berühmten Lamas.

Wir alle hatten die winzige, zerbrechliche und fast blinde, alte Dame, die man Amala nannte, schätzen gelernt. Sie hatte darauf bestanden, die lange, anstrengende Reise von ihrem Zuhause in der Nähe des Mount Everest bis in die heißen, staubigen Ebenen Indiens auf sich zu nehmen, um den Dalai Lama zu sehen und die Kalachakra-Initiation zu empfangen. „Sie schläft oben auf dem Dach in der Ecke – mitten zwischen den Jungen aus Kopan.

Obwohl sie Lama Zopas Mutter ist, weigert sie sich, ein eigenes Zimmer zu belegen. Sie sagt, sie sei nichts Besonderes. Das macht mich sehr demütig", merkte Maria an.

Am letzten Tag der Initiation war Amala persönlich von Seiner Heiligkeit dem Dalai Lama gesegnet worden. Um 10 Uhr abends, als die Initiation zu Ende war, starb sie, mit einem Gesicht, aus dem Gelassenheit und Friede leuchtete. Sie hatte das bekommen, wofür sie diesen ganzen Weg auf sich genommen hatte, und war mit jenem Mantra auf den Lippen gestorben, das sie ihr ganzes Leben Millionen Male gesagt hatte: *Om mani padme hung,* die heiligen Worte von Chenrezig, dem Buddha des Mitgefühls.

Es war ein Zeichen der Liebe Lama Zopas zu seinen Schülern, daß er diese Situation, die ihm Gelegenheit für seine persönlichen Erinnerungen und Zeit zum Trauern gegeben hätte, zu einer öffentlichen Angelegenheit machte: Er erlaubte uns, in den kleinen Raum zu kommen, in dem der Körper seiner Mutter in dem Schlafsack lag, in dem sie gestorben war – bedeckt von Massen weißer Schals, die Besucher zu ihren Ehren zurückgelassen hatten. Ich hatte mich ein wenig vor dem Anblick eines toten Körpers gefürchtet – fand aber zu meiner Überraschung den ganzen Raum angefüllt mit etwas Süßem, Köstlichem und mit einer fast greifbaren Aura eines sehr lebendigen und zugleich friedlichen Vorgangs. Drei Tage lang blieb das so, dann veränderte sich plötzlich ihr Gesichtsausdruck und die Atmosphäre im Zimmer. Nun, so gab Lama Zopa bekannt, habe Amala ihre Meditation beendet und sei ‚erfolgreich' durch den Tod gegangen. Seine Wortwahl erschien mir äußerst seltsam. In einem einzigen Satz hatte Lama Zopa kurz und bündig die Auffassung des tibetischen Buddhismus wiedergegeben, nach der der Sterbeprozeß vor allem eine persönliche Herausforderung darstellt, die man meistern kann, wenn man über die entsprechenden geistigen Kräfte verfügt.

Am nächsten Tag wurden wir alle zu Amalas Bestattung an den Ufertreppen des heiligen Flusses Ganges eingeladen. Es war eine Gelegenheit zur Meditation über die Bedeutung des Todes und der Vergänglichkeit, wie man sie sonst selten erhält. Der Körper, den man aufrecht hingesetzt und mit duftendem, blumengeschmücktem Holz bedeckt hatte, brannte zwei Stunden lang. Eine Freundin fragte einen Mönch, der neben ihr saß, ob sie fotografieren dürfe. „Ja, und benutzen Sie das Foto in Ihrer

Meditation, wann immer Sie sich niedergeschlagen fühlen. Es wird alles relativieren", antwortete er.

Schweigend dankte ich Amala dafür, daß sie uns Lama Zopa Rinpoche geschenkt hatte, diesen kleinen, heiligen Mann, der so schwer gearbeitet und uns Menschen aus dem Westen so viel gegeben hatte. Als ich dem Rauch zusah, wie er über dem heiligen Fluß davonschwebte, und die Reihe von Leichen betrachtete, die an den Ufern auf ihre Verbrennung warteten, dachte ich, wie kurz und flüchtig dieses Leben doch war.

Der Geist jedoch hat kein Ende. Er geht weiter – in einem stetig dahinfließenden, sich ständig verändernden Strom, wie der große Ganges selbst. Um uns diese grundlegendste aller buddhistischen Lehren noch tiefer einzuprägen, falls wir sie dieses Mal noch nicht begriffen haben sollten, würde man uns einige Jahre später einen Jungen mit einem außergewöhnlich intelligenten Gesicht vorstellen. Er saß in Mönchsroben gekleidet zu Füßen Lama Zopas. Er war, so sagte man uns, Amalas Reinkarnation.

Am 15. Juli 1991 trat Lama Ösel Rinpoche, die Reinkarnation von Lama Thubten Yeshe, offiziell ins Kloster Sera ein. Er war sechs Jahre alt. Als seine kleine Autokolonne ihr Ziel fast erreicht hatte, war zunächst in der Ferne eine rote Linie zu erkennen. Als die Autos näherkamen, sahen ihre Insassen, daß sich die ganze Mönchsgemeinschaft an der Straße entlang aufgestellt hatte, um so ihren neuesten Würdenträger willkommen zu heißen. Diese Ehre wurde nur den höchsten Lamas zuteil, aber – so war man übereingekommen – Lama Yeshe hatte sich aufgrund seiner enormen Leistung qualifiziert, durch die er das heilige Buddhadharma überall in der Welt verbreitet hatte, und aufgrund des Prestiges, das er seinem Kloster brachte. Für die Mönche kam der kleine westliche Junge, der seine Hände zusammengelegt hatte und sich zum Gruß verbeugte, einfach nur ‚nach Hause'.

Sera war ein ehrfurchtgebietender Ort und entsprach nicht im geringsten dem archetypischen Bild eines geheimnisvollen, an eine Bergspitze gelehnten Gebäudes. Es war so groß wie eine Stadt, mit Straßen, Häusern, Schlafsälen, Tempeln, Küchen, Läden und Hunden: ein geschäftiger, pulsierender Ort, durchdrungen von der lebensprühenden, rein männlichen Energie einer großen Anzahl tibetischer Mönche. Bei Lama Ösels

Ankunft waren es mehr als zweitausend, sie wurden aber jedes Jahr zahlreicher, da immer mehr Menschen aus Tibet flohen – auf der Suche nach der spirituellen Ausbildung, die ihnen in ihrem Heimatland verwehrt wurde. Lama Ösel war ins größte Kloster der Welt eingetreten.

Sera war eine der drei bedeutenden Klosteruniversitäten, die die tibetischen Flüchtlinge unter größten Schwierigkeiten im Exil wiederaufgebaut hatten. Das war ungemein wichtig. Die Klosteruniversitäten waren nicht nur der Schoß, dem die bedeutendsten spirituellen Meister der Philosophie und Meditation Tibets entsprangen, sie bildeten auch gleichzeitig das Fundament der tibetischen Kultur.

Damals in Tibet war der kleine Thubten Yeshe mit nur sieben Jahren in das ursprüngliche Kloster Sera am Stadtrand von Lhasa eingetreten. Dort hatte er seinen harten und strengen Ausbildungsweg begonnen, der ihm schließlich die Erfüllung seines weltweiten Auftrags erlauben sollte. Es war ein riesiger Platz, dessen Grundstein 1419 von Jamchen Choje Sakya Yeshe, einem Schüler des berühmten Lama Tsong Khapa, des großen Reformators des tibetischen Buddhismus und Gründers der Tradition der Gelbmützen, gelegt worden war. Ironischerweise, wenn man die Zerstörungen betrachtet, die die Chinesen Jahrhunderte später anrichten sollten, war Jamchen Choje Sakya Yeshe zweimal nach China geschickt worden, um den Kaiser dort in der buddhistischen Lehre zu unterweisen. Als dann 1959 die Chinesen einfielen, war Sera die Heimat einer riesigen Bevölkerung von zehntausend Mönchen. Obgleich einem Viertel dieser Klosterbewohner – und Lama Yeshe war einer von ihnen – die Flucht nach Nordindien gelang, starben viele aufgrund der ungewohnten Hitze und Nahrung in den Flüchtlingslagern.

Jenen, die übrig blieben, gab man schließlich ein dicht bewaldetes Gebiet im Staat Karnataka in Südindien, etwa zwei Autostunden westlich von Mysore. Dort machten sie sich an die Rodung des Gebiets und den Wiederaufbau jenes Zentrums der Gelehrsamkeit, das ihr spirituelles Erbe erhalten und die Kraft ihrer spirituellen Überlieferungen aufrechterhalten sollte.

Nun, nach Lama Ösels Ankunft, gab es drei Tage lang Zeremonien und Feierlichkeiten, mit denen das Kloster ihn willkommen hieß und ihm offiziell einen Platz an diesem hehren Ort der Gelehrsamkeit anbot. Als Gegengeschenk brachte ihnen Lama Ösel die traditionellen Gaben dar:

Puja-Zeremonien, Nahrung, Geld und Tee sowie einen Brunnen und einen größeren Beitrag zum Sera-Gesundheitsprojekt. All das war nicht billig. Der Beginn des neuen Ausbildungswegs von Lama Ösel kostete schätzungsweise 50.000 US$.

Lama Ösel wirkte glücklich in seinem neuen Haus, das speziell für ihn an einem ruhigen Ort am Rande des Klosters gebaut worden war. Es hatte einen Garten und einen Hund namens Om Mani. Am Morgen nach seiner Ankunft kam der Abt zu Lamas neuem Haus, um ihn persönlich zu begrüßen. Lama bemerkte, seiner Ansicht nach sei alles bestens verlaufen. „Bevor ich hier ankam, träumte ich, sehr viel Licht steige auf und ich sei darunter; dann floß das Licht herunter, und ich war darüber", sagte er. Dieser Traum war ein gutes Omen.

Viele westliche Schüler waren nach Sera gekommen, um bei diesem Wendepunkt im Leben Lama Ösels dabeizusein. Auch seine Eltern Paco und Maria waren da. An einem bestimmten Zeitpunkt während der feierlichen Amtseinsetzung standen Maria und Paco auf und gingen zusammen aus dem Tempel – eine symbolische Geste, durch die sie ihre Bereitschaft bekundeten, ihr Kind dem religiösen Leben zu überlassen. Obwohl Ösel nun eigentlich schon seit vier Jahren ein recht glückliches, unabhängiges Leben geführt hatte, schaute er ihnen ein wenig wehmütig nach, als sie ihm den Rücken zukehrten und davongingen.

Nun würde das ernsthafte Arbeiten tatsächlich beginnen. Das bedeutete stundenlanges Studieren und harte Disziplin. Lama Ösel wurde in ein System geworfen, das einzig in seiner Art war – prächtig, wunderbar und konkurrenzlos. Nur Sera hatte die Mittel, Lama Ösel die Grundlagen für die Aufgabe zu geben, die ihm vorbestimmt war. Denn nur das tibetische Lehrsystem hatte die ‚Technologie', durch die man den Geist in all seinen Ausprägungen und subtilen Feinheiten verstehen lernen konnte. Man erwartete von Ösel, er solle ein Träger der Überlieferungslinie der Lehren und Initiationen werden, und das war nur dann möglich, wenn er die Ausbildung in einem tibetischen Kloster und insbesondere die eines Tulkus durchlaufen hatte. Noch entscheidender war, daß man der Überzeugung war, nur eine Erziehung in Sera könne Lama Ösel mit der Glaubwürdigkeit ausstatten, die er für seine Zukunft als spiritueller Lehrer so nötig brauchte. Ganz gleich, welche Begabung als spiritueller Meister ihm in die Wiege gelegt war, ohne die gründliche Ausbildung und die Qualifikationen, die er sich in Sera erwerben konnte, würde sein Wirken untergraben werden.

Aus all diesen Gründen bangten ich und viele andere ein wenig, als diese neue Phase in Ösels Leben begann. Er war trotz allem ein Kind des Westens mit einem westlich geprägten Geist, und Sera war eben durch und durch tibetisch. Außerdem gehörte es in den Rahmen einer sechshundert Jahre alten Tradition, die sich in all dieser Zeit kaum verändert hatte. Viele unter uns fragten sich, wie es Lama Ösel mit seiner Vorliebe für Computer und die Musik von Michael Jackson mit den Regeln und dem strengen Protokoll dieser äußerst tibetischen Erfahrung ergehen würde.

Maria sprach die Bedenken aus, die einige unter uns hatten: „Lama ist von seinem Naturell her unabhängig, kreativ und spontan. Er lernt durch Begründungen. Wenn man ihm etwas erklärt, versteht er es sehr schnell. Im traditionellen tibetischen System paukt man dagegen erst einmal den Lernstoff. Man lernt alle Gebete, alle Schriften auswendig – erst wenn das geschafft ist, wird über die Bedeutung debattiert. Das hat mit dem westlichen Erziehungsansatz nichts gemein, und ich halte es für recht altertümlich."

Ösels Tag war nun streng in verschiedene Perioden des Lernens aufgeteilt: Aufstehen um 7 Uhr; Gebete bis zum Frühstück um 8 Uhr; zwei Stunden Tibetischunterricht ab 9 Uhr; dann eine Stunde Spanischunterricht; Mittagessen um 12 Uhr; von 13 bis 15 Uhr Englisch in Wort und Schrift und Mathematik; um 17.30 Uhr Unterweisungen mit seinem Tibetisch-Lehrer; dann Abendessen; Schlafengehen um 21 Uhr.

Es war tatsächlich ein strenges System, bei dem in den ersten Jahren sehr viel Wert auf das Auswendiglernen und das Einüben der klösterlichen Disziplin gelegt wurde. Schließlich würde er dadurch den Titel eines Geshe (einem Doktor der Theologie vergleichbar) erwerben, wozu man in Tibet etwa dreißig Jahre brauchte. Hier in Sera wurde dieser Prozeß beschleunigt, Ösel würde aber dennoch jahrelanges hartes Lernen und Debattieren hinter sich bringen müssen. Ich fragte mich, ob er es wohl durchstehen würde.

Ich erinnerte mich an Lama Yeshe, und daran, wie er mit den traditionellen Lehrmethoden gebrochen hatte, um uns Menschen aus dem Westen erreichen zu können. Er hatte mir einmal erzählt, ihm sei das gleichgültig: *Jede* Methode sei ihm recht, wenn er damit seinen Zuhörern das Buddhadharma verständlich machen könne. Genau deswegen fühlten wir uns alle zu ihm hingezogen – weil er den Weg des Buddha mit seinem ganzen Körper darstellen konnte – durch Gestik und Grimassen, durch seinen wunderbaren Humor und durch seine spontane gütige und liebevolle Art zu handeln. Er war ganz und gar kein herkömmlicher Lama, zumindest nicht nach außen hin. Er wußte, daß die Menschen des Westens kein Interesse an der strengen tibetischen Darstellung des Dharma hatten und hatte so seine eigene, höchst individuelle Art gefunden, es zu lehren. Ein Teil von mir sträubte sich gegen die Vorstellung, daß Lama Ösel nun zu dem System zurückkehrte, von dem sich Lama Yeshe – zumindest was die Äußerlichkeiten betraf – abgewendet hatte.

Und doch hatte Lama Zopa eindeutig entschieden, Sera sei der beste Ort für Lama Ösel. Und wie könnten wir uns erlauben, diesem großen Mann zu widersprechen, der Lama Ösel wichtiger nahm als sein eigenes Leben? Mit größter Sorgfalt hatte er Lama Ösels *gen-la* ausgewählt, jenen tibetischen Geshe, der dem Jungen Tibetisch, das Auswendiglernen der Schriften und den *lam rim* (den schrittweisen Weg zum Erwachen) beibringen sollte. Er war ein sanfter, gütiger Mann und einer der besten Lehrer in Sera. Lama Zopa zufolge war es entscheidend für Lama Ösel, unter welchen Lebensbedingungen er aufwuchs. Und Sera hatte zwar möglicherweise einige Nachteile, aber auch unvergleichlich viel Gutes anzubieten. Wir konnten nur warten, was die Zukunft bringen würde.

Lama Ösels westliche Wurzeln wurden natürlich nicht ganz außer acht gelassen. Um eine Brücke zwischen den beiden Lebensweisen bauen zu helfen, hatte Lama Zopa in seiner unendlichen Fürsorglichkeit veranlaßt, daß eine westliche Lehrperson nach Sera kam. Sie sollte Lama Ösel, parallel zu seiner traditionellen tibetisch-buddhistischen Ausbildung, auch mit den Grundlagen der westlichen Ausbildungswege vertraut machen. Eine Anzeige, die in den führenden Zeitungen in London, New York und Australien aufgegeben wurde, zeigte die Bedeutsamkeit und die außergewöhnliche Natur dieser Aufgabe:

PRIVATLEHRER GESUCHT – der der sechsjährigen Inkarnation des tibetischen Lama Thubten Yeshe die vollständige Grundschulerziehung nach höchsten internationalen Standards zuteil werden läßt. Der Unterricht verläuft parallel zu einer traditionell tibetischen Ausbildung im Kloster unter der Obhut anderer. Der Unterricht soll dem jungen Lama helfen, westlichen und östlichen Lernstoff zu verbinden, und ihn auf sein Leben als Lehrer vorbereiten.

Erste Lehrsprache Englisch, zweite Spanisch. Ort: acht Monate im Jahr Südindien, ein Monat Europa. Diese ungewöhnliche und anspruchsvolle Aufgabe verlangt eine Person von höchster Integrität mit fünf bis zehn Jahren Lehrerfahrung und tadellosen Referenzen.

Die Person, die aus Hunderten von Bewerbern für diese Arbeit ausgewählt wurde, war Norma Quesada-Wolf, eine Frau Anfang Dreißig, die an der Universität in Yale ein Studium des Klassizismus abgeschlossen hatte. Ihr Geburtsort lag in Venezuela, ihre Mutter war Amerikanerin, ihr Vater Spanier. Sie hatte zehn Jahre lang Zen-Meditation geübt und schien maßgeschneidert für diese Aufgabe. Zusammen mit ihrem Ehemann John zog sie nach Sera, bewaffnet mit einem Studienprogramm der *Calvert School* in Amerika, das nicht nur den Lehrplan für Lama Ösel enthielt, sondern auch Methoden zur individuellen Überprüfung seiner Fortschritte.

Peter Kedge, ein Vorstandsmitglied des FPMT (Deutsch: Gesellschaft zur Erhaltung der Mahayana-Tradition) und langjähriger Schüler Lama Yeshes, hatte die Suche nach dem richtigen Lehrer übernommen. Er erklärte, welche Hoffnungen für ihn mit Lama Ösels Erziehung verbunden waren: „Wir legen sehr viel Wert darauf, Lama Ösel eine gute grundlegende Erziehung nach modernen westlichen Prinzipien angedeihen zu lassen, so daß er in der Zukunft Molekularphysik in der gleichen ‚Sprache' erklären wird wie die Leerheit – mit dem Ziel, die Begrenzungen des östlichen und westlichen Geistes zu überschreiten und die Ähnlichkeiten aufzudecken." Das war natürlich ein großartiger Plan, und doch konnte man sich nicht enthalten, eine gewisse Besorgnis über die Unmenge der Erwartungen und Wünsche zu verspüren, die hier auf den schmalen Schultern eines Sechsjährigen ruhte.

Die Beobachtungen von Norma Quesada-Wolf, für die das außergewöhnliche Phänomen westlicher reinkarnierter Lamas neu war, waren besonders interessant. Ihr erster Eindruck war der eines Kindes, das Verstecken spielte, dann ihr und ihrem Ehemann die Buddhastatuen in seinem Zimmer, die Wasserfarben und von ihm gezeichneten Bilder zeigte und wo eine bestimmte Eidechse lebte. Daraufhin erkundigte er sich, ob sie von ihrer Reise müde seien und fragte jemanden mit natürlicher Würde, ob man ihnen schon Tee angeboten habe.

„Ich glaube, ich erwartete eine sehr ernsthafte und weise kleine Gestalt, jemand wie Teddy in J. D. Salingers gleichnamiger Erzählung. Lama hat zwar auf jeden Fall auch diese Seite, aber ich hatte nicht damit gerechnet, daß er so fröhlich und charmant sein würde", sagte sie.

Mit ihrer beruflichen Neugier bemerkte sie, was viele Amateur-Beobachter bei vielen Gelegenheiten ebenfalls beobachtet hatten – Lama Ösels ungewöhnliche Konzentrationskraft und seine Fähigkeit, sich ganz und gar in das zu versenken, was er gerade tat.

„Er hat etwas Besonderes. Seine Fähigkeiten beim Konzentrieren, beim Erinnern und beim Erfinden und Vorstellen scheinen mir weit über die Fähigkeiten eines durchschnittlichen Kindes hinauszugehen. Wenn etwas sein Interesse weckt, ob es das Spiel mit Legosteinen oder eine Unterrichtsstunde ist, versinkt er völlig darin und bleibt lange Zeit bei einer Sache: ununterbrochen grübelt er über sie nach, stellt sie sich vor, spielt mit ihr und betrachtet sie aus verschiedenen Perspektiven."

Ihre Worte versetzten mich sofort in eine andere Zeit zurück. Ich erinnerte mich, wie Lama Yeshe darüber gesprochen hatte, wie wir die Dinge wahrnehmen. Er hatte es uns anhand einer Blume erklärt. Noch nie war eine Blume so tief erfaßt worden wie von Lama Yeshe. Er untersuchte alle ihre Teile, ging auf ihren Duft, ihre Wirkung auf unseren Geruchssinn und den eines Insekts ein, er sprach über ihren ästhetischen Wert und darüber, wie Blumen zu Objekten der Dichtkunst, Intuition, Liebe und Bewunderung geworden waren und wie unterschiedlich das in den verschiedenen Kulturen gesehen wurde. Mithilfe dieser gründlichen Betrachtung, die alle Einzelheiten erfaßte, versuchte uns Lama Yeshe die Totalität der Dinge auf verschiedenen Bedeutungsebenen bewußt zu machen.

Lama Yeshe hatte im Grunde sehr klare Vorstellungen von Kindererziehung. In seinem für ihn so charakteristischen plastischen Englisch beschrieb er seine Vorstellungen von einem System, das er ‚Universelle Erziehung‘ nannte, folgendermaßen:

Wenn man den Kindern in ihrer Erziehung eine enge Weltsicht vermittelt, erstickt man sie damit. Das führt zu Frustration und Verspannung,

die natürliche Offenheit des Kindes dem Lernen gegenüber wird ge- *Erziehung* ✓
stört. Kinder wollen nicht von Begrenzungen eingefangen werden.
Wenn man ihnen die Wirklichkeit der Dinge zeigt, die jenseits aller
Begrenzungen liegt, wird ihre Begeisterung am Lernen nie aufhören,
und sie werden zu ganzen Persönlichkeiten.

Jede Erklärung ist unvollständig, wenn sie keine vernünftige und
logisch nachvollziehbare Grundlage hat. Diese Grundlage muß sich auf
psychologische Erklärungen stützen und in ein philosophisches
Bezugssystem einzuordnen sein. Dann wird die Ganzheit in all ihren
Aspekten zu etwas so Tiefgründigem, so Tiefgründigem. In anderen
Worten: Wenn man ein Thema vollständig betrachtet, enthält es die
Essenz von Religion, Philosophie und Psychologie; alles ist verbunden
und existiert gleichzeitig. So wird die Person zu etwas Ganzem. In der
heutigen Welt hat man all die verschiedenen Aspekte aufgespalten. Aber
eigentlich kann man sie nicht voneinander trennen.

Wir können nicht alles aufspalten, indem wir zum Beispiel sagen: Sie
sind die spirituelle Person, Sie sind die Philosophin und Sie sind der
Psychologe. Die ganze Wirklichkeit steckt in jedem, potentiell und de
facto. In der Erziehung sollte man alles verbinden und nicht trennen,
man darf nicht einseitig sein.

Das Schlechte in der Welt kommt meiner Ansicht nach davon, daß
man die Religion vom Leben, von der Wissenschaft trennt und die
Wissenschaft von der Religion. Man muß sie verbinden…

Dieses System fand nun seine Entsprechung in Lama Ösels eigener
Lernmethode.

Ösel war natürlich begeistert von allem Naturwissenschaftlichen, wenn
es etwas mit dem Weltall zu tun hatte, und besaß zahlreiche Bücher über
den Weltraum und die Raumfahrt, die er genauestens mit Norma be-
sprach. Ihr fiel jedoch auf, daß er seine Comic-Geschichten über Super-
man und Batman oft in einen Dharma-Zusammenhang stellte, indem er
sich an buddhistischen Vorstellungen orientierte, wenn es darum ging,
wer die ‚Guten‘ und wer die ‚Bösen‘ waren.

Er zeigte auch eine gewisse mathematische Begabung und war fasziniert
von großen Zahlen, weiten Entfernungen, gigantischen Größen und
schweren Gewichten – im Grunde von allem, was groß war. In den letz-

ten Jahren hatte er auch angefangen, sich für Illusion und Magie zu begeistern und täuschte in seinen Spielen oft vor, etwas zum Erscheinen und Verschwinden zu bringen. Auch das Reich der Insekten, wie ich es aus dem Londoner Naturkundemuseum kannte, und die Entwicklungsgeschichte der Arten fesselten ihn sehr. Ösel hatte ein weites Bewußtsein – genau wie Lama Yeshe.

Norma fielen auch noch andere Charakterzüge auf – Lamas ebenso berühmte Eigenwilligkeit und die Tatsache, daß er nicht immer ein ‚Vorführkind‘ war. „Es ist beeindruckend, wie er, wenn ihn etwas nicht interessiert, pausenlos eine Sache nach der anderen erfinden kann, um sich selbst und die anderen abzulenken. Er besitzt einen starken Willen und Mut, und er ist ein unabhängiger Denker.“

Das war beruhigend. Norma bestätigte, was viele von uns beobachtet hatten: daß Lama keinesfalls gefügig war. Er war einfach er selbst. Das war erfreulich, denn eine meiner größten Sorgen war, daß man Lama seine gegenwärtige Rolle ‚einimpfen‘ und ihn so der Echtheit seiner Identität berauben könnte. Wie viel befriedigender war es, einen Lama zu haben, der voller Leben und Ausgelassenheit war und der für sich selbst denken konnte.

Als sie das Kind beobachtete, das nun in ihrer Obhut war, entdeckte Norma weitere Anzeichen dafür, daß er nicht ‚gewöhnlich‘ war. Einmal fragte sie ihn während des Englischunterrichts nach dem jeweiligen Gegenteil eines Wortes. Sie sagte zum Beispiel ‚hinauf‘, und er antwortete ‚hinunter‘. Als sie ihn nach dem Gegenteil von ‚schlafend‘ befragte, sagte er jedoch ‚Buddha‘! Es war eine kluge und feinsinnige Antwort und dazu bemerkenswert für ein Kind seines Alters. Nicht viele Erwachsene wissen, daß ‚Buddha‘ als das ‚völlig erwachte Wesen‘ definiert ist. Später würde sie Lama Ösel ein ‚außerordentlich begabtes Kind‘ nennen.

Lama Ösel schnitt in der Tat in allen Ausbildungsfächern gut ab. Sein *gen-la*, Geshe Gendun Chöpel, sagte, sein Zögling sei außergewöhnlich intelligent. Er bemerkte zwar auch die Vorliebe des Jungen für das Spielen, ging aber davon aus, daß sich das von selbst legen werde, wenn er älter sei und die Wichtigkeit seiner Studien verstehen könne. Er sagte auch, er habe Lama Ösel anfangs für ein gewöhnliches Kind im Rang eines Tulku gehalten, nun, da er ihn kenne, betrachte er ihn aber als etwas Besonderes und halte sein Gedächtnis für außergewöhnlich.

Trotz seiner ausgezeichneten Schulerfolge beschwerte sich Lama Ösel – wie wohl viele andere kleine Jungen auch – oft darüber, daß er lernen mußte und erzählte Besuchern, er sei ‚zu beschäftigt‘. Einmal hörte ihn jemand sagen: „Wissen Sie nicht, daß ich beim Spielen lerne?“ Damit hatte er natürlich völlig recht.

In der Zeit, in der Lama Ösel von Kopan nach Sera übersiedelte, hatte er *Namgyal* neben Basili Llorca noch einen zweiten Begleiter, einen warmherzigen und lustigen australischen Mönch namens Namgyal. Dessen eher künstlerische, unkonventionelle Wesensart verband sich mit den gleichen Aspekten in Lama Ösels Persönlichkeit, und die beiden hatten bald eine enge Beziehung.

„Wir schlichen uns öfters zusammen zum Pizzaessen davon und kochten üblicherweise zusammen“, erinnerte er sich, als ich ihn einmal in Dharamsala traf, wo ich mich aufhielt, um ein Interview mit dem Dalai Lama zu machen. „Lama Ösel kocht leidenschaftlich gerne, genau wie Lama Yeshe. Ich gab ihm eine Schürze mit der Aufschrift ‚Trau‘ nie einem mageren Koch‘. Er mochte sie sehr. Wenn wir Pizzas machten, rollten wir gemeinsam den Teig aus, und er sagte Dinge wie: ‚Der Käse stimmt nicht.‘ Er ist solch ein Perfektionist! Man muß alles ganz genau machen. Er wollte immer alles sauber und gepflegt haben. Ich erinnere mich, wie er einmal die tibetischen Lamas ermahnte, ihre Suppe nicht zu schlürfen und wie sie gar nicht mehr aufhören wollten, darüber zu lachen!“

Namgyal ermutigte Ösel, eigene Wege des Ausdrucks zu finden, was auch Auswirkungen auf dessen spirituelle Übung hatte. „Jeden Tag füllten wir die Schalen mit Wasser, welches symbolisch für die verschiedenen Gaben an die Buddhas steht: für Blumen, Licht, Musik, Räucherstäbchen und so weiter. Lama Ösel mochte das sehr. Er erfand verschiedene Arten, diese Gaben darzubringen. Er stellte die kleinen Kristallschalen so auf, daß sie verschiedene Muster bildeten und färbte das Wasser. Das dauerte viel länger, aber es zeigte mir, wie man durch ein wenig Kreativität ein ansonsten recht mechanisch ablaufendes tägliches Ritual verwandeln konnte.“

Das glich wirklich Lama Yeshe, der die herkömmlichen klösterlichen Regeln übertreten hatte, indem er seine eigenen Altäre erschuf – mit den verschiedensten, die Phantasie anregenden Objekten wie zum Beispiel

Muscheln und Tontieren, die Dinge repräsentierten, die ihm kostbar waren. Einmal stellte er ein Spielzeug-Flugzeug auf seinen Altar, denn Flugzeuge waren das geheiligte Mittel, mit dem er die fühlenden Wesen rund um den Globus erreichen konnte. Und nachdem er, einmal aus Tibet entkommen, solche luxuriösen Duftnoten wie das Parfüm ‚Joy‘ von Patou entdeckt hatte, rangierte er schnell die althergebrachten Räucherstäbchen aus und benutzte von nun an den teuersten Duft, den man für Geld kaufen konnte. Nur das Beste war für den Buddha gut genug.

Lama Ösel trat in seine Fußstapfen. Seine Gebete und Meditationen gingen unter Namgyals Anleitung auch in eine individualistischere und kreativere Richtung. Eines Tages, nachdem er allen Buddhas das Mandala dargebracht hatte, wandte sich Lama Ösel an ihn und sagte: „Weißt du, was ich visualisiert habe?"

„Nein", antwortete Namgyal.

„Ich habe Buddha im Himmel visualisiert, und dann habe ich ihm Berge von Süßigkeiten und Eis und schöne, bunte Blumen geschickt, die sich alle in ihm auflösten."

Das war die perfekte Gabe eines kleinen Jungen.

„Ich fragte ihn einmal, ob er seine Familie vermisse", erzählte mir Namgyal. „Er antwortete recht ernst: ‚Lamas haben keine Familien.‘ "

Neben all dem Spaß, den sie zusammen hatten, ließ Ösel bei seinem australischen Freund auch einige seiner besonderen Eigenschaften erkennen. „Er hat hellsichtige Fähigkeiten. Eines Nachts wachte er auf und sagte, Geister versuchten, seinen Altar umzuwerfen. Ich hatte den Eindruck, er könne Geister recht gut spüren, also glaubte ich ihm. Am nächsten Tag machte er eine Puja für sie, weil sie, wie er sagte, sehr litten. Er erzählte mir auch, in meinem vergangenen Leben sei ich ein Lama aus Kham, einer tibetischen Provinz, gewesen. Ich fand das sehr interessant, denn es war eine Bestätigung dessen, was mir ein tibetisches Orakel kurze Zeit zuvor gesagt hatte", berichtete Namgyal.

Andere Mönche bestätigten, daß Lama Ösel manchmal nicht nur in ihre Vergangenheit, sondern auch in ihre Zukunft blickte. Einer erzählte, Lama Ösel habe ihm direkt in die Augen gesehen und gesagt: ‚Du wirst wieder ein Lama werden, und ich werde dich in meinen Armen halten.‘ Bei anderen Gelegenheiten jagte er ihnen einen großen Schrecken ein, indem er erklärte, sie seien auf dem Weg in die Hölle – ob diese Prophezeiungen wahr waren oder nicht, konnte niemand beurteilen.

Im Laufe der Zeit beobachtete Namgyal noch andere ungewöhnliche Verhaltensweisen, die ihm den Eindruck vermittelten, Ösel sei anders als andere. „Als wir einmal in Kathmandu waren, sah Lama Ösel, wie sich eine Frau eine Zigarette ansteckte. Er wandte sich zu mir um und fragte: ‚Soll ich ihr sagen, daß sie sich umbringt?‘ Ich hielt ihn davon ab. Später erzählte ich Lama Zopa von dem Vorfall und er sagte, ich hätte ihn lassen sollen, denn später, wenn Lama Ösel erwachsen und berühmt ist, würde sie sich vielleicht erinnern, was er ihr gesagt hatte, und sich ändern.“

Ein anderes Mal begleitete er Lama Ösel nach Bodhgaya, den Ort, an dem der Buddha erwachte. Dort trafen sie Kunnu Lama Rinpoche, einen berühmten spirituellen Meister, der allgemein sehr hoch geachtet wird. Man hatte selbst den Dalai Lama schon Niederwerfungen vor ihm machen sehen. Namgyal erzählte mir, was geschah: „Als sie sich trafen, war Lama völlig überwältigt vor Hingabe an Kunnu Lama und wollte ihm alle seine Spielsachen, seine Armbanduhr, seine Taschenlampe, eigentlich alles, was er gerade zu fassen bekam, geben! Nach ihrer Begegnung sagte Lama Ösel, Kunnu Lama Rinpoche sei ein Buddha und er werde das Foto, das Kunnu Lama ihm gegeben hatte, nie verlieren.“

Als seine Zeit als zweiter Begleiter zu Ende gegangen war, vermißte Namgyal die Gesellschaft seines ungewöhnlichen Zöglings sehr. Die Nähe und Vertrautheit, die Lama Ösel hervorrufen konnte, hatte etwas sehr Starkes und Kostbares an sich. „Eine Zeit lang war ich zu Lama Ösels bestem Freund geworden. Er erzählte mir alles. Jeden Abend gestand er mir alle Dinge, die er falsch gemacht hatte, und alle Geheimnisse, zum Beispiel, daß er gerne Mädchen ohne Kleider sehen würde. Ich sah diese Dinge als etwas völlig Normales an. Er war so liebevoll, von solch unmittelbarer Zärtlichkeit. Er ist so gerne in der Nähe anderer Menschen. Er lehnte sich im Beisein von anderen über den Tisch und sagte: ‚Namgyal, ich liebe dich.‘ Ich werde Lamas Liebe niemals vergessen – niemals“, sagte er.

Das Leben in Sera veränderte sich und damit auch Lama Ösel. Nachdem Namgyal weggegangen war, ging auch Basili – auf ‚Anraten‘ Lama Zopas. Niemand wußte genau, warum. Vielleicht, so sagte ich mir, um zu verhindern, daß eine Person sich zu sehr an Lama Ösel verhaftet. Vielleicht war es auch, weil die Aufgabe eines Mönches letztlich in einem

Leben des Betens und Meditierens besteht und nicht darin, auf ein Kind aufzupassen. Daraufhin gab es eine Reihe westlicher Mönche, denen nacheinander die Aufgabe übertragen wurde, sich um die täglichen Bedürfnisse des kleinen spanischen Tulkus zu kümmern.

Lama Ösel wurde allmählich erwachsener und begann mehr und mehr, seine eigene Persönlichkeit zu entwickeln. Irgendwie schien es nun, als fiele der Charakter Lama Yeshes wie ein Umhang ab und ziehe sich in die Vergangenheit zurück, auf daß das neue Wesen, Lama Ösel, zum Vorschein komme. Wir alle mußten uns eingestehen, daß Lama Ösel eine andere Person war als Lama Yeshe, obwohl die beiden von ihrer Essenz her miteinander verbunden waren. Er sah mit seinem feinen Gesicht, seinem schlanken Körper und seinen langen, dünnen Fingern jetzt nicht nur ganz anders aus als sein ‚Vorgänger‘, auch die äußerst liebenswerte und gewinnende, charmante Art, die er bisher an den Tag gelegt hatte, fiel von ihm ab. Er wurde zu einer kraftvollen Persönlichkeit, an der man nicht vorbeigehen konnte.

In meinen Augen war es nicht einfach, solch eine starke und charismatische Persönlichkeit wie Lama Yeshe sowie den schweren Überwurf der Erwartungen, die so viele frühere Schüler auf ihn projizierten, abzustreifen. Ungefähr zu dieser Zeit hatte ich einen Traum, der möglicherweise zeigte, wie Lama Ösel sich fühlte. Im Traum trug er Roben und ging einen Pfad entlang; er ließ den Kopf hängen und wirkte irgendwie verwirrt. Er sah auf und sagte: „Als ich jünger war, wußte ich, daß ich Buddha bin, aber jetzt bin ich nicht so sicher."

Folgende Zeilen aus William Wordsworths berühmtem Gedicht *Ankündigung der Unsterblichkeit,* das ich in der Schule gelernt hatte, kam mir in den Sinn:

Auf Wolken der Glorie
Kommen wir von Gott, der unsre Heimat ist.
Der Himmel ist mit uns, solange wir Kinder sind!
Schatten von Gefängnismauern beginnen sich um den
heranwachsenden Jungen zu legen…

Die Gefühlsregungen waren nicht ganz buddhistisch, die Botschaft war jedoch bemerkenswert ähnlich.

Ösel forderte nun fast jeden heraus, mit dem er in Kontakt kam – durch ein Wort, einen Blick, einen Vorwurf, dadurch daß er die Zusammenarbeit verweigerte. Er war ganz und gar nicht mehr der nette Junge und warf die Leute auf sich selbst zurück. Niemand fand das besonders angenehm. Dennoch mußte jeder eingestehen, daß er immer intelligenter wurde, seine Wahrnehmungen akkurat, wenn auch unbequem waren und seine große innere Stärke nicht geleugnet werden konnte. Die Geschichten der Leute, die ihm damals begegneten, sprechen eine deutliche Sprache.

„Seit ungefähr einem Jahr ist er unglaublich garstig zu mir", berichtete Robina Courtin, eine beliebte und geachtete Nonne, die maßgeblich am Aufbau des FPMT-Verlages *Wisdom* beteiligt gewesen war und Lama Yeshe zehn Jahre gekannt hatte. „Jedesmal wenn ich Lama Ösel in letzter Zeit sehe, sagt er irgendetwas Scheußliches zu mir. Aber er trifft immer den Nagel auf den Kopf. Ich möchte nicht romantisch werden, aber für mich ist es so, als sei er Lama Yeshe und gebe mir Unterweisungen. Es fing an, als er ungefähr vier Jahre alt war und wir zum Essen ausgegangen waren. Vor allen Leuten sagte er: ‚Du sprichst zu schnell, du ißt zu schnell, du gehst zu schnell, alles was du tust, tust du zu schnell.' Er sagte das in aller Deutlichkeit. Er wußte genau, was er sagte. In den letzten achtzehn Monaten habe ich von Lama Ösel mehr über meine ständig gehetzte Berserkernatur und die Verletzungen, die ich damit bei anderen verursache, gelernt als in meinem ganzen bisherigen Leben.

Ich habe es immer schon gewußt, aber bis jetzt habe ich dem nicht gerade viel Aufmerksamkeit geschenkt. Nun bin ich schon aufgeregt, wenn ich nur sein Zimmer betrete, weil ich weiß, daß er mich immer ertappt – genau wie Lama Yeshe. Er sagt: ‚Warum bist du aufgeregt?' Es hört sich so albern an, aber ich weiß, daß ich auf das höre, was er mir sagt, anders als bei einem normalen Kind. Er nennt mich ‚Ani Aufgeregt'. Ich kann nur sagen, daß ich mich nicht darüber ärgere, wie ich es bei einem anderen Kind tun würde. Er hat mir mehr als jede andere Person dazu verholfen, mich selbst deutlicher wahrzunehmen. Das kann zeitweise sehr schmerzhaft sein", gab sie zu.

Als Robina mir das erzählte, hörte ich deutlich Lama Yeshes Stimme sagen: „Der Buddhismus sollte euch aufrütteln. Er muß nicht angenehm sein. Er soll euch aus eurer täuschenden Sicht der Dinge *aufrütteln!* Dann funktioniert er." Heiligkeit war offensichtlich auch nicht immer sanft und tröstlich. Niemand, der Lama Yeshe einmal gesehen hatte, wie er Träger, die ihn bestehlen wollten, an der Gurgel packte, wie er einem seiner Schüler einen vernichtenden Verweis erteilte oder einem Mönch in Kopan, der sich schlecht benommen hatte, mit dem Stock drohte, konnte diesen erschreckenden Anblick je vergessen. Lama Yeshe mag zwar außerordentlich liebevoll, mitfühlend, humorvoll und gütig gewesen sein, aber er konnte auch seine Zähne fletschen und sein spirituelles Schwert schwingen, wenn er dies in einer bestimmten Situation für erforderlich hielt. Robina erinnerte sich, daß auch Lama Yeshe manchmal äußerst streng mit ihr umgegangen war. „Wenn ich Lama Ösel beobachte, ist mir klar, daß sich sein Verhalten ganz konkret auf die Person bezieht. Ich sehe, wie sanft, freundlich und gütig er mit anderen Leuten umgeht. Es ist ganz und gar persönlich gemeint."

Einmal kam ein indisches Mädchen nach Sera, um mit Lama Ösel zu Mittag zu essen. Sie war eine hübsche junge Frau mit einem langen Zopf und schönen Haaren und trug einen teuren Sari. Lama Ösel saß einfach da, ganz wie Lama Yeshe es getan hatte, und hörte den anderen bei ihrer Unterhaltung zu. Dann fragte er die Frau nach ihrem Namen, und sie antwortete ihm, er sei ‚Meeresgöttin'. Ösel kommentierte, sie solle keinen Stolz aufgrund ihres Namens entwickeln. Die Art, in der er das sagte, stürzte alle Anwesenden, auch die Frau, in Verwirrung. Er hatte es nicht unhöflich gesagt, einfach nur sehr direkt. Das wirklich Bemerkenswerte an dieser Episode war jedoch, daß der Stolz, den er da entdeckt hatte, wirklich nur ganz im Verborgenen vorhanden war. Er trat ganz und gar nicht auffällig zu Tage – sie wirkte eher sehr bescheiden.

Ein anderes Mal war er wütend geworden, als man ihm erzählte, eine wohlhabende Nonne habe Geld für den Bau einer Stupa verliehen. „Wie bitte? *Geliehen?*" hatte er sie angeschrien. „Warum hast du es nicht gegeben? Du bist sehr ungezogen. Ich werde dir den Hintern versohlen."

Bei einer anderen Gelegenheit rügte er eine Frau wegen ihrer Unhöflichkeit. „Es war niederschmetternd, aber wahr", sagte sie. „Ich gehe die Dinge immer sehr direkt an. Wir waren in Bangalore zum Abendessen ausgegangen, und weil die Kellner alle möglichen Umstände machten, habe ich sie heruntergeputzt. Lama Ösel beobachtete das und war sehr nett zu ihnen. Später wies er mich zurecht. Das Besondere daran war, daß er nichts sagte, als es passierte, sondern wartete, bis wir allein waren. Das war wirklich ungewöhnlich." Dann fügte sie hinzu: „Ein anderes Mal war ich ungehalten mit einigen kleinen Mönchen, die ganz offensichtlich nur deswegen zum Spielen zu Lama Ösel gekommen waren, weil er westliches Spielzeug hatte. Ösel drehte sich zu mir um und sagte: „Du bist nicht besonders nett, nicht wahr?""

In diesen Feststellungen hatte keine Spur von Gehässigkeit oder Rachsucht gelegen, einzig das Bedürfnis, den Leuten ihre Fehler zu zeigen und sie auf einen konstruktiveren Pfad zu führen. Das kam auch einmal deutlich in Taiwan zum Ausdruck, als Ösel einem Mann begegnete, der hellsichtige Fähigkeiten besaß und ihm über das dritte Auge erzählte. Lama hielt inne und fragte dann: „Benutzen Sie Ihr drittes Auge einfach nur dazu, Dinge zu sehen, oder dazu, Menschen zu helfen?" Seine Bemerkung traf die Kernfrage – denn wozu sollten spirituelle Fähigkeiten gut sein, wenn nicht dafür, zum Wohle anderer fühlender Wesen zu wirken?

Auf diese eher furchteinflößende Art zeigte Lama Ösel, daß er allmählich zu einem Lehrer im wahren buddhistischen Stil wurde: Er las die Gedanken der Leute und wies sie auf ihre negativen Tendenzen hin, damit sie diese umwandeln konnten. War nicht auch der Weg des Buddha so gewesen, daß er sich zunächst mit der Wirklichkeit konfrontiert hatte, um dann etwas damit zu tun? Lama Ösel wollte die Leute nun dazu bringen, ihre Motivation sowie ihre Achtsamkeit zu überprüfen. Selbst wenn er geschlagen wurde, sah er die Person an und sagte: „Bist du wütend, bist du wütend?" In seinen Worten lag keinerlei Furcht um sich selbst, er wollte nur wissen, ob sich der Kardinalfehler der Wut in diese Handlung eingeschlichen hatte. Er stellte auch die Überzeugungen der Leute dauernd auf die Probe, besonders wenn es um Reinkarnation ging. Es sei enervierend gewesen, sagte Michael Lobsang Yeshe, ein westlicher Junge, der unter Lama Yeshes strenger Obhut in Kopan aufgewachsen war und dem man schließlich aufgetragen hatte, sich um Lama Ösel zu kümmern. „Er schaffte es, alles aus mir herauszuholen, und wenn ich so richtig wütend war, sagte er solche Dinge wie: ‚Glaubst du wirklich, daß ich Lama Yeshes Reinkarnation bin?' Ich finde es sehr verwirrend, daß er in einem Moment ein sehr intelligenter, weiser und starker Lama sein kann und dann, wenn ich gerade anfange zu denken, ‚er ist wirklich großartig', ist er schon wieder ein sehr gewitztes, freches Kind."

Aber es ging hier nicht nur darum, daß der Lehrer in ihm zum Vorschein kam – zum ersten Mal in seinem Leben begann Lama Ösel zu rebellieren. Er fing im Unterricht an zu spielen, legte sich ausgeklügelte Strategien zurecht, um sich vor der Arbeit zu drücken und – was wohl etwas ernster zu nehmen war – gab zu verstehen, daß er religiöse Rituale und Übungen nicht im mindesten interessant fand. Er hatte heftige Wutanfälle, wenn er sich zu irgendetwas gezwungen fühlte, und klagte die Leute an, die für ihn verantwortlich waren. Einige erklärten das damit, daß er einfach zu viele Regeln einhalten müsse und zu viele Erwartungen auf sich lasten spüre.

„Es ist für uns beide schwierig, wenn er der perfekte Lama sein soll", sagte Michael. „Ich muß ihn so sehen, als habe er keine Fehler und betrage sich sehr gut. Und er muß seinerseits vorspielen, er sei ein vollkommener, artiger Lama. Letztlich ist er ein Mensch wie jeder von uns; meiner Meinung nach sollten wir ihm Raum und Zeit geben. Und weil er ein Mensch ist, sollten wir auch versuchen, ihn nicht durch zu viel Bewunderung zu verderben. Wir alle tragen die Verantwortung dafür, ihn dahin zu führen, wo wir ihn gerne sehen wollen: in der Rolle eines Lehrers für die ganze Welt", sagte er.

Lama Ösels neue Ausbrüche von Eigensinnigkeit brachten uns in ein Dilemma. Wie sollten wir darauf reagieren? Sollten wir ihn dafür tadeln, sollten wir sie ignorieren oder ihm Beachtung beschenken? War es ein verwöhntes Kind, das diese harten, unfreundlichen Worte sagte? Oder war es ein weiser Guru? Tibeter haben in dieser Beziehung keine Probleme. Tulkus waren für ihr hohes Maß an Energie, ihre Unbändigkeit, ihren starken Willen und ihre Entschlossenheit, die Führungsrolle zu übernehmen, bekannt. Sie sind üblicherweise frech und wild, und brauchen zu ihrem eigenen Besten eine starke Hand. Tibeter zweifeln nicht daran, daß sie ihre spirituellen Meister einer strengen Zucht unterwerfen müssen, damit ihre außergewöhnlichen Kräfte in eine sinnvolle Richtung gelenkt werden.

Für uns Menschen des Westens war das jedoch alles neu. Dies war der erste tibetische Tulku, der als einer von uns geboren worden war, und wir mußten durch Rückschläge lernen, mit solch einer außergewöhnlichen Situation und der mit ihr einhergehenden Verantwortung umzugehen.

Im Sommer 1993 kam es zur Krise. Zum ersten Mal in seinem kurzen, unglaublich reichen Leben rebellierte Lama Ösel ganz offen. Irgendetwas stimmte ganz und gar nicht, aber wer wußte genau, was? Sicherlich hatte es einige große Umwälzungen in seinem Leben gegeben, seit er ins Kloster Sera eingetreten war. Vielleicht war Basilis Abreise zum Problem geworden. Der Abschied von dem Begleiter, der ihm viele Jahre so nahegestanden hatte, hatte ihn einer Reihe anderer Mönche überlassen, die sehr freundlich waren, aber sich bei weitem nicht so gut im Umgang mit einem feurigen, spanischen Tulku und dessen anspruchsvollem Lebensstil auskannten. Vielleicht war es auch die harte Zucht im Kloster Sera, die seinem Freigeist und seiner Leidenschaft fürs Spielen zuwiderlief. Vielleicht sorgte er sich auch um seine Mutter, die, wie er wußte, Krebs hatte. Vielleicht war es das plötzliche und traurige Auseinanderbrechen der Beziehung seiner Eltern. Oder, daß ihm mit zunehmender Reife bewußt wurde, welche gewaltige Aufgabe vor ihm lag. Vielleicht wollte er diesem Leben entfliehen, in dem er sich ganz und gar in den Dienst der anderen stellen sollte. Gleich, was die Ursache war, er sandte traurige Botschaften an Lama Zopa und seine Mutter und sagte, er wolle Sera verlassen.

Lama Zopa war voller Anteilnahme, erinnerte sich aber daran, wie auch er als kleines Kind aus seinem Kloster davonlaufen wollte und es auch mehrmals versucht hatte, und ging nicht auf die Bitte ein. Er war der aufrichtigen Überzeugung, es handele sich um eine ganz normale kindliche Reaktion auf die Anforderungen, die ein ernsthaftes Studium an ihn stellte. Es stand für ihn fest, daß Lama Ösel für seinen zukünftigen Weg unbedingt die starke Grundlage des tibetischen Buddhismus brauchte, die ihm nur in Sera vermittelt werden konnte. Er selbst und so viele Tausende andere kleine Lamas hatten die Härten des monastischen Lebens überlebt und waren später äußerst dankbar für ihre Schulung gewesen, und Lama Zopa war sicher, daß es Lama Ösel schließlich genauso ergehen werde. Und doch berührten Ösels flehentliche Bitten sein Herz. Schließlich bedeutete ihm das Glück seines Gurus alles. Er versenkte sich in tiefe Meditation, um über das plötzlich entstandene Dilemma nachzusinnen. Die Antwort blieb aber immer gleich – das Kloster Sera war genau der Platz, an dem Lama Ösel sein sollte, zumindest bis er dreizehn war. Lama Zopa gab in der Öffentlichkeit kund, dieses Jahr sei entscheidend für Lama Ösel. Jetzt war die Zeit gekommen, in der er entscheiden würde, was er tun wolle. Lama Ösels Leben gehörte endlich ihm selbst.

Als jedoch Maria die Hilfeschreie ihres Sohnes hörte, flog sie – mit der gleichen Unerschrockenheit, die auch in anderen Bereichen ihres Lebens zum Ausdruck kam – sofort nach Sera, nahm Ösel ohne weitere Umstände mit und brachte ihn eiligst nach Spanien zurück. Zu sagen, der Abt von Sera und die anderen Mönche seien verdutzt gewesen, wäre eine Untertreibung. So etwas war in der tibetischen Geschichte noch niemals vorgekommen, nur eine europäische Frau mit besonders ausgeprägtem Charakter konnte so etwas tun. Ihren berühmten Tulku zu verlieren war ein schrecklicher Schlag für sie, der sie tief verletzte. Auch unter den westlichen Schülern, die von der dramatischen Abreise hörten, sorgte die Nachricht für gehörigen Aufruhr. Was würde nun geschehen? Was würde aus den großen Plänen werden, die man für Lama Ösel und seine zukünftige Aufgabe hatte? War er wirklich die Reinkarnation von Lama Yeshe oder war am Ende alles ein furchtbarer Irrtum gewesen?

Um mir einige dieser beunruhigenden Fragen zu beantworten, unternahm ich eine weitere Reise in die andalusische Kleinstadt Bubión. Es war Mitte Juli, und die grausige Schmutzwolke über der Costa del Sol, die die einstmals so schöne Landschaft in dicken gelben Smog hüllte, paßte zu meiner Stimmung. Bei meinen beiden zurückliegenden Besuchen in Bubión war es Herbst und Winter gewesen. Einmal waren die Blätter an den Bäumen wunderschön gefärbt gewesen, und beim anderen Mal war die Straße so verschneit, daß ich das Auto auf halber Wegstrecke zurücklassen mußte. Als ich nun die Küste hinter mir ließ und die steile Bergstraße hinauffuhr, fiel mir auf, wie anders alles im Hochsommer war. Die Erde war versengt, ein starker Duft von Kiefernholz lag in der Luft, und die bleierne Siesta-Stille wurde nur von den Zikaden unterbrochen.

Bubión selbst war so reizend wie immer. Seine gekalkten Häuser glitzerten im Sonnenlicht, von winzigen Balkonen hingen Massen von roten und rosa Geranien sowie lila und scharlachrote Bougainvillea herab, und seine gepflasterten Straßen waren so eng, daß Autos beim Wendemanöver oft nur Millimeter Platz auf beiden Seiten hatten. In den sechs Jahren, in denen ich nicht mehr dagewesen war, war natürlich einiges modernisiert worden; überall waren neue Gebäude entstanden, und in den Straßen tummelten sich mehr Touristen. Aber wundersamerweise bearbeiteten die Einwohner ihre Felder immer noch mit Hacke und Sichel, die Ziegen und Schafe hatten immer noch Glöckchen um den Hals (von denen man immer noch um 5 Uhr morgens aufgeweckt wurde), und das Städtchen hallte wider vom Klang des stetig fließenden Wassers, das durch die zahlreichen, vor vielen Jahrhunderten von den Mauren erbauten Bewässerungskanäle floß.

Ich schrieb mich im größten Hotel mit seinem von Weinreben überwachsenen Restaurant, seinem Blick auf den höchsten Berg Spaniens und die steil abfallenden Täler ein und dachte, daß dieser Geburtsort wirklich keine schlechte Wahl gewesen war. Dann ging ich auf die Suche nach Maria und Ösel.

Ich fand ihn im Haus seiner Familie (das nun wegen des ständigen Familienzuwachses erweitert worden war), wo er mit seinen jüngeren Brüdern spielte. Sein Haar war immer noch sehr kurz, aber er trug kurze Hosen und ein T-Shirt – ein überraschender Anblick, nachdem man ihn jahrelang nur in Roben gesehen hatte. Er war genauso ausgelassen wie immer, als er seinen Bruder beschwatzte, sich an mich heranzuschleichen, hatte jedoch einen gequälten Gesichtsausdruck und dunkle Ringe unter den Augen. Er sah nicht besonders glücklich aus. Maria tauchte auf, und wir gingen davon, um einen Kaffee zu trinken und über das zu sprechen, was vorgefallen war.

„Für mich war klar, daß irgendetwas nicht stimmte, und ich konnte nicht einfach stillsitzen und tatenlos zusehen", erklärte sie. „Ich war letztes Jahr, 1992, nach Sera gefahren, um mir ein Bild von Lamas Situation dort zu machen. Einige Dinge gefielen mir sehr, andere beunruhigten mich. Selbst damals hatte Ösel viele Ängste, weil er so viele Dinge, neue Dinge, tun wollte, aber eingeschränkt wurde. Meine Befürchtungen im Zusammenhang mit der formalistischen tibetischen Erziehung bewahrheiteten sich. Ich hatte den Eindruck, daß Lama dauernd frustriert wurde und daß das Ausbildungssystem für Tulkus zwar Lamas Willen zähmte, aber seiner Persönlichkeit nicht gerecht wurde.

Das ständige Auswendiglernen, das im tibetischen Buddhismus während der ersten Ausbildungsjahre verlangt wird, langweilte ihn. Er will *verstehen* – aufgrund vernünftiger Argumente und durch Anregungen. Und was noch entscheidender war: Er lehnte es ab, Roben zu tragen, Gebete zu sprechen und ein Lama zu sein. Ich hielt das für eine recht heftige Reaktion auf eine Situation, die ihn unglücklich machte", fuhr sie fort.

„Am meisten schockierte mich jedoch Lamas Benehmen. Weil er unglücklich und frustriert war, entwickelte er ein tyrannisches Ego, brachte es nicht fertig, mit anderen zu teilen und wurde allmählich sehr ichbezogen. Dafür ist bestimmt, zumindest zum Teil, die Tulku-Ausbildung verantwortlich, in der sie den Kindern beibringen, im Mittelpunkt der Aufmerksamkeit zu stehen und von anderen Kindern getrennt zu leben. Zum anderen Teil hat es auch sicherlich mit Lamas westlichen Schülern zu tun, denen man nicht gesagt hat, wie sie sich ihm gegenüber verhalten sollen. Oft geben sie übermäßig, sie geben ihm alles, was er will – nur um seine Liebe und Anerkennung zu gewinnen. Sie geben, weil sie etwas haben wollen. Das ist nicht gut für ihn. Auch das hat ihn verwirrt und unglücklich gemacht."

Der Grund, warum sie ihn nach Spanien zurückgeholt habe, sei nicht der, daß sie den Entschluß, ihren Sohn den Lamas zu überlassen, rückgängig machen und ihn nun bei sich haben wolle, versicherte sie. „Ich empfinde immer noch keinerlei mütterliche Anhaftung. Ich habe Lama freiwillig Lama Zopa Rinpoche übergeben, und es wäre sicherlich das einfachste für mich, die Situation so zu lassen wie sie war. Aber Lama hat mich als seine Mutter ausgewählt, und daher glaube ich eine gewisse Verantwortung dafür zu tragen, ihm die bestmöglichen Bedingungen für die Weiterführung der Arbeit zu geben, die Lama Yeshe begonnen hat", sagte sie.

Selbst in der gegenwärtigen Umbruchphase war die nicht kleinzukriegende Maria nach wie vor der Überzeugung, ihr Sohn sei Lama Yeshes Reinkarnation. Auch ihre Gewißheit, daß es seine Aufgabe sein würde, Lama Yeshes Mission weiterzuführen und das heilige Dharma des tibetischen Buddhismus in den Westen zu bringen, war nicht ins Wanken geraten.

„All das gehört zu Lama Yeshes Strategie. Er stieß an seine Grenzen, als er mit seinen Unterweisungen für westliche Menschen begann, daher nahm er in diesem Leben einen westlichen Körper an. Es wäre falsch, von Lama Ösel zu erwarten, daß er die gleiche Erscheinung wie Lama Yeshe an den Tag legte. Hier ist ein neues Vehikel, eine neue Zeit, neue Eltern. Die Ursachen und Umstände sind anders. Meiner Meinung nach hängt das, was Lama Ösel tut, von den Bedingungen ab, die wir ihm zur Verfügung stellen. Wenn wir jetzt guten Samen säen, werden wir in

Zukunft eine schöne Pflanze haben. Ich glaube, daß selbst diese Umbrüche auf Lama Yeshes Linie liegen. Er bringt Strukturen in Bewegung und bringt neue Ordnungen hervor", argumentierte sie.

Mit ihren blitzenden Augen saß sie mir gegenüber und sah erstaunlich gut aus, wenn man bedachte, daß man ihr vor zwei Jahren nur noch höchstens sechs Monate zu leben gegeben hatte. Der zweite Krebsherd in ihrem Kopf war, sehr zum Erstaunen ihres Arztes, völlig verschwunden. Der Nierentumor war immer noch da; aber sie sagte, sie habe gelernt, ihn wie einen Freund zu behandeln.

„Er macht mir überhaupt keine Schwierigkeiten. Er hat nun die gleichen Ausmaße wie meine Niere, aber er blockiert die Arterien nicht. Die Niere funktioniert daher weiterhin gut." Sie war wirklich eine außergewöhnliche Frau, mutig, tapfer und mit einem unabhängigen Geist, der sich nicht scheute, alle vorgegebenen Glaubenssätze in Frage zu stellen.

Wie sie es vorausgesehen hatte, war es allerdings auch nicht leicht, Lama Ösel in Bubión zu haben. Sie versuchte, ihn dazu zu bringen, den geregelten Tagesablauf eines Tulku weiterzuführen, indem sie seinen Wohnbereich von dem der anderen Kinder abtrennte und ihn dazu anhielt, seine täglichen Gebete und Übungen zu machen. Gleichzeitig leitete sie ihr neugegründetes, lokales Touristikunternehmen und sah auf das Wohl ihrer anderen Kinder. Selbst für Maria war dies eine enorme Arbeitsbelastung. Jetzt im Juli hatten die Kinder Ferien, und Lama Ösel, nun von allen Beschränkungen in Sera befreit, tobte sich so richtig aus. Was die Dinge noch schwieriger machte war, daß Paco nach der Trennung von Maria Bubión verlassen hatte und nun in London arbeitete. Er war völlig gegen Marias Handlungsweise und war der festen Überzeugung, Lama Ösels Problem sei einfach nur, daß er Widerstände gegen die harte Arbeit hatte, die man ihm abverlangte.

Als Ausweg aus dieser Situation hatte Maria den Plan entwickelt, ihre eigene Schule für Tulkus in Bubión zu errichten. Eine verwegene Idee, gelinde gesagt. Sie hatte bereits alles geplant. „Es wird eine einzigartige Umgebung für besondere Kinder sowohl aus dem tibetischen Raum als auch aus dem Westen sein, die dazu ausgebildet werden, den Anforderungen unserer heutigen, sich so schnell verändernden Welt gerecht zu werden. Sie soll sich an den Prinzipien der Universellen Erziehung orientieren, so wie Lama Yeshe sie aufgestellt hat. Dabei werden das

Beste der westlichen Erziehungsmethoden und die Essenz des tibetischen Systems miteinander verbunden. So wird die westliche Gesellschaft profitieren, aber auch die tibetische. Natürlich", fügte sie hinzu, „muß alles zusammen mit Seiner Heiligkeit dem Dalai Lama entwickelt werden, er muß die Leitung übernehmen."

Es war ein schwindelerregendes Vorhaben, das sicherlich etwas Gutes an sich hatte. Ich fragte mich jedoch, wie Maria die Lehrer für solch einen ehrgeizigen Plan finden würde, ganz zu schweigen von den Finanzen. Wenige hochgestellte Lamas würden bereit sein, etwas zu tun, was Lama Zopas Anweisungen zuwiderlief, was Maria ja bereits selbst entdeckt hatte, als sie einen oder zwei Lehrer gebeten hatte, nach Bubión zu kommen, um Lama Ösel zu unterweisen. Lama Zopas weiser Rat konnte tatsächlich nicht so einfach zur Seite geschoben werden. Er war zutiefst davon überzeugt, daß Sera der beste Aufenthaltsort für Lama Ösel war, und wer konnte es wagen, ihm zu widersprechen?

Ich verließ Bubión mit der Frage, wohin Lama Ösels Weg ihn wohl nun führen würde. Bei meinem letzten Blick auf den spanischen Tulku sah ich ihn im Garten spielen – genüßlich wie immer. Er war jetzt ‚frei' und führte das Leben eines normalen Kindes, aber ich spürte etwas Schweres und Trauriges über ihm liegen. In diesem Stadium seines Lebens war Tenzin Ösel Rinpoche ein Kind gefangen zwischen zwei Kulturen. Es war ein herzzerreißender Anblick.

Schweren Herzens fuhr ich nach London zurück, verwirrt von den widerstreitenden Interessen, die nun im Rahmen von Lama Ösels Leben ausgetragen wurden. Ein weiteres Mal fragte ich mich, ob das Experiment, die spirituellen Meister des Ostens in westliche Erde zu verpflanzen, überhaupt gelingen konnte. Vor allem aber lag mir dieser kleine spanische Junge am Herzen, dessen Schicksal ihn in der vordersten Linie dieser Bewegung haben wollte.

Dann war die Krise plötzlich vorbei: Einige Wochen später besuchte Ösel seinen Vater in London und entschied aus eigenem freien Willen heraus, Bubión zu verlassen und nach Kopan zu gehen, zu jenem Hügel in der Mitte des Kathmandu-Tales, wo alles begonnen hatte. Er wollte sein Leben als Mönch wieder aufnehmen. Beobachtern zufolge entspannte er sich nun sichtlich – zum ersten Mal seit Monaten. Sein gequälter Gesichtsausdruck und sein offensichtliches Unglücklichsein verschwanden. „Er schien wiedergefunden zu haben, wohin er gehörte. Es wirkte so, als sei er nach Hause zu seiner wirklichen Familie gekommen", sagte ein Augenzeuge. Er verbrachte jeden Morgen mehrere Stunden mit Lama Zopa in dessen Zimmer, und das ständige schallende Gelächter hinter der verschlossenen Tür machte alle froh. Der kleine Junge und sein Guru, der nun im mittleren Alter war, hatten ihre unerklärlich enge Verbindung wiederhergestellt.

Lama Ösel war offenbar zu einer grundlegenden Entscheidung für sein Leben gekommen. Er hatte seine Wahl getroffen. Für eine kurze Zeit hatte er das Leben eines normalen Kindes ausprobiert und es dann freiwillig abgelegt. Er machte seine Entscheidung bei einem Treffen deutlich, zu dem Maria, Paco und Vorstandsmitglieder des FPMT eingeladen worden waren, um über Lama Ösels Zukunft zu sprechen.

Obgleich er erst neun Jahre alt war, übernahm er die Leitung. Vor Beginn der Sitzung studierte er ihren Ablauf sogar mit einigen Leitern des FPMT ein. „Er war genau wie Lama Yeshe. Er nahm die Zügel in die Hand und dirigierte das ganze Geschehen. Er sagte wörtlich: ‚Ich bin der Chef.' Es war beeindruckend", sagte eine Teilnehmerin. Kurz gesagt erklärte Lama Ösel, er werde nach Sera zurückgehen, aber nur unter bestimmten Bedingungen – daß sein Vater Paco und sein jüngerer Bruder Kunkyen mit ihm gingen. Außerdem wolle er ein Mitspracherecht bei der Auswahl seiner neuen westlichen Lehrperson (Norma Quesada-Wolf war mittlerweile abgereist) und seines Kochs. Seine Ansprache war klar, direkt und voller Autorität. Zu meinem Erstaunen nahm er auch Marias Argumente auseinander, er sei in Bubión besser aufgehoben. „Er sprach sehr direkt mit ihr, aber da er die Wahrheit sagte, akzeptierte sie es", fügte die Teilnehmerin hinzu.

Lama Ösel ist jetzt also wieder in Sera – mit seinem Vater als Begleiter und seinem Bruder als Freund, so wie er es gewünscht hatte. Kunkyen ist mittlerweile Mönch. Bald nach seiner Ankunft hatte er voller Begeisterung die Roben angelegt, womit er die Voraussage zu erfüllen begann, auch er sei ein besonderes Kind. Ösel ist nun zur Ruhe gekommen. Es geht ihm gut, und er geht fleißig seinen Studien nach. Vielleicht kann er nun seine Situation akzeptieren, weil er Leute um sich hat, von denen er weiß, daß sie ihn dafür lieben, was er ist und nicht dafür, was er repräsentiert. Vielleicht ist es auch auf die Tatsache zurückzuführen, daß er nun eigenständig entschieden hat, in welche Richtung sein Leben gehen soll. Vielleicht hat er auch für sich selbst herausgefunden, wie ernüchternd das ‚normale' Leben sein kann. Oder er hat es fertiggebracht, innerlich zu einem ganz grundsätzlichen Entschluß zu kommen. Vielleicht mußten alle Tulkus irgendwann in ihrem Leben einmal solch eine Hürde nehmen.

Ich erinnerte mich daran, von einer ähnlichen Krise gelesen zu haben, die der junge Chögyam Trungpa, der brillante und umstrittene Meditationsmeister, durchgemacht hatte. In seinem Buch *Journey without Goal* beschreibt er, welche seelische Not er in Tibet erlebt hatte und wie sich das auf ihn ausgewirkt hatte:

> Während meiner Ausbildung wurde ich ständig kritisiert. Wenn ich mich zurücklehnte, tadelte man mich und sagte mir, ich solle gerade sitzen. Jedesmal wenn ich etwas richtig machte, kritisierte man mich sogar noch mehr. Mein Lehrer demütigte mich andauernd. Er schlief im Flur vor meiner Tür, so daß ich nicht einmal hinausgehen konnte. Er war immer da und beobachtete mich unentwegt…
>
> Seit ich ein Kleinkind von achtzehn Monaten gewesen war, war ich streng erzogen worden, also kannte ich nichts anderes, ich hatte keine Vorstellung von Freiheit oder Lässigkeit. Ich wußte nicht, wie es sich anfühlt, ein normales Kind zu sein, im Schmutz oder mit Spielzeug zu spielen oder auf rostigem Metall und dergleichen herumzukauen. Da ich keinen anderen Bezugspunkt hatte, dachte ich, die Welt sei eben so. Ich fühlte mich irgendwie zu Hause, aber gleichzeitig fühlte ich mich sehr unter Druck und klaustrophobisch.
>
> Doch dann hörte ich interessanterweise auf, mit den Obrigkeiten zu kämpfen, wenn man es so ausdrücken möchte, und begann, mich zu entwickeln. Ich ging einfach weiter und weiter und weiter. Zu diesem Zeitpunkt schien mein Lehrer Angst vor mir zu bekommen; er begann weniger zu sagen. Und meine Lehrer brachten mir weniger bei, weil ich ihnen zu viele Fragen stellte… Irgendetwas funktionierte tatsächlich. Endlich begann ich etwas zu begreifen. Die Disziplin war Teil meines Systems geworden.

Auch der Dalai Lama, der ganz offen über die Strenge und die Isolation spricht, die er als Kind im Potala, dem Palast der tausend Räume in Lhasa, empfunden hatte, kam zu dem Schluß, die Disziplin sei ihm – rückwirkend betrachtet – gut bekommen.

Zu diesem Zeitpunkt seines Lebens scheint Lama Ösel sich gefunden zu haben. Er hat sich wieder in seinem Haus in Sera mit seinem Garten und seinem ständig wachsenden Haustier-Zoo eingelebt. Er besitzt jetzt zwei Hunde, ein Kaninchen und ein Reh. Die Gesellschaft seines Bruders und seines Vaters geben ihm die Stabilität, die ihm vorher offenbar gefehlt hat. Man hatte unterschätzt, wie wichtig seine emotionale Umgebung für ihn war: Ihm hatte ein wirklicher Freund gefehlt.

Er ist nun sogar mit den Studien mit seinem Gen-la zufrieden. Dieser hat den traditionellen Ansatz ein wenig verändert, bringt mehr Erklärungen und Kommentare ein und erzählt inspirierende Geschichten großer Meister und Heiliger, was Ösel sehr gerne mag. Der neue westliche Lehrer beginnt gerade mit einem Lehrplan, der auf der englischen Sprache basiert und Kinder zur Universitätsreife führen soll. Ösel lernt weiterhin Spanisch, Englisch und Tibetisch in Wort und Schrift und bringt seinem Bruder Englisch bei. Zu seiner großen Freude bekam er einen Computer und eine große Auswahl Education-Software geschenkt. Bestimmte Aspekte der Sprache, der Mathematik, des Lesens und des logischen Denkens kann er nun in spannenden Spielen erlernen. Zu guter Letzt verschmelzen Ost und West.

1994 beschreibt Paco in der Juni-Ausgabe der Zeitschrift *Mandala* Ösels gegenwärtige geistige Verfassung und die Atmosphäre ihres gemeinsamen Alltags folgendermaßen:

Die Zeit in Kopan war gut für Lama. Sie ermöglichte ihm, sich wieder in das Leben in Sera einzugliedern, weil er Raum und Zeit hatte, in der Meditation darüber nachzudenken. Er hatte sich allerdings schon in London zur Rückkehr entschlossen.

Lama wirkt zufrieden im Kloster Sera. Wenn er mit seinem Bruder Kunkyen zusammen ist, zeigt Lama den Teil von sich, der unser Verständnis am meisten braucht: den kindlichen.

Am 25. März 1994 besuchte uns ein italienisches Fernsehteam, das einen Film über Ganchen Rinpoche drehte. Sie machten ein Interview mit Lama und stellten die üblichen Fragen: ob er sich an sein vergangenes Leben erinnere? Er sagte, er erinnere sich an nichts. Ob er sich wie ein Lama oder wie ein Kind fühle? Er sagte, wie ein Kind. Ob er alles verstehe, was ihm beigebracht wurde? Er sagte, einiges davon. Wie sein Stundenplan aussehe? Er gab eine ausführliche Antwort, wobei er jede Unterrichtsstunde aufzählte. Würde er gerne in einer Familie leben? Er sagte ja, in Sera lebe er bereits in einer Familie.

Lama Ösel ist endlich nach Hause gekommen. Ich fand es interessant, daß er nun die Standard-Reaktion aller Rinpoches zeigte, wenn man sie über ihre Erinnerungen an vergangene Leben befragt: Verleugnung. Ich hatte Lama Zopa einmal gefragt, was ihm aus seinem früheren Leben in Erinnerung geblieben war, und er hatte geantwortet: „Schwärze." Die Antwort des Dalai Lama fiel ähnlich aus, er antwortete, er erinnere sich an ‚sehr wenig'. Eigenlob ist niemals ein Zeichen wahrer spiritueller Größe. Einmal gab sich der Dalai Lama jedoch fast zu erkennen, als er bemerkte: „Einige Leute, die ich kenne, können sich, wenn sie in der Meditation in eine feinere Bewußtseinsebene eintauchen, klar an siebenhundert, achthundert, sogar tausend Jahre zurückerinnern."

Was wird die Zukunft bringen? Wenn es nach Lama Zopas Vorstellungen geht, wird Lama Ösel zumindest bis zu seinem vierzehnten Lebensjahr in Sera bleiben. Danach wird seine westliche Erziehung beginnen. Sie soll ihm die grundlegenden Prinzipien der westlichen Naturwissenschaften, der Psychologie und der neuesten Entdeckungen dieses Jahrhunderts beibringen. Auf diese Weise will man ihn dazu erziehen, zwei verschiedene Systeme in sich zu vereinen: die geheimsten Mysterien des Ostens und die neuesten Ergebnisse westlichen Denkens. Zur Zeit läßt sich noch nicht abschätzen, was er mit diesen beiden gedanklichen Strömen machen wird, die zwar in einigen Punkten zusammenfließen, aber doch verschieden sind; der Plan und die Hoffnungen sind jedoch gewaltig. Man erwartet, daß in Lama Ösel Ost und West zusammenkommen und daraus eine neue, dynamische Chance für die Menschheit entstehen wird.

Lama Yeshe hatte sich zu seinen Lebzeiten diesem Ziel verschrieben. Lama Yeshe, dieser einzigartige Tibeter, hatte mutig die traditionellen Methoden zur Übermittlung des heiligen Dharma abgelegt, um einen anderen Weg zur westlichen Psyche zu finden. Und wie empfänglich waren wir alle dafür gewesen! Dieser Lama hatte seine Botschaft in der

Sprache der Hippies vermittelt: „Buddhismus hat nichts damit zu tun, daß man selig auf Wolken schwebt – Buddhismus bedeutet, sich der Wirklichkeit zu stellen!" Er hatte christliche Klöster besucht und sich mit christlichen Priestern angefreundet, um etwas über diese im Abendland meistverbreitete Religion herauszufinden; er war drei Tage lang allein an der australischen Küste unterwegs gewesen, um etwas über das Strandleben zu erfahren und hatte dabei seine Roben mit Shorts, einem T-Shirt und einer Baseballmütze vertauscht, so daß er sich unerkannt unter die Leute mischen konnte; er war bei einem Homosexuellen-Marsch gewesen und in Disneyland; er hatte jede einzelne Pore seines Wesens benutzt, um seine Botschaft der Liebe und Weisheit zu übermitteln. Wird Lama Ösel da weitermachen, wo er aufgehört hat? Wird er uns mit Inspiration erfüllen und uns eine neue Art lehren, das Leben zu sehen, so wie Lama Yeshe es getan hatte?

Wenn ich Lama Ösel betrachte, sehe ich so viele Ähnlichkeiten: seine angeborene Freundlichkeit und Güte; eine fast unerträgliche Anteilnahme am Leiden der Menschen und Tiere gleichermaßen; seine extrovertierte Art; seine Vorliebe für Blumen, Kochen, Autos und sogar Hüte; seine Schnelligkeit und als wichtigste aller Eigenschaften: sein tiefer, schöpferischer Geist. Meine größte Befürchtung, nämlich daß man dieses Kind in eine festgelegte Rolle hineindrängen würde, war durch seinen eigenen, wunderbar unabhängigen Kopf völlig beiseite geräumt worden. Nun steht zweifelsfrei fest, daß niemand jemals fähig sein wird, Lama Ösel dazu zu bringen, etwas zu tun, was er nicht tun will oder zu sein, wer er nicht sein will.

Wir fragen uns, welchen Weg er nehmen wird. Er wird, wie jeder Thronerbe, dazu erzogen, die Leitung eines großen Königreiches zu übernehmen. In Lama Ösels Fall erstreckt sich dieses Gebiet über den ganzen Globus. Die Organisation, die Lama Yeshe ins Leben gerufen hatte, seine ‚internationale Familie', das FPMT, hat sich seit seinem Tod im Jahre 1984 ständig vergrößert und umfaßt mittlerweile etwa siebenundsechzig Unternehmungen: Zentren in Städten, Klausurzentren auf dem Lande, Klöster für Nonnen und Mönche, Verlage, Hospize, Obdachlosenheime, ein Zentrum für Leprakranke und einen ehrgeizigen Plan, eine etwa zwanzig Meter hohe Statue von Maitreya, dem künftigen Buddha, in Bodhgaya zu bauen, an jenem Ort, an dem der Buddha erwachte. Für eine solch große Organisation und ihre vielen Probleme und Projekte verantwortlich sein zu müssen, ist eine eher furchteinflößende Aussicht. Lama Zopa deutete an, Lama Ösel werde beginnen, die Zügel in die Hand zu nehmen, wenn er dreizehn sei.

Einige hoffen inbrünstig, daß er das tun wird. Jene Menschen, die es zu ihrer Lebensaufgabe gemacht haben, die verschiedenen von Lama Yeshe gegründeten Zentren und Projekte auszubauen und weiterzuführen (mit all der Hingabe und Selbstaufgabe, die ihnen dabei abverlangt wurde) warten darauf, daß Lama Ösel neue Energie und neues Leben in ihre Unternehmungen strömen läßt. Auch jene ersten Menschen aus dem Westen, die von Lama Yeshe dazu inspiriert wurden, ihre Köpfe zu rasieren und die dunkelrot-gelben Roben anzuziehen, erwarten von Lama Ösel, daß er ein großer Lama wird und damit in die Fußstapfen seines Vorgängers tritt. Für viele muß Ösel ein Lehrer der tibetischen Gelugpa-Tradition werden, alles andere würde bedeuten, daß er versagt hat.

Andere haben das Gefühl, Ösel brauche keine Mönchsroben tragen, um seine Aufgabe als spiritueller Führer zu erfüllen. Sie können sich vorstellen, daß er eine andere Richtung einschlägt und seine Energie einer anderen Welt als der des tibetischen Buddhismus gibt. Er sei dieses Mal schließlich als ein Mensch des Westens gekommen, argumentieren sie, und wird seiner besonderen Weisheit und seinem Mitgefühl in einem neuen Zusammenhang Ausdruck geben. Seine Roben beizubehalten und seine Unterweisungen als Lama aus Tibet zu geben, bedeute einfach nur einen Schritt zurück. Eine Lama Yeshe sehr ergebene Schülerin kann Lama Ösel als den Moderator einer Talkshow sehen. „Schaut euch Oprah Winfrey an. Sie erreicht weltweit ein riesiges Publikum. Wenn man möchte, daß die eigene Botschaft gehört wird, muß man es so machen", sagt sie. Ein anderer gibt zu bedenken: „Wenn er gerne ein Tibeter gewesen wäre, der dem tibetischen Pfad folgt, hätte er sich eine tibetische Mutter ausgewählt." Lama Ösels jetzige Mutter Maria sagt jedenfalls recht deutlich: „Ich glaube, Lama Ösel ist hierhergekommen, um ein universeller Lehrer zu sein und kein tibetischer Geshe."

Alles ist offen. Lama Zopa hat nie versucht zu verbergen, daß es ganz und gar nicht sicher ist, ob in Lama Ösels Leben alles von Erfolg gekrönt sein wird. Überall gibt es Fallen und Hindernisse, vor denen wir auf der

Hut sein müssen. Der buddhistischen Philosophie zufolge haben wir vielleicht die Ursachen dafür geschaffen, einen hervorragenden Lehrer in unserer Mitte zu haben, der uns lehren und führen kann – die von uns geschaffenen Bedingungen, die Umgebung und unsere Beziehung zu ihm sind aber genauso wichtig. Alles ist voneinander abhängig.

Mir persönlich gefällt Lama Ösels starke, fast widerspenstige Energie. Ich freue mich darüber, daß er ein durch und durch westliches Kind ist mit einer Vorliebe für all die technischen Geräte unserer Zeit und hoffe insgeheim, daß er weiterhin so radikal bleibt. Denn ich habe Lama Yeshes unangepaßten Weg vermißt: seinen weiten ökumenischen Ansatz, seine Fähigkeit, durch die komplexe Struktur des tibetischen Buddhismus zu schneiden, um uns seine wesentliche Aussage zu übermitteln, seine Fähigkeit, den Buddhismus für uns – die Menschen aus dem Westen – relevant und lebendig zu machen. Es ist meine größte Hoffnung, daß Lama Ösel die Mittel finden wird, die kostbaren alten Weisheiten in eine neue Sprache zu fassen, die dem einundzwanzigsten Jahrhundert entspricht, und dieser aufregenden, unberechenbaren Welt, in der wir leben, einen Sinn zu geben.

Die Spekulationen gehen weiter. In der Zwischenzeit warte und beobachte ich, mit Hoffnung, Spannung… und ein wenig Besorgnis.

11

Das Rad dreht sich weiter

Meine Forschungsreise zum Thema Reinkarnation hatte mich in viele Länder und in Kontakt mit einigen der faszinierendsten und brillantesten Leute gebracht, die heute auf dieser Erde weilen. Ihre Arbeit, ihre Entdeckungen, die Herausforderungen, vor die sie uns allein durch ihre Anwesenheit stellen, drängen die Menschheit, so glaube ich, zu neuen Horizonten des Denkens und der Selbsterkenntnis. Wir leben in einer aufregenden Zeit. Blicke ich so auf meine körperlichen und geistigen Reisen zurück, kann ich sehen, wie sich einige feste Pfade in der Landschaft abzuzeichnen beginnen.

Die neuen Wissenschaften, die sich anschicken, eine Bresche in die unbekannten Bereiche des inneren Raumes, der interessantesten aller Dimensionen, zu schlagen, treffen auf einen ähnlichen Pfad, der aus dem Osten kommt. Der tibetische Buddhismus mit seiner eigenen tiefen Wissenschaft des Geistes, die auf jahrhundertelang durch Meditation gesammelten inneren Erfahrungen beruht, ist nun endlich der Welt zugänglich geworden und stellt uns allen seine Schätze zur Verfügung. Der Augenblick ist günstig, und das Zusammentreffen verspricht, wirklich ergiebig zu werden. Einige Individuen, Visionäre natürlich, sahen so etwas kommen. Einer von ihnen war H. G. Wells. Er schrieb: „Es ist möglich, daß die ursprüngliche Lehre des Gotama (des Buddha) im Schicksal der Menschheit nochmals eine ausschlaggebende Rolle spielen wird, wenn sie einmal durch den Kontakt mit der modernen Wissenschaft und inspiriert durch den Geist der Geschichte mit neuem Leben erfüllt und geläutert wird." Ein anderer war Einstein, der am 19. Mai 1938 im theologischen Seminar von Princeton folgende prophetischen Worte sprach:

Die Religion der Zukunft wird eine kosmische Religion sein. Sie sollte über die Vorstellung eines persönlichen Gottes hinausgehen und Dogmen sowie Theologie vermeiden. Sie sollte das Natürliche und das

Spirituelle umfassen und auf einer religiösen Empfindung beruhen, die alle Dinge, die natürlichen und die spirituellen, als sinnvolle Einheit erfährt. Der Buddhismus entspricht dieser Beschreibung.

Und doch: Wenn ich den Wissenschaftlern zuhöre, wie sie sich von ihren Rednerpulten herab auf ihre trockene und intellektuelle Art über die Kernfragen streiten – nämlich wer wir eigentlich sind, was uns in Schwung hält und ob das Gehirn das gleiche ist wie der Geist – muß ich an die Yogis im Osten denken, die die Sache einfach in die Hand nehmen. Die großen Meister liefern den sicht- und greifbaren Beweis, daß sie die Herrschaft über den Tod erlangen können und sie auch ausüben. Und das ist schließlich die ultimative Antwort auf die Frage, was das Bewußtsein ist. Während wir reden, setzen sie sich in der Meditationshaltung hin und zeigen faktisch, daß Menschen ihren Geist im Sterben beherrschen können – und offensichtlich auch ihren eigenen Wünschen gemäß wiedergeboren werden. Diese Fähigkeit ist wirklich erstaunlich. Die Errungenschaft dieser Menschen ist und bleibt die größte Herausforderung für die Denker des abendländischen Kulturkreises. Ich frage mich, ob die Wissenschaftler sie annehmen werden. Der entscheidende Unterschied zwischen den Wissenschaftlern und den Yogis besteht allerdings darin, daß die ersteren vom Kopf her an die Sache herangehen, die letzteren dagegen vom Herzen. Die Frage ist nun: Werden Kopf und Herz sich treffen?

Ich sehe, wie sich ein neuer Pfad abzeichnet – jener, der durch die Gegenwart der westlichen Tulkus und die Verbreitung des Buddhismus im Westen geebnet wurde. Die Tulkus – jene Wesen, die sich, wie man uns sagt, freiwillig reinkarniert haben, um uns den Weg zu weisen – tauchen nun wie Leitsterne in unserer Mitte auf, um uns zu zeigen, was Menschen möglich ist. Mit ihren beiden Flügeln der Weisheit und des Mitgefühls, durch die Kopf und Herz zum Ausdruck kommen, schwingen sie sich auf – genau in den Kern der Angelegenheit. Für mich ist ihre lebendige Präsenz eine große Inspiration, denn nur die Tulkus und die Botschaft des Buddhismus geben der Vorstellung, daß wir immer und immer wieder in dieses Leben zurückkommen, einen Sinn.

Wenn ich auf die vielen Geschichten über Wiedergeburtserfahrungen zurückblicke, die ich von westlichen Menschen gesammelt habe, wird eines deutlich: Die ständige Wanderschaft im endlosen Kreislauf von

Geburt und Tod mit ihren unzähligen Spielarten von Schmerz und Angst ist nicht nur erschöpfend, sondern auch letztlich langweilig. Es ist so, wie der Buddha sagte. Einige lassen sich von der Tatsache, daß der Tod nicht im Nichts endet, blenden und verspüren große Erleichterung; letztlich muß man sich jedoch fragen: „Was soll das?" Welchen *Sinn* hat diese ununterbrochene Wanderschaft von einem Leben zum anderen? Durch die westlichen Forschungsergebnisse mag vielleicht bewiesen werden, daß so etwas wie Wiedergeburt existiert, aber bisher hat die Wissenschaft uns noch keine Erklärungen anzubieten, die die Sinnhaftigkeit dieses Phänomens betreffen.

Im Buddhismus ist das anders. Durch seine ausgedehnten Studien zur Funktionsweise des Bewußtseins und der Logik des Gesetzes von Ursache und Wirkung erklärt der Buddhismus zumindest schlüssig, wie wir hierher gekommen sind, warum wir die Art von Leben haben, die wir haben, und was mit uns geschehen wird, wenn wir sterben. Ob wir diesen Erklärungen glauben oder nicht, ist eine andere Frage. Es geht ihr um die größten aller Fragen – und wir beginnen nun, Antworten darauf zu fordern. Und so beobachte ich mit größtem Interesse den fragilen Pfad, den der Buddhismus sich nun in Richtung Westen bahnt. Ich weiß, daß das Dharma, der Weg, den der Buddha lehrte, eigentlich nirgendwohin gehört. Es gleicht der Wahrheit, die auf dem Meer schwimmt und sich einfach dorthin bewegt, wohin die Strömungen der Zeit sie tragen und die die Farbe und die Atmosphäre des Landes annimmt, in der sie sich wiederfindet. Nun fließt sie in unsere Richtung; wir sind an der Reihe. Bisher sehe ich noch keinen westlichen Buddhismus, denn die Lehren müssen zunächst einmal aufgenommen und verdaut und dann unserer Psyche entsprechend modifiziert werden. Das wird viele Jahre dauern. Die westlichen Tulkus sind ein wesentlicher Teil dieses Prozesses; sie geben uns die Starthilfen.

Die Antwort des Buddha auf die Frage, warum wir immer wiedergeboren werden, besagt, daß der Sinn von all dem lediglich darin besteht, daß wir lernen, es zu beenden. Wenn wir von unserer dauernden Wanderschaft ernüchtert sind, wenn die tragischen und komischen Schauspiele unseres Geistes uns nicht mehr länger faszinieren, sehnen wir uns nach Frieden. Das ist der Beginn unserer letzten Reise, in der wir unsere wahre Natur und die letzte Wirklichkeit aller Dinge entdecken.

Und obgleich es letztlich unsere Bestimmung ist, diesem Kreislauf des verwirrten und leidvollen Daseins zu entkommen, nehme ich doch an, daß die Reise weitergehen und das Rad sich weiterdrehen wird.

Glossar

bodhicitta Der altruistische Wunsch, die Erleuchtung zu erlangen, um alle Wesen von ihren Leiden zu befreien.

bodhisattva Eine Person, die nach dem Erwachen strebt, um andere zu befreien.

buddha Ein völlig erwachtes Wesen; eine erleuchtete Person, die den allwissenden Geist und absolutes Mitgefühl besitzt.

Chenrezig (skt. *Avalokiteshvara*) Eine Gottheit, die die mitfühlende Natur des Buddha ausdrückt.

dakini Hier: eine Erleuchtete, wörtliche Übersetzung aus dem Tibetischen: „Himmelstänzerin".

dharma Spirituelle Unterweisungen; der Weg des Buddha; der ‚Pfad'.

Leerheit (skt. *shunyata*) Die Abwesenheit der scheinbaren unabhängigen Selbstexistenz aller Phänomene.

gelugpa Eine der vier Traditionen des tibetischen Buddhismus, die auch ‚Schule der Gelbmützen' genannt wird und im vierzehnten Jahrhundert von dem Reformator Je Tsong Khapa gegründet wurde.

geshe Im Kloster erworbener akademischer Titel, etwa vergleichbar mit einem Doktor der Theologie.

gompa Hier: Tempel, Andachtsraum.

Heruka Männliche Gottheit des Höchsten Yoga-Tantra.

katag Weißer Schal, den sich Tibeter zur Begrüßung oder als Ausdruck ihrer Ehrerbietung überreichen.

lam rim Unterweisung, in der der Stufenweg zur Erleuchtung dargelegt wird.

mandala Eine Darstellung des Palasts oder des Universums eines Buddha.

mantra Heilige Worte der Kraft, normalerweise in Sanskrit.

mudra Hier: Handgeste, die bestimmte erleuchtete Eigenschaften symbolisiert.

nirwana Zustand jenseits von allen Sorgen und jedem Leid, Befreiung vom Karma.

ösel ‚Klares Licht‘, ursprünglicher, äußerst subtiler Bewußtseinszustand.

rinpoche Ein anerkannter reinkarnierter Lama; einer, der sich willentlich inkarniert hat, um andere zur Erleuchtung zu führen.

stupa Bauwerk, das den heiligen Geist des Buddha repräsentiert.

tantra Buddhistischer Pfad für fortgeschrittene Praktizierende, der nur nach einer Initiation geübt wird.

tulku siehe *rinpoche*

zopa Geduld

DER DIAMANT VERLAG

entstand aus der Arbeit des tibetisch-buddhistischen Meditationszentrums ARYATARA INSTITUT e.V., München. Er ist Mitglied in der Stiftung zur Erhaltung der Mahayana-Tradition (FPMT), einem Zusammenschluß von etwa 70 Meditations-, Studien- und Retreatzentren rund um den Erdball, die unter der Leitung von Lama Thubten Zopa Rinpoche stehen.

WEITERE TITEL AUS UNSEREM PROGRAMM:

Lama Zopa Rinpoche, *Probleme umwandeln.*
Wie du glücklich sein kannst, wenn du es nicht bist.
1993, 116 S., DM 24,80, ISBN 3–924045–09–7

Lama Zopa Rinpoche, *Herzensrat eines tibetischen Meisters.*
1994, 192 S., DM 32.–, ISBN 3–924045–11–9

Lama Yeshe, Lama Zopa Rinpoche u.a.
Heilung. Tibetische Lehren und Übungen.
1996, ca. 150 S., ca. DM 25.–, ISBN 3–924045–14–3

Mackenzie, Vicki
Die Wiedergeburt.
Ein tibetischer Lama kehrt zurück.
1994, 240 S., DM 22.–, ISBN 3–924045–10–0

Vicki Mackenzies erster Bestseller über Reinkarnation

Lama Yeshe, *Wege zur Glückseligkeit.* Einführung in Tantra.
1988, 220 S., DM 29,80, ISBN 3–924045–06–2

S. H. XIV. Dalai Lama, *Ein menschlicher Weg zum Weltfrieden.*
1985, 24 S., DM 5,90, ISBN 3–924045–05–4

Alan Wallace, *Von Tibet nach New York.*
Alte buddhistische Weisheit für unser heutiges Leben.
1995, 232 S., DM 36.–, ISBN 3–924045–012–7

Kathleen McDonald, *Wege zur Meditation.* Eine praktische Anleitung.
1986, 256 S., DM 29.–, ISBN 3–924045–04–6

Jeffrey Hopkins, *Der tibetische Buddhismus.* Sutra und Tantra.
1988, 220 S., DM 26,80, ISBN 3–924045–07–0

Prinz Siddharta. Das Leben des Buddha,
erzählt von Jonathan Landaw, mit 62 Farbaquarellen von Janet Brooke.
1986, 150 S., DM 35.–, ISBN 3–924045–05–4

AUSLIEFERUNG:
Diamant Verlag, Iris Fricke, Fuchsweg 7, D–89284 Pfaffenhofen
Bitte fordern Sie unseren Katalog an!